KARL FEHR

Conrad Ferdinand Meyer

Auf- und Niedergang seiner dichterischen Produktivität
im Spannungsfeld von Erbanlagen und Umwelt

FRANCKE VERLAG BERN
UND MÜNCHEN

Meiner lieben und verständnisreichen Lebensgefährtin

CIP-Kurztitelaufnahme der Deutschen Bibliothek

Fehr, Karl:
Conrad Ferdinand Meyer: Auf- und Niedergang seiner dichter.
Produktivität im Spannungsfeld von Erbanlagen u. Umwelt / Karl Fehr. –
Bern; München: Francke, 1983.
ISBN 3-7720-1551-4

Satz und Druck: C. H. Beck'sche Buchdruckerei, Nördlingen

Vorwort

Unter den Dichtern, die das geistige Antlitz der Schweiz im neunzehnten Jahrhundert prägten, nimmt Conrad Ferdinand Meyer noch immer einen beachtlichen, wenn auch nicht mehr uneingeschränkt zuerkannten Platz ein, neben Gotthelf und Gottfried Keller. Im Vergleich zu diesen geriet er insofern ins Hintertreffen, als ihm das leidenschaftliche soziale Engagement abgeht, das diese beiden kennzeichnet. Dazu hielt er sich in Beziehung auf den Säkularisationsprozeß des neunzehnte Jahrhunderts – von Gotthelf in seiner weltumstürzenden Wirkung erkannt und in beschwörenden Tönen verworfen, von Keller im Anfang begeistert begrüßt und später mit vorsichtiger Zurückhaltung als Tatsache hingenommen – an den Rahmen seines Bildungs- und Familienerbes. Obwohl der jüngste in der Reihe und von schweren Anfechtungen umgetrieben, ist er doch dem konservativ-gläubigen Flügel zuzurechnen.

Was ihm von allen jenen zum Vorwurf gemacht wird, für die das sozialkritische Engagement in der literarischen Wertung höher als alles steht, wird ihm von jenen positiv angerechnet, die dem dichterischen Kunstwerk noch immer eine gewisse Unabhängigkeit vom Zeitgeschehen und einen zeitlosen Eigenwert zubilligen. Meyers das Allgemeinmenschliche angehende, dabei kunstvoll geprägte Lyrik und seine wertfreie, aber dramatisch bewegte, die menschlich-psychologischen Tiefen auslotende historische Prosa vermögen noch immer eine wenn auch weit verstreute Gemeinde von Verehrern zusammenzuhalten; Meyer ist noch, wenn auch mit vorsichtiger Einschränkung gesagt, Weltliteratur. Dazu kommt noch ein weiteres das Meyer-Verständnis erhaltendes und förderndes Element, das ihm eine gewisse Ubiquität im Raum der deutschen Sprache und Literatur sichert: seine fast ausschließlich auf die Schriftsprache und das Hochdeutsch ausgerichtete Diktion, die ihn, im größten Gegensatz zu Gotthelf, an den entlegensten Stellen, wo Deutsch gelesen und gepflegt wird, zugänglich erhält. Seine Affinität zum Französischen und zur romanischen Kulturwelt überhaupt und eine gewisse Verwandtschaft zum Angelsächsischen trägt zu dieser Ubiquität nicht unwesentlich bei.

Ein Aspekt seiner dichterischen Kunst, seine Artistik, mit anderen Worten der Vorwurf, es handle sich bei Meyer lediglich um ein hochgespieltes dichterisches Kunsthandwerk, hat seiner literaturgeschichtlichen und weltliterarischen Wertung empfindlichen Schaden zugefügt. Dem kommt entgegen, daß dem heutigen Kunstverstand das artistische Element diametral entgegengesetzt ist.

An dieser Stelle möchte das vorliegende Buch ansetzen. Meyers Artistik und Meyers Spiel mit den traditionellen Kunstmitteln soll aufgrund neuer Einsichten in sein psychisches und geistiges Werden einer genauern Prüfung unterzogen werden. Sein Bedürfnis nach höchster künstlerischer Perfektion soll aus seinen seelischen Motivationen heraus neu verstanden werden.

Die jahrzehntelange Beschäftigung mit Conrad Ferdinand Meyer und mit der Meyer-Literatur hat dem Verfasser auch Lücken in der Meyer-Forschung sichtbar gemacht. Seine Stellung zu Vater und Mutter erforderte dringend eine genauere Überprüfung der Sachverhalte, dies um so mehr, als es sich bei Meyer um einen übersensiblen und erblich schwer belasteten Menschen handelt. So steht denn hier in den umfänglicheren Kapiteln die mitmenschliche Konstellation im Vordergrund.

Dazu seien einige Bemerkungen angefügt: Es geht heute ganz einfach nicht mehr an, das Vater-Erlebnis bei einem Menschen, der immerhin vierzehn Jahre seines Lebens in enger und ungestörter Beziehung zu seinem Vater gestanden hat, zu übersehen und ihn etwa wie einen Gottfried unter die Halbwaisen einzureihen. Über die Rolle des Vaters und der Eltern allgemein haben die moderne Jugendpsychologie und die Pädagogik sehr viele neue Erkenntnisse zutage gefördert. Auch die Rolle der Mutter mußte, obwohl sie kaum je übergangen wurde und Robert d'Harcourt, Maria Nils und Lily Hohenstein Entscheidendes zum Verständnis der Mutter-Sohn-Beziehung beigetragen haben, abermals überprüft werden. So muß denn die seit Betsys «Erinnerungen» bestehende Legende von der feinen, zartsinnigen, verständnisvollen Dichter-Mutter hier nochmals angezweifelt, aber auch neu eingestuft und ausgemessen werden. Der Verfasser ist den erheblichen Zweifeln und den neuen Einsichten gefolgt und hat auch die psychischen Konstellationen neu überdacht. Dazu hat er – vielleicht etwas mehr als die genannten Biographen – die dichterischen Aussagen zu Rate gezogen und dabei – wie er glaubt, da und dort neue Möglichkeiten der Interpretation aufgedeckt, Möglichkeiten, welche auch die sprachhandwerkliche Artistik besser zu begreifen suchen. Anhand ausgewählter Beispiele aus gebundener Sprache und erzählender Prosa wird die Entwicklung der subtilen Sprach-Artistik aufgezeigt und nachgewiesen, wie die künstlerische Bewältigung eines Themas mit viel tieferen Belangen einer schweren persönlichen Daseinsbewältigung zusammengeht, ja daß sich hier ein beinahe Sprachloser, ein in seinen Bedrängnissen Verstummter sich ganz langsam zu klareren Aussagen über sein Wesen und Werden durchringt. Noch mehr: Meyers Dichtungen sind nicht nur Bruchstücke einer großen Konfession; sie schaffen und sind erst seine Existenz.

So wird denn hier der Versuch unternommen, jene mitmenschlichen Konstellationen sichtbar zu machen, die lösend und befreiend, aber auch hemmend und zerstörend diese Welt eines – vielleicht sogar schizoiden – Neurotikers formten und veränderten. Es wird – so ist es wenigstens die Meinung des Verfassers – mit andern Worten aufgezeigt, wie hier ein Wunder geschehen konnte, das Wunder nämlich, daß ein von Lebensängsten Umdrohter, ein von anererbten Schwächen Verfolgter zu so erstaunlich hochwertigen künstlerischen Leistungen vorstoßen konnte. Es wird auch, soweit möglich, nachgewiesen, wo diese äußerst riskante Gratwanderung eines seelisch Bedrohten gelingen konnte und wo sie auf Um- und Abwege führte, wie, kurz gesagt, ein Œeuvre C. F. Meyer überhaupt möglich wurde!

Das Bedürfnis, dabei immer wieder den Dichter selber und sein mühsames Ringen zu Worte kommen zu lassen, führte dazu, eine heute verpönte und obsolet gewordene Art von Literaturwissenschaft zu betreiben und einen «Biographismus» ins Spiel zu bringen, von dem viele Literaturtheoretiker nichts mehr wissen wollen. Es zeigt sich aber, daß aufgrund der Interaktion von Leben und Werk an vielen Stellen das dichterische Wort neu zum Leuchten gebracht und Dimensionen aufgezeigt werden konnten, die, wie mir scheint, die Beschäftigung mit C. F. Meyer wieder lohnend erscheinen läßt.

Wie sehr dem Verfasser beim Entstehen dieser Aufsatzreihe die – heute leider noch immer unvollendete – historisch-kritische Ausgabe von Hans Zeller und Alfred Zäch mit ihrer editorischen Akribie und der Zuverlässigkeit ihrer Kommentare geholfen haben, kann kaum ermessen werden. Daneben sei auch noch auf die im Zusammenhang mit der C. F. Meyer-Jubiläumsausstellung des Jahres 1975 von Bruno Weber zusammengestellten Dokumentensammlungen dankbar hingewiesen.

Der Leser dieses Buches sei noch auf eine Publikation des Verfassers aufmerksam gemacht, die ihn überhaupt erst zu einer gründlicheren Bearbeitung des Fragenkreises um Conrad Ferdinand Meyer angeregt hat, nämlich auf die in der Sammlung Metzler, Realien zur Literatur 1980 in zweiter Auflage erschienene kurzgefaßte Gesamtherstellung «Conrad Ferdinand Meyer» (M 102). Sie enthält, bis in die jüngste Zeit nachgeführt, die nötigen bibliographischen Hinweise. Das Vorhandensein dieser kurzgefaßten Informationsschrift erlaubte dem Verfasser, es im vorliegenden Band bei einer kurzen Zeittafel zu Leben und Schaffen C. F. Meyers bewenden zu lassen. Es ging ihm ja hier vor allem darum, Tatbestände und Beziehungen am konkreten Detail aufzuzeigen und die deutende und erschließende Sonde an einzelnen Stellen so tief wie möglich vorzutreiben. Er hofft, daß ihm damit möglich war, nicht nur neue Akzente im Werk Meyers zu setzen, sondern auch Anstöße zu weiteren Forschungen zu geben.

Der Verfasser dankt der Steo-Stiftung und der Ulrico Hoepli-Stiftung, beide in Zürich domiziliert, für großzügige Druckbeiträge. Sie erst ermöglichen, das Buch zu einem allgemein zumutbaren Preis in den Handel zu bringen.

Frauenfeld, Frühjahr 1982 Karl Fehr

Zeittafel zu Leben und Schaffen Conrad Ferdinand Meyers

1825, 11. Oktober Conrad als Sohn des Ferdinand Meyer (1799–1840) und der Elisabeth, geb. Ulrich (1802–1855), im Stampfenbach zu Zürich geboren.

1829 Ferdinand Meyer in den Großen Rat (Legislative) des Kantons Zürich gewählt.

1830 Aufstieg Ferdinand Meyers in den Regierungsrat (Exekutive) des Kantons Zürich. Gemäßigt liberale Parteirichtung

1831 Betsy (Elisabeth), die Schwester Conrads, geboren.

1832 Rücktritt Ferdinand Meyers und des gemäßigten Flügels aus dem Regierungsrat. Radikalisierung des Regiments. Ferdinand M. bleibt weiterhin Mitglied des Erziehungsrates.

1833 Ferdinand Meyer übernimmt eine Lehrstelle für Geschichte und Geographie am Untergymnasium der neu gegründeten Kantonsschule Zürich.

1836 Ferdinand Meyer: «Die evangelische Gemeinde in Locarno. Ihre Auswanderung nach Zürich und ihre weiteren Schicksale».

1839 Die Berufung von David Friedrich Strauß an die theolog. Fakultät der Universität löst den «Züriputsch» aus, d.h. einen bewaffneten Aufstand der konservativen, kirchenfreundlichen Kräfte. Die radikale Regierung wird zum Rücktritt gezwungen. Ferdinand Meyer in den Regierungsrat zurückberufen und mit dem Präsidium des Erziehungsrates betraut.

1840 Tod Ferdinand Meyers, des Vaters.

1843 Tod von Anna Cleopha Ulrich-Zeller (Großmutter mütterlicherseits).

1843/44 Conrad in Lausanne, Freundschaft mit dem Maler Paul Deschwanden. Verständnisvolle Betreuung durch Louis Vuillemin.

1844 Conrad besteht in Zürich die Maturitätsprüfung, schreibt sich bei den Juristen ein. Gibt das lustlos betriebene Studium bald auf.

1848 Der politische Flüchtling Baron Bettino Ricasoli verkehrt im Hause Meyer.

Bemühungen um zeichnerisch-künstlerische Ausbildung schlagen fehl. Ausgedehnte, aber ziellos betriebene Studien literarischer und historischer Richtung.

Conrad zieht sich vor den mitleidigen Blicken seiner Umgebung in die Einsamkeit zurück.

Kontakt-Armut und schließlich völlige Isolation führen zu psychotischen Störungen und Depressionen.

1852 Sommer Eintritt Conrads in das Maison de santé der Geschwister Borrel in Préfargier.

1853 Conrads rasche Gesundung ermöglicht anfangs des Jahres die Aufhebung der Internierung. Conrad in Neuenburg, ab Ende März in Lausanne (bis Jahresende)
Freundschaft mit Cécile Borrel.
Conrad erteilt Geschichtsunterricht im Blindeninstitut Hirzel in Lausanne, ist häufiger Gast im Hause Vuillemin.

1853–55 Von Vuillemin angeregt, übersetzt Conrad Constantin Thierry: Récits des Temps Mérovingiens.

1854, ab Januar: Conrad wieder in Zürich. Er erleidet keinen Rückfall in seinem Gesundungsprozeß.

1855 Conrad wird Sekretär der Allgemeinen Geschichtsforschenden Gesellschaft der Schweiz (für ein Jahr).

1856 Tod des Pflegebefohlenen Antonin Mallet aus Genf.

1856 Die Mutter Elisabeth Meyer erleidet schwere Depressionen, wird in das Maison de santé von Préfargier aufgenommen.

1856, 26. September Freitod Elisabeth Meyers im Neuenburgersee.

1857, März bis Juni: Conrad in Paris.

1857, Sommer (und 1858) Conrad und Betsy in Engelberg und auf Engstlenalp.

1857, (Herbst) Reise Conrads nach München.

1858 März bis Juni: Reise Conrads und Betsys nach Rom und in die Toscana. Besuch bei Bettino Ricasoli auf Brolio.

1860 Conrad bietet erfolglos «Bilder und Balladen von Ludwig Meister» dem Verleger J. J. Weber in Leipzig an.

1860/61 (Winter) Dritter Aufenthalt Conrads am Genfersee. Diffuse Pläne.

1863 (Frühjahr) Betsy reist mit einem Bündel Gedichte nach Stuttgart und gewinnt dort den Verlag J. B. Metzler für ihre Pläne.

1864 «Zwanzig Balladen von einem Schweizer» (auf Kosten des Autors).

1865/66 Conrad kann, empfohlen von Gustav Pfizer, Gedichte im «Stuttgarter Morgenblatt» und später in den schweizerischen «Alpenrosen» veröffentlichen.

1865 «Der himmlische Vater, sieben Reden von Ernest Naville» erscheint, übersetzt von Betsy und Conrad Meyer, bei Hermann Haessel in Leipzig, der nunmehr alle seine Werke in Verlag nimmt.

1868 (Frühjahr) Nach verschiedenen Wohnungswechseln in der Stadt Zürich beziehen Conrad und Betsy Wohnung im Seehof zu Küsnacht.

1869 «Romanzen und Bilder von Conrad Ferdinand Meyer» erscheinen bei Hermann Haessel.

1870 Aufnahme freundschaftlicher Beziehungen der Geschwister Meyer mit François und Eliza Wille auf Gut Mariafeld bei Meilen.

1871 «Huttens letzte Tage».

1871/72 Reise über München, Innsbruck, Verona nach Venedig, wo Conrad und Betsy den Winter zubringen.

1872 (März) Umzug vom Seehof Küsnacht in den Seehof Meilen.

1872 «Engelberg; eine Dichtung».

1873 «Das Amulett».

1874 Nach ungefähr zehnjährigen Vorbereitungen (Quellenstudien, Reisen ins Bündnerland und ins Veltlin, Umplanungen, neuen Ansätzen und Erweiterungen) erscheint in «Die Literatur. Wochenschrift für das nationale Geistesleben der Gegenwart»: «Georg Jenatsch. Eine Geschichte aus der Zeit des Dreißigjährigen Krieges.»

1875 (Herbst) Heirat mit Louise Ziegler.

1875/76 (Winter) Aufenthalt des Ehepaars Meyer auf Corsica.

1876 Nach der Rückkehr beziehen Conrad und Louise Wohnung im Wangensbach bei Küsnacht.

1876 Erste Buchauflage von «Jürg Jenatsch».

1875/76 Betsy in Florenz und Rom.

1877 (Anfang April) Conrad Ferdinand Meyer bezieht sein eigenes Heim auf der Höhe von Kilchberg.

1877 Auf Ende des Jahres erscheint im «Zürcher Taschenbuch auf das Jahr 1878» «Der Schuß von der Kanzel» (1878 in Buchform).

1879 (Dezember) Geburt der einzigen Tochter Camilla.

1879/80 In der Deutschen Rundschau erscheint «Der Heilige» (in Buchform 1880).

1881 Unter dem Titel «Das Brigittchen von Trogen» erscheint in der Deutschen Rundschau «Plautus im Nonnenkloster» (in Buchform 1882).

1882 «Gustav Adolfs Page» erscheint in der Deutschen Rundschau und im gleichen Jahr in Buchform.

1882 «Gedichte» (192 Nummern, bis zur 5. Auflage, 1892, erweitert auf 231 Nummern).

1883/84 «Die Hochzeit des Mönchs» erscheint in der Deutschen Rundschau. 1884 in Buchform.

1883 «Das Leiden eines Knaben» erscheint zunächst in Schorers Familienblatt und gleichen Jahres in Buchform.

1885 «Die Richterin» in der Deutschen Rundschau und in Buchform.

1887 «Die Versuchung des Pescara» erscheint in der Deutschen Rundschau und in Buchform.

1887/88 Erste ernsthafte Erkrankung (der Halsorgane) mit depressiven Begleiterscheinungen. Unterbruch der Produktivität. Einschränkung des Briefverkehrs auf das Notwendigste.

1889 Langsame Erholung. Schwanken zwischen verschiedenen Plänen.

1891 «Angela Borgia» wird mit Beizug der Schwester Betsy unter schweren Mühen zum Abschluß gebracht. Weitere Pläne werden aufgegriffen, aber nicht mehr ausgeführt.

1892 Ende des freien Schaffens.

1891/92 Ausbruch eines Augenleidens. Die Krankheit verkoppelt sich mit Willensschwäche und Depressionen.

1892 7. Juli Conrad Ferdinand Meyer tritt mit eigener Zustimmung in die Heil- und Pflegeanstalt Königsfelden ein.

1892 Ende Sept. Frau Louise Meyer holt den Kranken aus Königsfelden zurück und betreut fortan den passiv und willenlos gewordenen Mann auf ihre Weise.

Die latenten Spannungen zwischen Betsy und Frau Meyer führen zum offenen Bruch, sogar zu Versuchen, Betsy zu inkriminieren.

Das Bekanntwerden von des Dichters Erkrankung wird seiner Schwester angelastet.

Conrad und Camilla werden in den Entfremdungsprozeß eingespannt. Der Dichter sinkt zurück in Schweigen und Passivität.

1898, 28. November Tod Conrad Ferdinand Meyers.

Der mitmenschliche Kreis im Werden des Dichters

Ferdinand Meyer und sein Sohn Conrad

Das Steuer führt ein Jüngling kummervoll
Dem früh des Vaters Rat und Hilfe schwand.
«Nächtliche Fahrt» V. 3/4

«Infolge einer Abrede mit seinem Landsmann, dem befreundeten Dichter Conrad Meyer[1], hatte er (sc. Conrad Ferdinand Meyer), um der Verwechslung endgültig vorzubeugen, seinem Vornamen Conrad den des Vaters Ferdinand zugefügt[2].» Mit dieser Begründung für die Namensänderung hat man sich seither begnügt: Akt der Pietät dem längst verstorbenen Vater gegenüber, sonst nichts?

Selbstgewählte Künstlernamen können aber, wie die Namenwahl beim Eintritt in einen mönchischen Orden, Bekenntnisse sein, Verknüpfung der eigenen Person mit einer andern, der man sich in besonderem Maße verbunden und verpflichtet fühlt. Name als Leitbild!

Machen wir uns diese Überlegung für den Fall Conrad Ferdinand Meyer zunutze, dann heißt dies: Der Sohn bekannte sich öffentlich zum geistigen Erbe seines Vaters; er war ihm mehr als nur durch seine biologische Herkunft verbunden. Fühlte er sich, so gilt es daher zu fragen, ihm so sehr verpflichtet, daß er ihm nur so seine dauernde Dankbarkeit zu zeigen imstande war?

Die Meyer-Forschung hat dieser Vater-Sohn-Beziehung allerdings wenig, sogar erstaunlich wenig, Gewicht zugemessen, und zwar mit dem Hinweis auf den frühen Tod des Vaters. Conrad Ferdinand Meyer wurde zur Halbwaise gestempelt, zum einseitigen Sohn seiner Mutter.

Aber als Ferdinand Meyer – am 10. Mai 1840 – starb, war sein Sohn immerhin bereits vierzehneinhalbjährig, alt genug – bei seiner offensichtlichen Frühreife – um das Ausmaß und die Folgen dieses schmerzlichen Geschehens in seinen Umrissen klar zu erkennen. Und dies nicht nur im landläufigen Sinne! Denn mit dem Vater verbanden ihn bereits ganz eigene unvergeßliche Erinnerungen.

1836 hatte er, der Zehnjährige, mit dem Vater Sommerferientage im Bad Stachelberg[3] verbracht. Miteinander hatten sie die obere Sandalp an der rechten Talflanke des Linthtals bestiegen. Für den jungen ein besonders schönes Erlebnis. Zwei Tage später zogen die zwei bei Regen über den Klausenpaß nach Altdorf, von wo sie, nach einer Fahrt auf dem Urnersee, die Rigi bestiegen.

Zwei Jahre später, 1838 – Conrad war demnach bald dreizehnjährig – unternahmen sie wieder zu zweit eine für die damaligen Verhältnisse ungewöhnlich weite Reise[4]. Mit Tornistern ausgerüstet, fuhren sie auf dem Dampfboot nach Rapperswil, von dort zu Wagen nach Weesen, von wo sie wieder ein Boot walenseeaufwärts nach Walenstatt brachte. Von da wanderten sie zu Fuß nach Sargans, dessen Schloßturm sie bestiegen. Tags darauf ging die Fußreise weiter bis Ragaz. Durch die Tamina-Schlucht wagte der Vater den Sohn am folgenden Tage nicht mitzunehmen; er blieb im Gasthaus zurück, während der Vater den Ausflug nach Pfäfers unternahm. Aber schon am folgenden Tage zogen die beiden zusammen weiter bis Chur. Von hier ging es mit dem Pferdegefährt eines Freundes nach Thusis und dann, zu Fuß, durch die Viamala, das Schams und die Rofla nach Splügen. Hier übernachteten sie und zogen anderntags über den gleichnamigen Paß hinunter nach Chiavenna. Von hier nahmen sie den Rückweg durch das Bergell und über die Maloja ins Engadin. Dann kehrten sie auf weiter nicht mehr bekannten Wegen nach Zürich zurück. Wo auch immer die Heimreise noch vorbeigeführt hat, sicher ist, daß diese Sommerfahrt bis über die Südgrenze der Schweiz hinaus eine in jedem Sinne ungewöhnliche Leistung darstellt. Für den Vater und – wieviel mehr noch – für den Sohn.

Es wird in späterem Zusammenhange noch zu zeigen sein, welchen Sinn diese Alpenreise im Leben Ferdinand Meyers zu erfüllen hatte und welche Dimensionen geistigen Zusammengehens sich da für den Sohn eröffneten. Im Augenblick gilt es lediglich, diese Fakten gemeinsamen Erlebens sich bewußt zu machen: sie müssen Vater und Sohn in ganz besonderem Maße zueinander geführt haben. Für den aufgeweckten, gutartigen, wohlerzogenen und freundlichen Jungen, als der er damals gerühmt wurde[5], mußte das gemeinsame Fahren und Wandern eine gewaltige Anreicherung landschaftlicher und menschlicher Erfahrungen einbringen. Mehr noch: Vater Meyer war, wie wir noch sehen werden, ein passionierter Kenner der Geschichte jener Talschaften und Regionen, durch die sie ihr Weg führte; das vierdimensionale, raumzeitliche Verstehen und Erleben einer Landschaft und ihrer Siedlungen wurde bereits hier wachgerufen – und sollte später, wie wir wissen, sein Schaffen entscheidend bestimmen.

Damals schon mußten die besonderen Interessen des Vaters im Sohne ein ähnliches Feuer entfachen.

Ferdinand Meyers Leben

Von hier aus gewinnt nun diese Vater-Sohn-Beziehung ein Ausmaß und eine Eindringlichkeit, die auf der ganzen Linie neu überprüft werden muß.

Ferdinand Meyer, geboren am 7. März 1799, gehörte noch, wie die um zwei Jahre älteren Zeitgenossen Gotthelf und Meta Heusser-Schweizer, jener Generation an, der Gottfried Keller den Papierblumenfrühlung des wiedererstandenen, nur halb lebensfähigen Ancien Régime zugebilligt hat. Die aristokratisch-bürgerliche Oberschicht hatte, ohne den Fortschritt und den Demokratisierungsprozeß ernsthaft zu gefährden, die Gesellschaftsformen des Rokoko und des Zeitalters der Empfindsamkeit zu erneuern versucht, und zwar indem sie diese mit den religiösen Strömungen der Romantik wie der Erweckungsbewegung amalgamierte.

Ferdinand Meyer nahm, nach den Eintragungen Meta Heussers in ihr Diarium[6], an den gesellschaftlichen Anlässen und Ausflügen junger schwärmerischer Bürgerssöhne und Bürgerstöchter teil. In solcher Gesellschaft mag ihm auch seine spätere Gattin Elisabeth Ulrich, die Schwester seines jung verstorbenen Freundes Heinrich Ulrich (1798–1817) nähergetreten sein.

Von besonderer Bedeutung für die körperliche und seelische Konstitution Ferdinand Meyers – und seines Sohnes Conrad – scheint auch die Tatsache zu sein, daß sein Vater Johann Jakob Meyer, der sich als Offizier und Diplomat bedeutende Verdienste um seine Vaterstadt erworben hat, eine Cousine ersten Grades, Susette (Meyer) (1770–1800) geheiratet hatte; sie war wie er eine Enkelin des Dekans Johann Jakob Meyer (1659–1723). Das Recht zur Eheschließung mußte erst von den beiden Geschwisterkindern durch eine ehegerichtliche Dispensation erworben werden. Jedenfalls kumulierten in den Nachfahren die Stärken und die Schwächen der Meyer'schen Sippe. Ferdinand Meyer wird denn auch als ein zarter, eher schüchterner und zurückgezogener Junge mit früh erwachter Leselust geschildert.

Er war zudem ein Zwillingskind, dessen mitgeborenes Schwesterchen nicht lebensfähig war. Der Schluß, daß auch der am Leben gebliebene Zwillingspartner von wenig robuster Konstitution war, liegt nahe und wird durch Familienüberlieferung und durch den Verlauf der Lebenslinie bestätigt, freilich nur im somatischen Bereich, während, wie noch zu zeigen sein wird, seine geistigen Fähigkeiten, Anlagen und Kräfte ganz ungewöhnlich reich und vielseitig waren. Ihm eignete ein ausgesprochener Unternehmungshunger und Freude an vielfältiger Betriebsamkeit. Man mag darin, im Hinblick auf die Psychologie Sigmund Freuds, eine gewisse Kompensationsleistung des körperlich Fragilen erkennen; doch reicht dies wohl kaum aus, das Bild dieser so reich und glücklich veranlagten Persönlichkeit zu umreißen.

Ferdinand Meyers verhältnismäßig häufiges Auftauchen in der Gesellschaft der Töchter des Pfarrhauses im Hirzel und der dort weilenden Sommerfrischler macht zwei Aspekte seiner Persönlichkeit sichtbar: erstens seine Beliebtheit in der Gesellschaft der Jungen, zweitens aber den besonderen Zug seiner geistigen Haltung, der dem Manne in Beruf und Politik wegleitend geblieben ist. Das ist sein uneingeschränktes Ja zu einer weltoffenen, heiteren christlichen Frömmigkeit. Seine ganze Haltung rückt ihn bezüglich seiner religiös-freiheitlichen Gesinnung in geradezu erstaunliche Nähe zum bereits erwähnten Berner Zeitgenossen Albert Bitzius. Es war eine aufgeschlossene, der Aufklärung zugewandte, also keineswegs restaurative, aber auch nicht pietistische Frömmigkeit. Mit Bitzius teilt er ja auch, neben der bürgerlich-aristokratischen Herkunft – das leidenschaftliche Interesse am öffentlichen Leben und an der Politik. Dazu wird auch beiden die ungewöhnlich früh entwickelte Schul-Intelligenz nachgerühmt, bei Ferdinand Meyer ist es das frühe auffällige Wissen um geographische und geschichtliche Daten.

Zwar führte ihn die frühe Frömmigkeit, das gemeinsame Erbe beider Eltern, nicht auf den üblichen Weg der Theologie und damit zum Pfarrberuf. Vielmehr fanden seine Interessen und Anliegen in den Bildungsmöglichkeiten seiner Vaterstadt keine passende Nahrung. Er durchlief zwar das Gymnasium, die Bildungsstätte der zürcherischen Bürgerssöhne, verzichtete dann aber, im Gegensatz zu seinem Freunde Johann Caspar Hess, der sich darin nie ganz zurechtfand, auf den Eintritt in die Gottesgelehrsamkeit; vielmehr trat er, neunzehnjährig, als Sekretär in die Dienste seines Vaters, der damals das Oberamt, d. h. die alte Landvogtei, Grüningen verwaltete. Mit diesem bedeutsamen Auftrage hatte ihn der Stand Zürich für seine Verdienste während der napoleonischen Mediation auf militärischer und diplomatischer Ebene entlöhnt. Tatsächlich hatte er sich in den Hungerjahren 1817 und 1818 mit größter Gewissenhaftigkeit und Hingabe als Landesvater bewährt und sich den Dank der Landbevölkerung erworben.

Aber ehe der Sohn das zwanzigste Altersjahr erreichte, starb der Vater mitten aus den Amtsgeschäften weg, und für Ferdinand Meyer ging damit die Lehrzeit in der praktischen Staatsverwaltung – eine unschätzbare Vorleistung für den künftigen Beruf – vorzeitig zu Ende, aber sie wies ihn auf den ihm vorgezeichneten Weg. Noch im Sommer 1819 absolvierte er als Aspirant des Génie-Corps die Militärschule Thun, allerdings ohne daß wir nachher von militärischer Karriere und weiteren Dienstleistungen erfahren. Dann aber holte er sich sein akademisches Rüstzeug im Ausland nach. Ein Jahr, von Ostern 1820 bis Ostern 1821, finden wir ihn als Student in Berlin, dem sich – im Sommer 1821 – noch ein Semester in Göttingen anschloß. Seine Interessen waren äußerst vielseitig: klassische Studien, Geschichte und Staatswissenschaften. Bedeutende Anregungen und Förderungen verdankte er dem Juristen Savigny (Berlin) und Eichhorn (Göttingen). Am nachhaltigsten aber wurde er durch Leopold von Ranke beeinflußt. Ranke machte aus dem Juristen, Verwaltungs- und Staatsrechtler einen passionierten Historiker. Was der Vater in ihm angelegt, trug nun seine Früchte. Freilich ohne daß er darob die andern Sparten seiner vielseitigen Begabung vernachläßigte.

Wie Johann Gaudenz von Salis erwarb er sich sodann die Kenntnis der französischen Sprache und gesellschaftliche Gewandtheit in Lausanne, wo er sich wohl auch die Basis legte für das Italienische, das er später so sicher beherrschte. – Möglicherweise war es aber die persönliche Nähe seiner Freundin und künftigen Braut, Elisabeth Ulrich, die ihn an den Genfersee zog. Ferdinand Meyer hatte ja seine Mutter nicht gekannt; sie war ein Jahr nach seiner Geburt gestorben, und nach dem Tode des Vaters war er vereinsamt und sehnte sich nach einer Stätte der Geborgenheit. Jedenfalls verlobte er sich in Lausanne und kehrte hierauf in seine Vaterstadt zurück. Hier wurden seine Fähigkeiten bald erkannt, finden wir ihn doch schon ab Frühjahr 1822 bereits in der Stellung eines Sekretärs der Justizkommission. Schon kurze Zeit später lehrte er daneben am Politischen Institut, an dem der Stand Zürich seinen Beamtennachwuchs ausbildete, die Fächer Staatswirtschaft und Statistik. Bald folgte die Beförderung an die Stelle des Dritten Staatsschreibers durch den Regierungsrat.

Seit 1824 mit Elisabeth Ulrich verheiratet, wurde dem Ehepaar das Jahr darauf der Sohn Conrad und sechs Jahre später, 1831, die Tochter Elisabeth (Betsy) geboren.

Als Staatsschreiber nahm er lebhaftesten Anteil an der liberalen Bewegung, welche die Umwälzung des Jahres 1830 und damit die Aufhebung der städtischen Privilegien und die politische Gleichstellung von Stadt und Land zum Ziele hatte. Daneben widmete er sich den philanthropischen Bestrebungen seiner Zeit und war Mitglied der Schweizerischen Gemeinnützigen Gesellschaft, auch darin dem Berner Albert Bitzius vergleichbar. Ein im September 1828 erfolgter regierungsrätlicher Auftrag, aufgrund von Verhandlungen im Großen Rat vom 3. bis 5. September erlassen, zu einem Bericht über das Finanzwesen des Kantons Zürich, wird uns im Zusammenhang mit Ferdinand Meyers wissenschaftlicher Aktivität näher beschäftigen. Schon am 15. Dezember 1829 war Meyer in den Großen Rat gewählt worden.

Ohne daß er sich in die vorderen Ränge gedrängt hatte, wurde er nach dem erfolgreichen Umschwung des Jahres 1830 vom Großen Rat in den Regierungsrat befördert. Am Entwurf zur neuen Kantonsverfassung hatte er bedeutenden Anteil. Außerdem wurde er mit der Redaktion des Reglements für den neuen Großen Rat betraut und übersetzte im Auftrag des Standes Zürich den neuen auf Französisch formulierten Entwurf für einen revidierten Bundesvertrag ins Deutsche. Offenbar verfügte er über eine ungewöhnliche sprachliche Gewandtheit und über ganz ausgezeichnete Sprachkenntnisse. Was ihm denn auch später erlaubte, die historischen Quellen für seine Forschungen, lateinische, italienische, französische und, nicht zuletzt, auch das schwerfällige Kanzlei-Deutsch des 16. Jahrhunderts sozusagen mühelos auszuschöpfen. Ein Jahr darauf (1831) sitzt er bereits im «Staatsrat», dem Exekutiv-Ausschuß der Regierung, und vertritt den Stand Zürich als «Gesandter» an der Tagsatzung in Luzern. Am Anfang der dreißiger Jahre wurde neben der Einführung der obligatorischen Volksschule die Gründung einer staatlichen Mittel- und Hochschule energisch an die Hand genommen. Daran, d.h. an den juristischen und finanziellen Vorbereitungen, hatte Ferdinand Meyer entscheidenen Anteil. Er galt als der in allen Belangen bestinformierte Sachverständige.

Aber die Wahlen im Frühjahr 1832 hatten dem radikalen Flügel, mit dem sich Meyer, welcher dem liberalen Juste-Milieu angehörte, nicht solidarisieren konnte, die Mehrheit eingebracht. Er zog daraus die Konsequenzen: Zusammen mit den Bürgermeistern von Wyss und von Muralt nahm er den Rücktritt aus dem Regierungsrat, behielt aber seine Mandate im Großen Rat und im Erziehungsrate bei. In dieser letzteren Eigenschaft, als Erziehungsrat, war er am Aufbau der beiden Institute, Universität und Kantonsschule, maßgeblich beteiligt, z.B. auch mit den schwierigen und politisch heiklen Problemen der Besetzung der Lehrstühle an der jungen Universität.

Gewissermaßen als bescheidene Honorierung seines Einsatzes übernahm er im Frühjahr 1833, d.h. bei der Eröffnung der Kantonsschule, die Lehrstelle für Geschichte und Geographie am Gymnasium[7]. Als Mitglied und als Präsident der ersten Sektion des Erziehungsrates, der die Betreuung der kantonalen Lehranstalten aufgetragen war, fungierte er somit als sein eigener Vorgesetzter. Von Anfang an galt er als beliebter und einsatzfreudiger Lehrer.

Der Aufbau und weitere Ausbau der Universität und der Kantonsschule, der von Anfang an eine technische und eine merkantile Abteilung angegliedert war, blieb ihm eine Herzensangelegenheit. So kam es wohl auch vor, daß sich freundschaftliche Beziehungen mit den frischgewählten Lehrkräften anbahnten, wie mit seinem ehemaligen Schüler am Politischen Institut, Johann Caspar Bluntschli (1808–1881). Unterstützt von der feingebildeten, damals noch überaus kontaktfreudigen Gemahlin, hielt Meyer im «Grünen Seidenhof» ein offenes, gastfreundliches Haus.

Die Arbeit im Großen Rat wurde für ihn, je stärker sich der radikale Flügel vordrängte, um so schwieriger. Dessen antireligiös-materialistische Tendenzen machten ihm zu schaffen. Schon im Jahre 1836 wurde dort die Berufung von David Friedrich Strauß in Vorschlag gebracht. Ferdinand Meyer widersetzte sich von Anfang an dem Ansinnen entschieden. Der Vorschlag fand auch um diese Zeit im Rat noch keine Mehrheit. Dies änderte sich in der Folgezeit, je stärker sich das radikale Element in Legislative und Exekutive durchsetzte, und 1839 wurde, wie allgemein bekannt, die Berufung von Strauß zum Beschluß erhoben. Die radikale Mehrheit fand dabei Schützenhilfe in der übrigen Eidgenossenschaft, wie zum Beispiel durch den Philosophen Ignaz Paul Vital Troxler (1780–1866)[8], dessen Berufung nach Zürich damals ebenfalls zur Diskussion stand.

Jedenfalls scheint die antikirchliche und antireligiöse Tendenz während jener Jahre wie im Kanton Bern, so auch in Zürich überhandgenommen zu haben. Die führenden Heißsporne im Regiment stürmten voran, freilich ohne die Reaktion der Bevölkerung, die sich inzwischen ihrer Souveränität bewußt geworden war, genügend in Rechnung zu stellen. Die Spannung zwischen der mehrheitlich radikalen Regierung und der Landbevölkerung nahm zu. In der Stadt und auf der Landschaft stellten sich konservativ gesinnte Persönlichkeiten an die Spitze der antiradikalen Bewegung, die da und dort in Landgemeinden aufflammte. Das Resultat ist bekannt; es ist als sogenannter Züriputsch in die Geschichte eingegangen. Ein bewaffneter Aufstand der Landbevölkerung endete in einem Marsch auf Zürich und führte zur Demission der Regierung (6. Sept. 1839). Die Berufung von David Friedrich Strauß wurde durch Zwangspensionierung rückgängig gemacht.

Es ist nicht wahrscheinlich, daß Ferdinand Meyer diesen Kollisionskurs befürwortet hat. Er war alles andere als ein Hitzkopf. Sein ganzes Sinnen und Trachten ging vielmehr auf Vermittlung, auf Ausgleich der Gegensätze, auf Förderung der offenen Aussprache zwischen sich bekämpfenden Gruppen. Das Resultat der gewaltsamen Auseinandersetzung war allerdings in seinem Sinne ausgefallen; das antikirchliche und antireligiöse Element war vorderhand einmal wieder eliminiert. Seiner Forderung nach religiöser Erziehung auf allen Schulstufen wurde wieder Nachachtung verschafft.

Es war aber eben seine vermittelnde Grundhaltung und seine offene Bereitschaft zur Versöhnlichkeit, dazu seine von keiner Seite angezweifelten Qualifikationen, die er im Erziehungsrat und in einer Anzahl von Kommissionen an den Tag gelegt hatte, daß er in den neuen gemäßigt konservativen Regierungsrat zurückgeholt wurde. Seine Wahl wurde sicher auch gefördert durch das geistige Oberhaupt der neuen gemäßigten Richtung, den bereits erwähnten J. C. Bluntschli, dessen gesetzgeberische Tätigkeit für den Stand Zürich den Grund legte für seine spätere Berufung an die Universität München (1848). Als Regierungsrat wurde ihm sogleich das Präsidium des Erziehungsrates und damit die Leitung des gesamten Erziehungswesens übertragen. Sein hervorragender Sinn für Recht und Gerechtigkeit, für Gesetz und Ordnung, sein umfassendes Wissen um die finanziellen Möglichkeiten des demokratischen Staatswesens, waren dazu geeignet, die aufgebrachten Geister in geordnete Bahnen zurückzuführen. Zweifellos war ihm im damals dreizehnköpfigen Regierungsgremium eine maßgebende Schlüsselstellung, aber auch ein hohes Maß an Verantwortung zugewiesen.

Wir haben damit in groben Umrissen den Politiker Ferdinand Meyer zu zeichnen versucht. Kein Zweifel besteht darüber, daß er als Politiker seinen Mann stellte und daß die Politik einen wesentlichen Bestandteil seiner Gesamtpersönlichkeit ausmacht. Noch bis in seine letzten Lebenstage hinein übte er sein politisches Mandat mit großer Begeisterung und Hingabe aus. Jedenfalls gehörte er zu jenen, die nach dem Umschwung die Abberufung des radikalen Pädagogen Iganz Th. Scherr von der Leitung des kantonalen Lehrerseminars in die Wege leiteten.

Aber Ferdinand Meyers Vorliebe und seine innersten geistigen Interessen galten nicht seinem politischen Wirken; seine politische Aktivität kann vielmehr als die Frucht seines beinahe stoisch zu nennenden republikanischen Pflichtbewußtseins verstanden werden. Alle seine Kräfte zum Wohl des Ganzen einzusetzen, das war das Ziel seines starken christlichen Ethos. Man kann den Wahrspruch Ciceros über sein Wirken setzen: aliis inserviendo me ipse consumor (Im Dienst an andern verbrauche ich mich selbst). Von bescheidenem, ja schüchternem Wesen, machte ihm das Auftreten in Rat und Öffentlichkeit eher Mühe und verlangte zusätzlichen seelischen Aufwand. Daß er sich, wie angedeutet, stets in starkem Maße für die Behandlung schriftlicher Aufträge wie die Ausarbeitung von Reglementen und Gesetzesentwürfen, zur Verfügung hielt, trug wohl diesem Umstand, dieser Schwäche, Rechnung.

Seine stärkste Liebe galt aber, wie wir bereits wissen, seit jungen Jahren, und dann vor allem seit dem Berliner Studienjahr, der Geschichte, der vaterländischen in besonderem Maße. Wissenschaftliche Archiv-Forschung hatte es ihm angetan, seitdem er dem größten Universalhistoriker seiner Zeit, Leopold von Ranke, in Berlin begegnet war. Dessen Methode der realistischen Geschichtsbetrachtung und der Benützung des Quellenmaterials ließ ihn von jenem Zeitpunkt an nicht mehr los.

Daß er aber seine wissenschaftliche Schriftstellerei, zu der er sich hingezogen fühlte, zuerst den wirtschaftlichen Problemen seines Kantons, und zwar in dessen ausdrücklichem Auftrag, widmete, läßt noch einmal die Priorität der öffentlichen Pflichten ins Licht treten. Ferdinand Meyers erste umfangreichere wissenschaftliche Abhandlung, erschienen im Jahre 1829, und zwar im «Archiv für schweizerische Geschichte und Landeskunde», trägt den Titel «Über das Finanzwesen des Cantons Zürich» und war, wie es auf der ersten Seite heißt, «veranlaßt durch die Verhandlungen des großen Rats in seiner außerordentlichen Sitzung vom 3. bis 5. September 1828»[9].

Auf 140 eng bedruckten Seiten und mit zahlreichen präzisierenden und kommentierenden Anmerkungen versehen, legt hier Ferdinand Meyer einen Situationsbericht über die Finanzlage, über die Quellen und die Steuerverhältnisse im Kanton Zürich vor. Offenbar hatte ihm seine Tätigkeit in der Finanzkommission und sein Staatsschreiber-Amt den Zugang zu allen Unterlagen vermittelt und, was schwerer wiegt: er erkannte mit seinem unbeirrbaren Blick die wesentlichen gesellschaftlichen und sozialen Zusammenhänge. Er hatte, wie sich aus der Darstellung ergibt, die Entstehung und Entwicklung jeder einzelnen Besteuerung und jedes Staatsregals und Staatsmonopols gewissenhaft studiert und namentlich die Verhandlungen im damaligen Großen Rat und die Argumente, die dort jeweils vorgetragen wurden, auf ihre Stichhaltigkeit und Objektivität genauestens geprüft.

Zunächst ging es ihm darum, die finanziellen Bedürfnisse des Staatswesens abzuklären und ihre Beziehungen zu den Einnahmen, auf die es angewiesen war, ins Licht zu stellen. Dabei mußte dem Steueraufkommen und seiner Rückwirkung auf die steuerzahlenden Bürger genaueste Aufmerksamkeit geschenkt werden. Meyer beschränkte sich nicht darauf, den gegenwärtigen Zustand als solchen sichtbar zu machen und einen objektiven Bericht abzuliefern. Noch weniger ging es ihm darum, für die eine oder andere Seite Partei zu ergreifen. Nicht zu verargen wäre ihm ja gewesen, wenn er in seiner Eigenschaft als Staatsbeamter sich zum Fürsprech des Staatsapparates und seines Personals aufgeschwungen und den Bürgern ihre Pflichten und Opfer so mundgerecht wie möglich gemacht hätte. Zu erwarten wäre ferner gewesen, daß er sich für die traditionellen Ansprüche der privilegierten Klasse der Habenden, der er selber angehörte, eingesetzt hätte.

Doch gerade hier wird erkennbar, wie weit er sich von den standespolitischen Vorurteilen gelöst hatte und wie es ihm darum zu tun war, allen Schichten – ohne daß er schon einer klassenlosen Gesellschaft das Wort geredet hätte – das ihre zukommen zu lassen und ihren Bedürfnissen und Forderungen gerecht zu werden.

Darum blieb er, wie angedeutet, nicht bei einem präzisen Bericht über den status quo stehen; er hielt auch mit kritischen Bemerkungen über diesen und über die bestehende und die mögliche Korruption nicht zurück. Zwar hielt er fest, daß das Finanz- und das Steuerwesen im ganzen gesehen nach vernünftigen Grundsätzen funktioniere, wies aber an nicht wenigen Stellen, wenn auch mit vornehmer Zurückhaltung, auf bedenkliche Unzulänglichkeiten in der Handhabung der Reglemente und auf die Mängel der Gesetze und Verordnungen hin.

Am Ende holt er zu bedeutenden konstruktiven Vorschlägen aus: «Das Ergebnis unserer Betrachtungen über das Auflagensystem unseres Kantons geht dahin: daß dasselbe im Ganzen auf billigen Grundsätzen beruht, mit Ausnahme der Montierungsabgabe, der Landjägersteuer und der außerordentlichen Vermögenssteuern; daß aber die erste durch einige Abstufungen bedeutend gemildert, die beiden letztern durch Abänderung der bei den Vermögenssteuern bis dahin üblichen Erhebungsart und einige andere Modifikationen zu ganz erträglichen Auflagen umgeschaffen werden könnten[10].»

Bei der «Montierungsabgabe» handelt es sich um die Pflicht der Wehrmänner zur Selbstausrüstung; diese hatten ihre persönliche Uniformierung selber zu bezahlen, was Meyer als eine viel zu schwere Belastung für die ärmeren Schichten bewertete. Als Ersatz schlug er eine allgemeine abgestufte, vom Vermögen der Bürger abhängige Wehrsteuer vor. Die «Landjägersteuer», das heißt die Aufwendungen für das Polizeikorps, sollte nach seinen Einsichten nicht den einzelnen Gemeinden und Bezirken aufgehalst werden, wie dies in Wirklichkeit geschah, weil dadurch die Ortschaften an den Landesgrenzen ungebührlich belastet, die beiden Städte Winterthur und Zürich dagegen begünstigt wurden. Da die Aufstellung einer leistungsfähigen Polizei dem ganzen Kanton diente, sollten die Lasten auf alle Gemeinwesen gleichmäßig verteilt werden.

Ganz neue Bahnen beschritt er auf dem Gebiet der damals nur in Sonderfällen, z. B. bei kriegerischen Verwicklungen, erhobenen Vermögenssteuern, da sie in der Form, wie sie damals gehandhabt wurden, die Kleinen, die Bauern vor allem, viel stärker belaste als die Vermöglichen. Hier schlug er vor, an die Stelle der Vermögens- das Prinzip der Einkommensbesteuerung zu setzen, d. h. ihr mindestens das Übergewicht zu geben. Dabei sprach er, was besonders modern anmutet, einer gemäßigten Progression das Wort.

Gegen die in der Restaurationszeit wiederhergestellten Privilegien der

Innungen, also der Zünfte, führte er ins Feld, daß solche Bevorrechtungen der freien Entwicklung von Gewerbe und Handel, also dem Prinzip der freien Marktwirtschaft, entgegenständen, und von der an einen Zensus gebundenen Wählbarkeit in den Großen Rat sagte er: «Dadurch, daß sie [die Verfassung] alle, die weniger als 10000 Fr. Vermögen besitzen, von der Wählbarkeit in den Großen Rat ausschließt, schafft sie, freilich im Interesse des Ganzen, eine bevorrechtete Klasse, eine Aristokratie des Reichtums. Wo aber eine Würde, da soll gerechterweise auch eine Bürde sein[11].» Diese Bürde wäre seiner Einsicht nach in einer einfachen Progression der Besteuerung zu verwirklichen.

Kleinere Randbemerkungen bestätigen das Bild des Ganzen als einer geistreichen Durchleuchtung der politischen und sozialen Zustände. Wie zum Beispiel, daß die damals erhobene Zeitungs-Stempelgebühr möglichst tief gehalten werden sollte, damit nicht die öffentliche Information dadurch behindert werde, oder jener ironische Satz, daß man «jedem Amte seinen Mann und nicht nur dem Manne ein Amt» zuweisen sollte. Dazu war ihm wohl bewußt, daß das ganze Steuerwesen im Grunde einfach darauf ausging, dem Bürger die notwendigen Gelder auf mehr oder weniger passable und legitime Art abzuknöpfen.

Jedenfalls wird auf jeder Seite klar, welche bedeutenden politischen und psychologischen Einsichten diesem jungen Manne schon zu Gebote standen.

Es ist nicht zu verwundern, daß die Redaktoren der genannten wissenschaftlichen Publikation, die in ihrem zweiten Jahrgang erschien, Heinrich Escher und Johann Jakob Hottinger, der Abhandlung Ferdinand Meyers eindeutige Priorität einräumten. Sie war der Spiegel eines fortschrittlichen Liberalismus und wurde richtungweisend für jene Politiker, die das Jahr darauf die Verantwortung für den entscheidenden liberaldemokratischen Umschwung auf sich nahmen.

Meyers Sinn für Ordnung, Klarheit und Übersicht, aber auch seine Einsichten in die Mißwirtschaft, in die Kurzsichtigkeit und Engstirnigkeit mancher staatlicher Einrichtungen und Maßnahmen, hatten Inhalt, Form und Stil dieser grundgescheiten Untersuchung bestimmt. Es war wohl die darin zutagetretende Sachkenntnis und Unbestechlichkeit des Blicks, die seine Wahl in den neuen Großen Rat und unmittelbar darauf in die Regierung, die Exekutive, förderte. Seine politische und persönliche Integrität stand dabei außer allem Zweifel. Dazu war er ja mit den Staatsgeschäften, seitdem er Sekretär bei seinem Vater, dem Oberamtmann von Grüningen, gewesen, wie kein anderer vertraut. Nur eben: seine größte Liebe galt nicht der Politik, sondern der Gelehrsamkeit, der Erforschung der Vergangenheit. Darum hatte er der Abhandlung über das Finanzwesen einen Satz des Historikers Johannes von Müller vorangestellt: «Das beste Mittel, die Historie nie zu scheuen und sich nie zu fürchten, ist die Betrachtung der Historie. Sie zeigt, was furchtbar ist, und die Mittel dawider[12].»

Zweimal stellte Ferdinand Meyer in völlig uneigennütziger Weise seine Fähigkeiten und Kenntnisse als Geschichtsforscher der philanthropisch gerichteten züricherischen Hülfsgesellschaft zur Verfügung, die, damals noch ohne Nennung des Verfassernamens, in ihrem Neujahrsblatt eine umfangreichere, illustrierte Abhandlung erbaulichen Inhalts veröffentlichte und an die bürgerliche Jugend, natürlich nur an die männliche, verteilen ließ. Ferdinand Meyer hat das 30. und das 39. (die mit dem Jahreswechsel 1829/30 und 1838/39 zusammenfielen) je mit einem historischen Aufsatz bestritten.

Im ersten beschrieb er den Brand von Bern im Jahre 1383, bei der mehr als ein Drittel der Aarestadt in Flammen aufging. Dem Verfasser war vor allem daran gelegen, die Hülfsbereitschaft der benachbarten Städte ins Licht zu stellen, Freiburgs vor allem, das ein Jahrzehnt zuvor im Kriege gegen ihre jüngere Konkurrentin – beides waren ja Zähringer-Gründungen – unterlegen war und jetzt, trotz der damals erlittenen Demütigung, als erste mit tatkräftiger Hilfe zur Stelle war.

Im zweiten Neujahrsblatt griff er auf einen Stoff zurück, den er schon vier Jahre zuvor in größerem Zusammenhange behandelt hatte und nun, zur Belehrung und Erbauung der Jugend, aus diesem Konnex herauslöste: Die Pest und ihre Auswirkungen auf Zürich und andere Orte in den Jahren 1563 und 1564. Noch zur Zeit des Verfassers waren pestartige Epidemien wie die Cholera durchaus nicht gebannt; doch konnte er immerhin darauf hinweisen, daß man es in seinem Jahrhundert gelernt hatte, durch sorgfältige Überwachung und durch hygienische Präventivmaßnahmen ihre dezimierenden Einwirkungen einzuschränken. Auch in dieser Schrift ging es dem Verfasser darum zu zeigen, mit welchem Todesmut und mit welcher Hilfs- und Opferbereitschaft man der schrecklichen Heimsuchung zu wehren suchte. Nicht makabre Bilder des Unheils, sondern Beispiele aufopfernder Hingabe wollte er der Jugend vor Augen stellen.

Ferdinand Meyers bedeutendste Leistung war aber das 1836 bei S. Höhr in Zürich erschienene zweibändige Werk «Die evangelische Gemeinde in Locarno, ihre Auswanderung nach Zürich und ihre weitern Schicksale.» Die Schrift umfaßt insgesamt 964 Druckseiten, ist mit einer sehr großen Zahl Anmerkungen und mit umfangreichen Beilagen ausgestattet und ist das bis heute unübertroffene Standartwerk über die Reformationsbewegung südlich des Alpenkamms geblieben. Man muß es so umschreiben, wenn man seinem Format und Rang gerecht werden will. Meyer verfolgt nämlich die ganze Auswirkung der Reformation auf die Städte und Staaten der Apenninenhalbinsel. Er weist nach, daß es eine Bewegung war, die anfänglich ihre Wellen bis nach Rom, nach Neapel und nach Spanien schlug. Dann aber, als die Gegenbewegung der spanischen Inquisition einsetzte und das Papsttum seine Stärke zurückgewann, wurde die ganze Bewegung mit allen Mitteln der Gewalt unterdrückt und abgewürgt. In diese südeuropäische Bewegung ist die Geschichte der Locarneser eingebettet. Die verhältnismäßig kleine Gemeinde von Locarno, ihr besonderes Schicksal, ihre Auswanderung und ihre Neuansiedlung in Zürich, dank dem kräftigen Zugriff Heinrich Bullingers, wird so in den Zusammenhang einer Bewegung von europäischem Ausmaß hineingestellt. Besondere Aufmerksamkeit wird dabei dem Verhalten der dreizehnörtigen Eidgenossenschaft und ihrer Spaltung in den konservativen katholischen und den zwinglianisch-calvinistischen Teil gewidmet. Denn das jeweilige Verhalten der Vögte und Richter bestimmte auch das kirchliche Geschehen in den Gemeinen Herrschaften des Tessin.

Es geht dabei auch nicht nur um die Vorgänge am Lago Maggiore, sondern ebensosehr um jene im Veltlin, um Chiavenna und in den südlichen Tälern Graubündens. Dabei wird dessen Stück Reformationsgeschichte zu einem großen Teil – hier wird der Darstellungsstil Leopold von Rankes und seine Art des Sehens besonders deutlich – zu einer Geschichte der maßgebenden Persönlichkeiten.

Und gerade hier erweist sich auch die hervorragende wissenschaftliche Qualität dieses Werkes: Meyer schreibt keinesfalls parteiorientiert. Es ist keine tendenziöse, keine politisch engagierte Reformationsgeschichte. Natürlich verleugnet er seine Zugehörigkeit zum zwinglianischen Bekenntnis in keiner Weise, aber seine Darstellung ist in hervorragendem Maße objektiv. Er scheut sich auch nicht, Schwächen, Unzulänglichkeiten, Machtstreben und kleinlichen Eigennutz auf der Seite der Evangelischen anzuprangern. Auch das von den Zürchern und von anderen evangelischen Orten gewährte Asylrecht wird scharf unter die Lupe genommen. Das engstirnige Verhalten der Zünfte den Aktivitäten der Eingewanderten gegenüber, die argwöhnische Einschränkung ihrer handwerklichen und kommerziellen Bemühungen und die zum Teil äußerst restriktive Einbürgerungspraxis der Stadtbehörden, dies alles wird in keiner Weise geschont.

Solche Objektivität gibt dem Verfasser auch das Recht, die Brutalitäten, wo sie auf der Gegenseite zutagetreten, beim Namen zu nennen. Kein strenggläubiger Prostestant ist es, der hier die Feder führt, sondern ein Mensch, dem jede Unmenschlichkeit und jede unverträgliche Parteilichkeit zuwider ist. Es geht ihm nicht um Sieg und Niederlage, sondern um die

Aussöhnung der Gegensätze, um Frieden und Menschlichkeit. Es geht ihm um die Darstellung der geschichtlichen Wirklichkeit.

Es mag dem vornehm-zurückhaltenden Gelehrten eine kleine Genugtuung gewesen sein, daß ihm noch in dem Jahre, da dieses umfangreiche Werk erschien (1836) die erst dreijährige Universität als Anerkennung seiner wissenschaftlichen Tätigkeit und seiner Förderung des Unterrichtswesens den Doctor philosophiae honoris causa verlieh. Damit erhielt er überhaupt den ersten akademischen Grad, um den er sich im Ausland, aus Zeitmangel und aus Bescheidenheit, nicht gekümmert hatte. Damals war ihm der Eintritt in den öffentlichen Dienst wichtiger gewesen.

Noch einmal fand er – man wundert sich, woher er dazu die Muße nahm – Zeit und Kraft, seine Forschungen im Raume der Reformationsgeschichte weiterzuführen. Im «Schweizerischen Museum für historische Wissenschaften», das damals erst im zweiten Jahrgang stand und eine Gründung der Historiker an den Universitäten von Basel, Bern und Zürich (W. Wakkernagel, F. D. Gerlach, J. J. Hottinger) war, veröffentliche er seine Abhandlung «Mißlungener Versuch, das Hochstift Chur zu säkularisieren, in den Jahren 1558–61». Fortsetzung und Schluß folgten im dritten Jahrgang (1839).

Auch diese gründlich dokumentierte und durch archivalische Zeugnisse belegte Schrift erwies ihn noch einmal als unbestechlichen Erforscher der Reformations- und Gegenreformationszeit, diesmal vor allem in den drei bündnerischen Staatswesen. Vielleicht kommt hier sogar der objektiv wägende Historiker noch stärker zum Ausdruck als in der Locarneser-Geschichte. Noch mehr zählen hier lediglich die geschichtlichen Fakten und in ihnen das Wirken einer gewissen objektiven historischen Gerechtigkeit. Es war der Kollektiv-Egoismus der bündnerischen Bauerngemeinden, der hier, wie ihm schien, am Werke war und altverbriefte Besitz- und Grundrechte und Gerichtshoheiten des Bistums Chur für sich in Anspruch nehmen wollte. Und sie taten dies, ohne die Geistlichen des reformierten Bekenntnisses, die Prädikanten, dafür zureichend zu besolden oder mit den Pfründen auszustatten, wie dies vonseiten der alten Kirche geschehen war. Es macht daher nicht den Eindruck, der Verfasser bedaure das Scheitern dieser Versuche – während doch zuvor ähnliche Bestrebungen in Zürich zum Ziel geführt hatten. Es ging ihm vielmehr darum zu begründen, warum die Dinge in Chur diesen und keinen andern Verlauf nehmen mußten.

Eine Zwischenbemerkung, die in späterem Zusammenhang genauer untermauert werden soll, hier aber lediglich verweisenden Charakter hat: Auch Conrad Ferdinand Meyers, des Sohnes, historische Dichtungen lassen diesen Sinn für historische Gerechtigkeit und objektiven Pragmatismus immer wieder erkennen, nicht zuletzt in «Jürg Jenatsch», dem großen, in der bündnerischen Landschaft verwurzelten Roman. Es wird zu zeigen sein, wie weit er hier das Erbe seines Vaters angetreten hat.

Und die zweite Zwischenbemerkung: Es bestätigt sich, daß zum mindesten die zweite Sommerreise des Vaters mit dem Sohne ganz in den Zusammenhang der historischen Forschungen Ferdinand Meyers zu stellen ist: Es waren die historischen Stätten der bündnerischen Reformationsgeschichte, die den Vater – neben den Schönheiten der alpinen Landschaften – im Jahre 1838 in Anspruch nehmen mußten. Daß historische Ereignisse auch die Gespräche zwischen Vater und Sohn mitbestimmten, wie könnte es anders sein?

Ferdinand Meyers Ende

Von vier Seiten sehen wir die Persönlichkeit dieses geistvollen Mannes aufs stärkste in Anspruch genommen: als Lehrer für Geschichte und Geographie am neu gegründeten kantonalen Gymnasium, als Verantwortlicher an exponierter Stelle im Erziehungsrat, als gründlicher, methodisch äußerst gewissenhaft vorgehender Historiograph und als ebenso gewissenhafter, menschlich aufgeschlossener Familienvater und Oberhaupt einer für die Geselligkeit und Gastfreundschaft offenen häuslichen Gemeinschaft.

Alle Berichte stimmen übrigens darin überein, daß sich Ferdinand Meyer zu keinem Amte und zu keinem Mandat hingedrängt hat und daß er auch zu der zweiten Berufung in den Regierungsrat im Jahre 1839 der Gedrängte und nicht der Drängende war, daß ihn somit das bereits beredete stoische Pflichtgefühl seiner mitbürgerlichen Welt gegenüber dazu zwang, seine schwache Konstitution über Gebühr in Anspruch zu nehmen. Mit der gleichzeitigen Übernahme des Präsidiums im Gesamterziehungsrat wurde ihm die Verantwortung über das ganze Zürcherische Erziehungswesen aufgebürdet. Denn dies bedeutete keineswegs nur die verwaltungsmäßige Direktion eines Departements. Ging es doch um die Verwirklichung seiner besonderen liberal-konservativen politischen und ethisch-religiösen Anliegen.

Er wünschte ganz allgemein eine Verstärkung des religiösen Elementes sowohl in den Volks- und Mittelschulen wie besonders in der Ausbildung der künftigen Lehrer am Seminar. Um dieses Ziel zu erreichen, schreckte er auch nicht vor einschneidenden personellen Maßnahmen zurück. Er gehörte zu jenen, welche die Entfernung Ignaz Theodor Scherrs vom Amte des Seminardirektors durchsetzten, weil er seiner Überzeugung nach keine

Gewähr bot, dieser seiner neuen Richtung im Erziehungswesen Nachachtung zu verschaffen.

Noch ehe der Konflikt zwischem dem radikalen Regiment und dem mehrheitlich konservativen Volk zum Austrag kam, wurde Ferdinand Meyer von einer schweren Erkrankung befallen. Sie fesselte ihn ans Bett und machte eine Kur im bernischen Blumenstein nötig. Die politische Wendung, an der er aus diesen Gründen keinen persönlichen Anteil nehmen konnte, mag ihm, da sie ja ganz in seinem Sinne verlief, neuen Auftrieb gegeben haben: «Als Rekonvaleszent aus dem Blumensteinbade zurückgekehrt ... kam ich, sozusagen unversehens, mitten in unsere Revolution hinein.» Dieser Meldung an seinen Jugendfreund Johann Caspar Hess in Genf läßt er die Feststellung folgen: «Meine Gesundheit ist sehr gut.»

Ein weiterer Satz in diesem Brief läßt erkennen, wie er und seine Partei die Aufgabe im restaurierten Regierungsrat verstanden wissen wollten: «Wir vom ‹Juste-Milieu› ... haben eine völlige Frontveränderung gemacht und wehren uns für die besseren der Radikalen.»

Und noch im letzten, wenige Tage vor seinem Tode geschriebenen Brief behält er dasselbe Ziel im Auge: «Versöhnung der Parteien ist es, was wir wünschen.»

Wie die Krankheit zu verstehen ist, von der Meyer im Jahre 1839 befallen wurde, läßt sich aus den vorhandenen Daten kaum mehr klar ermitteln. Vom anonymen Verfasser des Nachrufes wird berichtet, daß sich die Brustbeschwerden, die ihn ein Jahr zuvor befallen hatten und die Kur in Blumenstein nötig gemacht, wiederholt hätten. Daraus könnte man auf ein Lungenleiden, Lungenentzündung mit tuberkulösen Folgeerscheinungen, schließen. Anderseits wird aber als tödliche Krankheit ein typhus paralyticus genannt. Beides, das Nervenfieber, wie der Typhus damals genannt wurde, und die nachhaltigen Pneumonien, waren häufig auftretende Krankheiten. Nicht ganz ausgeschlossen ist, daß der vom Lungenleiden geschwächte Körper den häufig auftretenden Typhus- und Paratyphus-Epidemien gegenüber besonders anfällig war.

Jedenfalls scheint die Erkrankung, die ihn im Frühlung 1840 befiel, sehr rasch und unerwartet zum Tode geführt zu haben. Am 4. Mai nahm er noch an einer Sitzung der 2. Sektion des Erziehungsrates teil, wurde aber noch am gleichen Tage von einem heftigen Fieber befallen, das in den frühen Morgenstunden des 11. Mai (nach anderer Version des 10.) zum Tode führte. Er hatte ein Alter von 41 Jahren erreicht.

Von den Ausstrahlungen dieses geistreichen Mannes im engeren und weiteren Familienkreis wissen wir außer den knappen Andeutungen bei Frey und in Betsys Erinnerungen nur wenig. Der Verfasser des Nachrufs spricht davon, daß auch im häuslichen Leben ,,reiner Sinn, Ordnungsliebe, Pflichttreue und liebenswürdige Herzlichkeit" vorherrschten und daß daran «zwei hoffnungsvolle Kinder» teilhatten. Diese Berichte, verbunden mit den allgemeinen Hinweisen, daß sein Sinn auf Mäßigung und Vereinigung der Gemüter gerichtet gewesen sei und sich durch «Beharrlichkeit verbunden mit Weichheit» ausgezeichnet habe, lassen erkennen, daß von Spannungen im engeren Familienkreise nicht die Rede sein kann. Das Bild einer harmonisch unter sich verbundenen Familie entspricht wohl den Tatsachen und darf nicht als nachträgliche Schönfärberei mißdeutet werden.

Das Bild des Vaters im Sohn

Wir haben versucht, die Persönlichkeit des Vaters in ihrer ganzen Vielseitigkeit ins Licht zu stellen, und zwar zunächst ohne Hinblick auf den Sohn. Es zeigte sich, daß sie mit den bloßen Hinweisen auf die politische Tätigkeit und auf die historische Gelehrsamkeit kaum zureichend begriffen werden kann. Ferdinand Meyer war vielmehr, kurz gesagt, ein bedeutender, klar profilierter, mit hohen seelischen und geistigen Qualitäten ausgestatteter Mensch.

Von hier aus gewinnen nun die eingangs geschilderten gemeinsamen Reisen von Vater und Sohn ihr besonderes Gepräge und ihre symbolische Bedeutung: Das Bild des Vaters als eines geistigen Führers und Vorbildes mußte sich dem Vierzehneinhalbjährigen neben dem des Familienoberhaupts und des Ernährers für immer einprägen. Es geht daher auch kaum an, bei Conrad Ferdinand Meyer, wie etwa bei Gottfried Keller, von einer Halbwaise zu sprechen.

Dementsprechend war auch das Todeserlebnis tief und nachhaltig. Ein Zeugnis dafür liegt vor in jenem Bündel poetischer Versuche, die Conrad während seines ersten Lausanne-Aufenthaltes (1843) verfertigt und die uns Adolf Frey in der Biographie fragmentarisch aufbewahrt hat. Denn in diesem Bündel findet sich ein Dokument, das für Conrads seelische Lage bei allen anfängerhaften Unbeholfenheiten – oder sogar gerade deshalb – sehr aussagekräftig ist.

Kampf und Sieg

Es ist das Wetter so dumpf, es ist das Wetter so bang,
Es ziehen die schwärzesten Wolken den Horizont entlang.

Sie heben sich gegeneinander, sie ringen, sie kämpfen mit Macht,
Sie halten die Sonne gefangen in ihrer schaurigen Nacht.

Es ist dem einzigen Vater das Todesbette gebettet
Und niemand auf dieser Erde, der ihm das Leben rettet.

Es steht um ihn der Freunde, der Lieben trauriger Kreis,
Es ist das Blut gewichen, die Wange wie Schnee so weiß.

Jetzt hat die Wolken durchbrochen der Sonne goldiger Schein,
Jetzt zieht die Seele des Dulders ins himmlische Leben ein.

Die Sterbeszene wird eingeleitet durch ein Naturbild, das, ob aus der Erinnerung heraufgeholt oder als Projektion dumpfer Trauer, jedenfalls die Stimmung des durch den Anblick eines Sterbenden durchschütterten Kindes ins Bild hebt. Das Wort Todeskampf, Ringen zwischen Leben und Tod, wird durch das atmosphärische Geschehen gleichnishaft belegt: Wolkennacht und Sonne; die Wolkennacht behält zunächst die Oberherrschaft. Dann, in der Mitte des Verstextes, tritt die Wirklichkeit unmittelbar aus dem gleichnishaften Geschehen heraus:

> Es ist dem *einzigen* Vater das Todesbette gebettet
> Und niemand auf dieser Erde, der ihm das Leben rettet.

Das ist die harte, unmittelbare Wirklichkeit des Sterbens, aus der jede Hoffnung auf eine Wende geschwunden ist. Sie wird durch die nächste Doppelzeile in zwiefachem Sinne bestätigt, durch den stumm-traurigen, hilflosen Kreis der Freunde und der Lieben und durch den sichtbaren Befund, daß das Blut gänzlich aus dem Antlitz des Leidenden gewichen ist.

Die Wahrscheinlichkeit, daß sich hier, drei Jahre später, eine lebendige Erinnerung des Siebzehnjährigen an das Sterbe-Erlebnis des Vierzehnjährigen erhalten hat, scheint unverkennbar.

Während in diesen fünf Doppelzeilen der Tod des Vaters unmittelbar im poetischen Bilde nachwirkt, hat sich das Motiv der Suche nach dem verlorenen Vater später noch einmal in dichterisch gültiger Form in einem lyrisch-epischen Traumbilde kristallisiert.

Nächtliche Fahrt

> Ein Schiff befuhr das Meer. Aufrauschend quoll
> Die Flut am Kiel. Er suchte Pylos' Strand.
> Das Steuer führt' ein Jüngling kummervoll,
> Dem früh des Vaters Rat und Hilfe schwand.
>
> Der Glückbedürftge hieß Telemachos
> Und schaute nach des Segels nächtgem Flug,
> Dicht neben ihm der hohe Fahrtgenoß,
> Athene war's, die Mentors Züge trug.
>
> Unendlich brach hervor der Sterne Heer,
> Die lichten Waller wußten ihre Bahn ...
> Da sprach die Tochter Zeus' auf dunkelm Meer:
> «Zusammen rufen wir die Götter an!»
>
> Die Hände, wie der Staubgeborne fleht,
> Erhob sie ausgebreitet in die Nacht –
> Und sie erhörte selber das Gebet,
> Von ihr für den Verlaßnen dargebracht. [13]

Das Gedicht ist 1873 entstanden[14], wohl im Nachhall zu «Huttens letzte Tage», wo sich ja Hutten selbst mit dem homerischen Helden vergleicht[15]:

«Ein irrender Odysseus bin ich ja», sich aber sogleich von ihm absetzt mit dem Hinweis, daß ihn keine liebende Gattin erwarte und daß er nicht in sein Eigenes heimkehre, sondern bis ans Ende einsam, ein Fremdling unter Fremden, verharren müsse.

Jetzt, in «Nächtliche Fahrt», hat das homerische Thema eine ganz andere Funktion. Ursprünglich sollte übrigens das Gedicht den Untertitel «Odyssee» tragen. Es hätte sich also lediglich als Paraphrase zu einer Stelle in der Odyssee angeboten. Tatsächlich ist es ja in bezug auf den Stoff und auf die einzelnen Motive ganz der Telemachie verpflichtet, und zwar dem Ende des zweiten Gesangs und dem Anfang des dritten. So lehnt sich Strophe 1 an Od. II, 427/28 an:

> Voll in die Leinen stürmte der Wind. Die purpurne Woge
> Fuhr laut brüllend empor am Bug des wandernden Nachens.

Die zweite Strophe hält sich dagegen an die Verse 416–18 desselben Gesangs:

> Aber Telemachos ging an Bord; ihn führte die Göttin
> Die sich nach hinten ans Ruder begab. Zur Seite Athenens
> Saß Telemachos nieder ...

Schließlich ist auch die letzte Strophe nicht ohne den Vers 62 des 3. Gesangs denkbar:

> Also betete sie und erfüllte alles sich selber.

Doch der genannte Untertitel wurde schon von O. Blumenthal, dem Herausgeber der «Deutschen Dichterhalle», der das Gedicht in der Juni-Nummer brachte, gestrichen und vom Dichter bei der Herausgabe der «Gedichte», nicht wieder eingesetzt. Die Tarnung, die der scheue Dichter mit dem Untertitel bezweckt hatte, blieb auch so wirksam: die Identität zwischen der Seelenlage des Dichters und Telemachos wurde, soweit ich sehe, kaum je hervorgehoben. Man verstand «Nächtliche Fahrt» als ein epischpoetisches Stimmungsbild, als eine Abwandlung der Form des «Bildgedichts», kein ursprüngliches, kein erlebtes, sondern ein abgeleitetes Kunstgebilde.

Dabei erweist sich doch die diesem Kapitel als Motto vorangestellte Versfolge (Str. 1, V. 3/4) als eine vollkommen klare, einfache Selbstaussage! Dazu gehören Variationen zum Thema Schutzengel und Engelwacht, Gegenwart des Numinosen in menschlicher Gestalt, also das Mentes-Mentor-Motiv zum engsten Kreis der Bildvorstellungen des Dichters (z. B. «In Harmesnächten, V. 3/4; «Die Füße im Feuer», V. 61/62; «Ein Pilgrim» V. 17–22)[16]. Noch war zur Zeit der Entstehung des Gedichtes das Bild der lieben Mitpilgerin, der Schwester Betsy, als eines Schutzengels seines ganzen Seins und Tuns lebendige Wirklichkeit, noch nicht durch Vorstellungen von Weib und Kind und eignem Herd (vgl. «Ein Pilgrim», Str. 4[17]) sekundiert. Die Suche nach dem Vater, das war das gemeinsame Anliegen der beiden Geschwister.

Das Wissen, daß sein Weg früh des Vaters Rat und Hilfe entbehrte, daß seine Lebensfahrt stets auch eine Fahrt zur Erkundung des Vaters war, diese Identität mit der Figur Telemachs war jedenfalls dem Sohne dreiunddreißig Jahre nach dem Tode des Vaters noch gegenwärtig.

Der Sohn auf dem Weg zurück zum Vater

Inzwischen hatte Conrad Meyer diese Erkundungsfahrt schon längst angetreten. Dieser Vater war zu keiner Zeit eine gänzlich abgestorbene, dahingegangene Welt. Er war ja auch noch da als lebendige Gegenwart; man mußte nur nach den zwei stattlichen Bänden greifen, die seit 1836 in der elterlichen Bibliothek standen, und sicher waren auch jene anderen Schriften dort greifbar, mit denen der Vater einst an die Öffentlichkeit getreten war. Und Conrad hat sich in seiner «dumpfen Zeit», wo er sich angeblich in einer ziellosen Lektüre verlor, aller dieser väterlichen Schriften bemächtigt. Er hat die historische Welt, die sein Vater entfaltet hatte, nicht aus seinem Gedächtnis verdrängt, sondern sich immer mehr anverwandelt!

Das gilt zunächst im allgemeinen Sinne, daß ihn dieselbe Zeitepoche, Reformation und beginnende Gegenreformation, aufs stärkste fasziniert hat. «Huttens letzte Tage», «Das Amulett», «Jürg Jenatsch», «Die Versuchung des Pescara», die Gestalten der zeitgenössischen italienischen Renaissance wie Julius II, Michelangelo, Vittoria Colonna, sie gehören dieser Zeitepoche an und sind auch geographisch in denselben Kulturräumen angesiedelt, mit denen sich der Vater befaßt hat.

Von *einer* Stadt, in und bei der der Vater so gerne verweilte, hat sich der Sohn als vor einem Tabu ferngehalten, von *Zürich*. Zu dieser seiner Vaterstadt hat Ferdinand Meyer auch als Historiker immer wieder Bezüge hergestellt. Um dieses Tabu zu verstehen, muß man Conrad Ferdinand Meyers Stellung zur bürgerlich-aristokratischen Gesellschaft seiner Heimat sich vor Augen halten. Sie hatte seinen Entwicklungsweg – nicht ohne Zutun der Mutter – zu lange mißtrauisch oder hochnäsig – mitleidig verfolgt. Sobald es daher tunlich und möglich war, hat Conrad Zürich als Wohnstätte aufgegeben; er hat seine Enge nicht mehr vertragen.

Aber es gibt bei Conrad Ferdinand Meyer nicht nur diese allgemeinen

Spuren aus der Stoffwelt Ferdinand Meyers; sie können auch im Einzelnen, Konkreten, Figürlichen nachgewiesen werden. Eine längere Reihe von historischen Gestalten, die in Werken Conrad Ferdinand Meyers ihre tragende Rolle spielen, erscheint auch schon in den Werken des Vaters. Selbst wenn sie dort in einem ganz anderen Bezugsfeld erscheinen, sogar eine andersartige, vielleicht sogar entgegengesetzte Wesensart bekunden, so blieben doch die Namen und die Umrisse aus der Lektüre der väterlichen Schriften haften. Um so erstaunlicher ist es, daß Alfred Zäch, der Herausgeber der Prosawerke in der Historisch-kritischen Gesamtausgabe, es unterläßt, unter des Quellen für die einzelnen Werke die Schriften des Vaters zu nennen und Namen und Figuren auf ihn zurückzuführen. Wie es denn ganz allgemein den Anschein macht, daß der Vater als Autor und geistige Persönlichkeit bei den Conrad Ferdinand Meyer-Forschern stets quantité négligeable geblieben sei.

Das historische Arsenal des Vaters im Werk des Sohnes

Es sei nunmehr versucht – ohne Anspruch auf Vollständigkeit – nachzuweisen, wo das väterliche Gut, bestehend aus historischen Figuren und Örtlichkeiten, vom Sohn in seine Werke eingebracht wurde. Wir beachten dabei die Abfolge der Werke Conrad Ferdinand Meyers nach ihrem Erscheinungsjahr.

Ferdinand Meyer hebt in seiner Geschichte der evangelischen Gemeinde in Locarno die zweideutige Rolle von Papst Clemens VII (1523–1534) als Oberhaupt der Kirche und weltlicher Beherrscher des Kirchenstaates hervor. Er weist darauf hin, daß er «die entscheidende Waffenerhebung des Landgrafen von Hessen», der sich der Sache Luthers angeschlossen hatte, «begünstigt und damit der Sache des deutschen Protestantismus einen sehr wesentlichen Dienst» geleistet habe. In einer Anmerkung fügt Ferdinand Meyer bei[18]: «Über die mutmaßliche Mitwirkung des Papstes zu der Wiedereinsetzung des Herzogs Ulrich von Würtemberg durch den Landgrafen von Hessen 1534 s. Ranke, S. 121.»

Conrad Ferdinand Meyer hat bekanntlich aus diesem Ulrich von Würtemberg einen schurkischen Gegner Huttens und Verwandtenmörder gemacht. Das Gedicht 58 («Herzog Ulrich»)[19] gehört zu den eindrücklichen, spannungsreichsten Menschenbildern, die er in dieser frühen Dichtung gestaltet hat. Die Ermordung seines Vetters Hans (vgl. «Huttens letzte Tage», 10, «Vetter Hans»), den er, Ulrich, aus der Welt schafft, um dessen Frau zu gewinnen, sein Übertritt zum Glauben Luthers, den er gegen den angestammten wie Schuh und Stiefel wechselt, kurz: eine Verbrechergestalt auf dem Herzogstuhl: Kein Zweifel, daß Conrad die erste Anregung aus des Vaters Hinweis auf Rankes Werk «Die römischen Päpste» geschöpft hat.

Ferdinand Meyer weist im zweiten Band des eben genannten Werkes[20] auf die Spannungen zwischen dem lothringischen Haus der Guise und Katharina von Medici und auf das Blutbad von Vassy (1563) hin. Die beiden Rivalen und ihr späteres Opfer, Admiral Coligny, sind, wenn auch unter anderen Konstellationen, zu Schlüsselfiguren im «Amulett» geworden. Dabei kann die dort geschilderte Bartholomäusnacht (24. August 1572) durchaus als Parallele zur Bluttat von Vassy verstanden werden. Sowohl der gegenreformatorische Themenkreis wie der Schauplatz der Haupthandlung, Paris, waren durch Ferdinand Meyer vorgezeichnet worden.

Im zweiten Band des genannten Werks werden auch jene Spannungen und Kämpfe geschildert, die zwischen Altgläubigen und Reformierten im Veltlin ausbrachen und die schließlich im sogenannten Veltlinermord gipfelten[21]. Auch hier besteht kein Zweifel, daß bereits Denkanstöße vorliegen, die im sechsten Kapitel des ersten Buches von «Jürg Jenatsch» eine so überaus dramatische Ausgestaltung erfahren haben. Ferner ist die Rolle Mailands als Zentrum des von den Spaniern und vom Papsttum dirigierten diplomatischen Kräftespiels schon im Werk Ferdinand Meyers ungefähr ebenso stark akzentuiert wie im «Jürg Jenatsch».

Vor allem aber ist die Rolle zu bedenken, die Venedig in den beiden Werken spielt. In Venetien hatte, nach Ferdinand Meyer, die Reformation Luthers in ihren ersten Jahrzehnten eine verhältnismäßig zahlreiche Anhängerschaft gefunden, nicht zuletzt in einigen dort ansässigen Orden; die Werke Luthers fanden südlich des Brenner in Übersetzungen bedeutende Verbreitung. Eine Zeitlang betrieb Venedig eine Politik der Duldung den neuen Strömungen gegenüber, und zwar aus seiner Rivalität zum nahen Kirchenstaat heraus und zur päpstlichen Machtpolitik. Später allerdings setzte die Kirche der Altgläubigen ihre Ziele wieder unnachsichtiger, sogar mit terroristischen Methoden durch. Ferdinand Meyer berichtet nun in diesen Zusammenhängen von den Erfolgen eines gewissen Herkules von Salis, der sich «im Auftrage der drei Bünden»[22] nach Venedig begeben habe. Er habe sich für die Befreiung eines Kaufmanns aus Chiavenna eingesetzt, der seines Glaubens wegen zu Vicenza eingekerkert wurde. Er erlangte dessen Freilassung und wurde von jungen Patriziern der venezianischen Republik zu diesem Erfolg beglückwünscht.

Die knappe, aber lebhaft-dramatische Schilderung dieser Gesandtschaft nach Venedig mag auf den Sohn früh eingewirkt haben. Neben seinem eigenen Venedig-Aufenthalt mit der Schwester Betsy, der ja wohl auch seinerseits von den väterlichen Schilderungen angeregt worden war, dürften es diese frühen Lese-Anstöße sein, die das breit angelegte Zweite Buch des Jenatsch-Romans zur Entfaltung brachten.

Im ersten Bande nennt Ferdinand Meyer unter den beliebten und erfolgreichen Prädikanten, denen die zwinglianische Reformation in Bünden ihre Erfolge verdankte, den Unterengadiner Blasius. Er wurde, wie der Historiker berichtet, «als der tätigste und einflußreichste unter den bündnerischen Reformatoren» bezeichnet. Er erlag der Pest, die im Sommer 1550 durch ganz Rhätien diesseits der Berge wütete. – Nun spielt Blasius Alexander, ein Freund Jürg Jenatschs, als wehrhafter und kampflustiger Prädikant im bereits genannten sechsten Kapitel des Ersten Buches eine entscheidende Rolle. Er rächt auf der Stelle den Tod von Jenatschs Gattin an ihrem Mörder[23]. Daß es sich hier um eine historische Figur, um einen Mitstreiter Jenatschs handelt[24], steht außer Frage; es scheint aber, daß ihm der andere Blasius im Werke Ferdinand Meyers zum mindesten als Anreger des Namens zu Gevatter gestanden und sein mehrmaliges Erscheinen im Roman gefördert habe.

Eine weitere Figur, die den beiden Meyer gemeinsam ist, ist diejenige des «kleinen Wertmüller». Ihm begegnet Jenatsch als einem Jugendfreund aus seiner Zürcher Zeit in Venedig wieder. Es ist der «Locotenent» Wertmüller, Adjutant des Herzogs Rohan[25]. Der Name Werdmüller (das d ist wohl etymologisch richtiger als das t, weil der Name wohl von der Werdmühle herstammt) taucht aber bereits am Anfang der Locarneser Geschichte Ferdinand Meyers auf[26]: «Im Frühjahr 1530» ernennt der Rat von Zürich den Säckelmeister Jakob Werdmüller zum Vogt der Herrschaft Locarno, einen tüchtigen, der Sache der Reformation zugetanen Mann, der auch als Offizier während des Ersten Kappelerkrieges ein wichtiges Kommando innegehabt hatte. Auch hier handelt es sich zwar nicht um die Übernahme einer historischen Figur, sondern nur um eine Namengleichung, aber sie ist, wie wir eben sehen werden, nicht die einzige geblieben.

1877/78 ist nämlich, gewissermaßen noch im Schlepptau des «Jürg Jenatsch», Conrad Ferdinand Meyers einzige humoristisch-heitere Novelle, «Der Schuß von der Kanzel», entstanden. In ihr treibt der alte General Johann Rudolf Wertmüller, ein Spötter und Freigeist, sein koboldartiges Spiel, verursacht mit seinem trügerischen Wechsel der geladenen gegen die ungeladene Pistole den Skandal in der Kirche zu Mythikon und spielt sich schließlich als knurrig-wohlwollender Ehestifter zwischen der schönen Wertmüllerin und Pfannenstiel auf: Es ist derselbe Wertmüller, der als

Locotenent durch den Jenatsch-Roman geistert, nun allerdings am Ende seiner Laufbahn und auf der Schwelle des Todes stehend, der Herr des Schlosses Au bei Wädenswil. Gewiß, Johann Rudolf Wertmüller ist eine historische Gestalt, die sich durch gewisse souveräne Absonderlichkeiten dem Dichter aufdrängen mußte. Daß er aber in solcher Weise in zwei Werke einbezogen wurde, das verdankt er wohl doch ursprünglich der namentlichen Übereinstimmung mit dem Säckelmeister Jakob Werdmüller im Hauptwerk seines Vaters. Auch dieser ist schon auf knappem Raum mit markanten, klaren, menschlich ansprechenden Zügen ausgestattet.

Übrigens verlieren die Anregungen durch die Historiographie des Vaters im Laufe der Jahre nicht an Wirkkraft.

Schon in der Einleitung der Geschichte von der evangelischen Gemeinde in Locarno[27] lautet ein Satz: «Zwei ebenso geistreiche als tugendhafte Frauen, Vittoria Colonna, frühzeitig verwitwet durch den Tod ihres Gatten, des Marchese von Pescara, und Giulia Gonzaga, Gemahlin des Herzogs zu Palliano, ebenfalls aus dem Hause Colonna, wurden von diesen Männern (gemeint sind Occhino und Vermiglio) für die neue Lehre gewonnen.»

In diesem Satz sind, wie ohne weiteres ersichtlich, die beiden tragenden Gestalten aus der 1887 erschienenen Meisternovelle «Die Versuchung des Pescara» namentlich genannt, der Marchese von Pescara und seine Gattin Vittoria Colonna. Pescara wird überdies in der zugehörigen Anmerkung als berühmter Heerführer Karls V. und als Sieger von Pavia eingeführt und als Fernando de Avalos von Alfonso, einem Geschwisterkind, genau unterschieden. Als Sieger von Pavia wird er überdies an anderer Stelle nochmals aufgeführt[28]. Damit ist auch die Grundthematik der genannten Novelle bereits ermöglicht: der Sieg Pescaras bei Pavia. Hier konnte der Novellist mit dem Motiv der langsam schwärenden Todeswunde ansetzen.

Ein zweiter Name, nämlich der von Pescaras Gegenspieler Morone, dem Kanzler des Herzogs von Mailand, erscheint ebenfalls schon im Werk des Vaters Ferdinand Meyer, und zwar mehrmals. Freilich ist es hier nicht Hieronymus, sondern Giovanni Morone, Bischof von Modena. Er ist es zum Beispiel, der mit der Untersuchung der evangelischen Umtriebe in Mailand betraut wird[29]. Seine zweifelhafte Rolle als Verfolger der Reformation in der lombardischen Hauptstadt hat jedenfalls auf die zwielichtige Figur Morones in der Novelle deutlich eingewirkt.

Schließlich sei noch am Rande darauf hingewiesen, daß das Wort Messer für Monsignore, Monsieur, das gelegentlich von Conrad Ferdinand Meyer verwendet wird, auch schon in Texten seines Vaters[30] erscheint.

Wir haben hier die unmittelbar faßbaren Abhängigkeiten zwischen Vater und Sohn anhand von Namen und historischen, respektive poetischen Figuren nachgewiesen. Nun wäre aber noch einmal auf den persönlichen Einfluß hinzuweisen, den die zweite Alpenreise der beiden im Jahre 1838 bewirkt hat. Die Jugendreise Conrads durch das Bündnerland und über den Splügenpaß nach Chiavenna, dann durch das Bergell hinauf und über die Maloja ins Engadin und von dort auf weiter nicht bekannten Wegen nach Zürich zurück hat zweifellos die Wahl der Örtlichkeiten und Handlungsszenen im «Jürg Jenatsch» in entscheidendem Maße bestimmt. Sie hat vorerst jene Reisen und Ferienaufenthalte angeregt, die Conrad in den Sommern vor und während der Entstehung des Romans mit seiner Schwester Betsy durchlebte. Das war Ende der Sechziger- und bis zur Mitte der Siebzigerjahre. Die Aufenthaltsorte und die Reiserouten ermöglichten die Präzisierung und genauere Verlagerung der Romanhandlung in den Landschaften.

Die genauen Kenntnisse der Örtlichkeiten an der Domleschg-Viamala-Route erlaubte sodann die genaue lokale Fixierung der fiktiv-historischen Novelle «Die Richterin» (1885). Malmort, der wichtigste Schauplatz der Novellenhandlung, ist nicht denkbar ohne die genaue Kenntnis des Ruinenkomplexes von Hohen Rätien ab Thusis. Und an diesem gähstotzig aufragenden Felsen vorbei waren einst schon Vater und Sohn durch die Viamala nach Süden gezogen!. Die Jugendreise mag sogar die späten Ferienaufenthalte Conrads mit Gattin und Kind in Splügen (im August 1885) und in San Bernardino (1889) ausgelöst haben.

Conrad Ferdinand Meyer befand sich – so dürfen wir hier zusammenfassend formulieren – stets auf der Fahrt nach dem entschwundenen Genius des Vaters.

Am Ende dieser Untersuchung müssen noch einige Blicke auf den Darstellungsstil der beiden Generationen geworfen werden, ‹der beiden Generationen› sage ich hier mit Bedacht, weil – bis zu einem gewissen Grade – auch der Stil der Schwester Betsy mit einzubeziehen ist.

Schon Ferdinand Meyer durchsetzte seine historisch-sachlichen Berichte mit kurzen, oft knapp gefaßten Bildern der historischen Persönlichkeiten, mit denen er sich auseinandersetzte. Von Ranke angeregt, wurde ihm die Geschichte einer Zeitepoche zur Geschichte ihrer ausgeprägten und das Geschehen prägenden Persönlichkeiten. Menschliche und persönliche Größe und menschliche Niedertracht wirkten exemplarisch und stellvertretend für Wohlstand, Not und Elend ganzer Völkerschaften und Staatsgebilde. So etwa, neben dem häufig ins Licht gerückten ersten Zürcher Antistes, Heinrich Bullinger, die führenden Köpfe der evangelischen Locarnesen, wie beispielsweise Taddeo Duno, Martino und Giovanni Muralto. Aber er unterläßt auch nicht, jene gefährlichen, ja verhängnisvollen Geister bloßzustellen, für die das neue Ideengut der Reformation nur dazu da war, das eigne Licht zum Leuchten zu bringen. Damit stifteten sie Verwirrung unter den Gläubigen und brachten die echten Kräfte durch ihr ehrgeiziges Trachten um ihre Wirkung. Zu ihnen wäre Pierpaolo Vergerio zu zählen, dessen aufsässiges und intrigantes Wirken in Italien, der Schweiz und Deutschland immer wieder in Erinnerung gebracht wird.

Diese Aktivitäten profilierter Persönlichkeiten zum Schaden oder zum Nutzen einer Sache fallen also keineswegs mit konfessionellen oder politischen Parteiungen zusammen. Es gibt schon bei Ferdinand Meyer niederträchtige und hochherzige, gerechte und schurkische Schweizer und Italiener. Ebenso gibt es beide Arten, die friedlich-versöhnlichen und die aggressiv-unverträglichen Evangelischen und Katholiken. Diese vornehme Objektivität, die Ferdinand Meyers Hauptwerk ebenso auszeichnet wie die Abhandlung über den mißlungenen Versuch, das Churer Hochstift zu säkularisieren, hat den Stil und die geistige Haltung des Sohnes ganz entscheidend geprägt. Der niedrige kollektiv-Egoismus der bündnerischen Gemeinden wird hier ebenso gegeißelt wie die Listen und Intrigen der katholischen Unterhändler aus Italien.

Solche Objektivität kennzeichnet auch die Texte Conrad Ferdinand Meyers. Sein unbefangener Pragmatismus hat schon manchen Leser irritiert. Denn im allgemeinen zieht die historische Prosa die Schwarzweißmalerei und simplifikatorische Sehweisen einer differenzierteren und multivalenten Darstellung vor. Beim Dichter Meyer führt dies nicht selten zu zwielichtigen, widersprüchlichen, in sich gespaltenen Figuren. Dies macht sie aber menschlich oft so ansprechend und psychologisch interessant.

Sogar eine besonders auffällige Eigenart des Meyerschen Stils, die Ironie[31], scheint bei seinem Vater vorgebildet zu sein. Im Brief vom 17. Februar 1833 an seinen Freund Johann Caspar Heß in Genf[32] entwickelt Ferdinand Meyer ein höchst lebendiges Bild der parteipolitischen Konstellation Zürichs. Unter den sechs angeführten Gruppen – er ist über das Kräfteverhältnis im Großen Rat genauestens im Bilde – zählt er, von der Ultrarechten beginnend, als vierte Partei die Liberalen auf. Sie sind neben dem Juste-Milieu diejenige Gruppe, der er sich wohl am meisten zugehörig fühlt. Und hier gibt er sich angesichts ihres unsicheren Schwankens zwischen links und rechts einer überaus geistreichen ironischen Schreibweise hin, wohl wissend, daß sein Briefpartner die Hintergründigkeit seiner Anspielungen gut zu deuten versteht. Dabei ist nicht zu übersehen, daß sich schon bei ihm, wie bei seinem Sohne, der allgemeinen Ironie oft die Selbstironie beimischt. Das ist bei einem Manne, dessen Grundzug von Anfang an und dauernd eine ernste christliche Gläubigkeit und Moral war, keineswegs selbstverständlich, gehört aber wohl wie bei letzterem zu seiner geistigen Grundstuktur.

Zur historischen Novellistik gehört die Kunst der Wahl, Gestaltung und Durchformung eines bestimmten Sujets. Conrad Ferdinand Meyer ist ein Meister solch verknappender, wohlkomponierter, dramatisch geschürzter Novellenform geworden. Darin meldet sich schon der Meister beim Novellen-Erstling «Das Amulett». Diese Fähigkeit zu eindrücklicher Inszenierung des Handlungsablaufs hat sich bis in die letzte Novelle, «Angela Borgia» durchgehalten, wenn auch gerade bei dieser an kleinen Schwächen der Komposition das Nachlassen des Willens zur Straffung spürbar wird.

Übrigens hat die Gabe prägnanter Porträtierung schon immer die Geschichts- und Memoirenliteratur entscheidend geprägt. Im Grunde ist es eine Kunst, die die große Historiographie im Laufe von Jahrtausenden entwickelt hat. Sie hat den Werken eines Herodot, eines Thukydides, eines Sallust und Tacitus die unvergängliche Qualität verliehen.

Conrad Ferdinand Meyer selber hat sich vor allem bei Jacob Burckhardt, bei Theodor Mommsen, bei Ferdinand Gregorovius, bei Constantin Thierry und anderen französischen Historiographen umgesehen und Anregungen geholt.

Allein die Frage ist dennoch am Platze, ob nicht auch die Schriften des Vaters in dieser Richtung bewußte oder unbewußte Anregungen und Anstöße darboten. Dabei wären es weniger die bereits besprochenen großen Arbeiten über die evangelische Gemeinde in Locarno und das Hochstift Chur als die kleineren Monographien, die Beiträge für die Neujahrsblätter der Zürcher Hülsgesellschaft und der Stadtbibliothek, die von diesem Gesichtswinkel aus betrachtet werden müßten. Wenn sie auch nicht als Spitzenleistungen monographischer oder essayistischer Literatur angesprochen werden können, so zeigen sie doch Ferdinand Meyers bedeutende Fähigkeit zur Raffung und Straffung der Stoffe und zum Entwurf eindrücklicher historischer Porträts.

Da wäre in erster Linie auf die beiden Neujahrsblätter der Stadtbibliothek Zürich von 1833 und 1835 hinzuweisen. Zwar erübrigt es sich, auf das zweite besonders einzugehen, da es, ein Bild des Locarneser Reformators Giovanni Beccaria, sich als eine Art Auszug, beinahe als eine Art Vorabdruck aus dem zweibändigen Hauptwerk erweist. Dagegen steht die überaus ansprechend abgefaßte Gedenkschrift über Johann Gottfried Ebel (1764–1830) als eine selbständige und in sich gerundete Arbeit für sich da.

Es ist das Bild eines Mannes, der, ähnlich wie der Magdeburger Heinrich Zschokke, aus dem deutschen Norden eingewandert, in einem ersten dreijährigen Aufenthalt das Gastland zu seinem zweiten Vaterland wählt. Denn kurz darauf versucht er, nachdem er im revolutionär erregten Paris Aufenthalt genommen, ergriffen von echter Teilnahme für das Los der Eidgenossenschaft, die drohende Gefahr von dem geliebten Lande abzuwenden. Er beschwört die verantwortlichen Männer von Zürich, die er zuvor kennen gelernt, durch zeitgemäße Reformen den Revolutionären den Wind aus den Segeln zu nehmen. Doch ist es bereits zu spät, das Verhängnis abzuwenden. Später, nachdem er ein Jahrzehnt in Frankfurt am Main als Arzt gewirkt, lernt er, anläßlich eines Kuraufenthaltes in Pfäfers, eine Familie aus Zürich kennen und beschließt, mit ihr nach Zürich zurückzukehren und dort dauernd Wohnsitz zu nehmen. Die Art seiner Teilnahme am kulturellen Leben seiner Wahlheimat und insbesondere seine Schriften erweisen ihn nicht nur als einen begeisterten Freund von Land und Volk, sondern als einen der gründlichsten Kenner und solidesten Informanten. Seine «Anleitung, auf die nützlichste und angenehmste Art in der Schweiz zu reisen» wurde mehrmals, auch nach seinem Tode, neu aufgelegt. Von kaum geringerer Bedeutung ist seine «Schilderung der Gebirgsvölker der Schweiz». Sein erster Biograph, eben Ferdinand Meyer, meint, Ebel habe für die Landeskunde der Schweiz getan, was Johannes von Müller für die Geschichte.

Diese Monographie zeigt besonders klar Ferdinand Meyers kreativen Ordnungssinn. Das Quellenmaterial, an erster Stelle Ebels Schriften über die Schweiz, dann seine Briefe und Zeitschriftenartikel, soweit sie zugänglich waren, werden verbunden mit den Urteilen der zürcherischen Zeitgenossen und den Eindrücken, die ihm von persönlichen Begegnungen geblieben, zu einem wohlgeformten Ganzen zusammengefaßt. Daraus entstand eine Charakterzeichnung, die geeignet war, die Rolle eines Vorbildes für die jungen Leser zu spielen, die solchen Neujahrsblättern gemäß der Tradition zugedacht war.

Gerade dieser sozialpädagogische Sinn, verbunden mit dem Willen zur wohlgeprägten, sprachlich klaren und leichtfaßlichen Form, brachte hier ein lokalgeschichtliches Porträt zustande, das sich dem Leser einprägte und eben doch bereits die Gabe zur ästhetisch richtigen, gewißermaßen ‹poetischen› Form beim Vater des Dichters kundtat. Gerade die erstaunliche sprachliche Sicherheit, die einer formalen Ausgeglichenheit und Eleganz nicht entbehrte – sie kommt auch in den Briefen an Johann Caspar Heß und Johann Kaspar Bluntschli zum Zuge – mußte auf den Sohn anregend, wenn nicht gar stimulierend wirken.

Selbst wenn es nicht möglich ist, ganz konkrete Details formaler Anregungen nachzuweisen, so bleibt doch die vom Vater an den Sohn weitergegebene Fähigkeit zur Straffung und Rundung historischer Fakten als Tatsache bestehen. – Ob anererbte oder durch die Lektüre erfahrene und zu eigen gemachte Gabe: sicher ist, daß solche Erbkomponenten nicht übergangen werden dürfen.

Mit diesen letzten Überlegungen sind wir bis in jene Bereiche vorgestoßen, wo das in den Chromosomen angelegte biologische Erbgut und das geistige Erbe, wo ursprüngliche Identität der Temperamente und geistige Anregungen und Berührungen nicht mehr klar unterscheidbar sind.

Es gibt aber noch ein Thema in Conrad Ferdinand Meyers *Lyrik,* das untrüglich mit dem Vatererlebnis verquickt ist, auch wenn es zunächst als ein typisch romantisches Thema angesprochen werden muß: Das Wandern, und zwar das Wandern zu Fuß. Daß dieses Thema erst in späteren Jahren, z. B. 1880 und 1889, auftaucht, beweist im Falle Conrad Ferdinand Meyers nur die eigentümliche Nachhaltigkeit der Jugenderlebnisse. Das Vatererlebnis mag dabei durch die schwer gestörte Mutter-Sohnbeziehung jahrzehntelang unterdrückt und zurückgedrängt worden sein. Die Überwindung des latenten Zerwürfnisses mit der Mutter nach ihrem Tode brachte von selbst die Rückkehr in die Zeit des frühesten Erlebens.

Damals, so wird von Frey und Betsy berichtet, war über dem «Grünen Seidenhof», wo die Familie Meyer wohnte, eine Atmosphäre froher und heiterer Offenheit gebreitet. Sie umgab auch die beiden «hoffnungsvollen» Kinder, wie sie vom anonymen Verfasser des Nachrufs über Ferdinand Meyer genannt werden. Diese freundliche Heiterkeit ging wohl in erster Linie vom Vater aus, wurde aber zu seinen Lebzeiten von der Gattin in glücklicher Weise mitgetragen. Überängstlichkeit und strenger Moralismus brachen erst mit dem Tode des Gatten durch.

Die spät erwachte Sehnsucht Conrads nach der Jugend richtete sich naturgemäß auf jene Jahre zwischen erwachendem Bewußtsein und dem Lebensende des Vaters.

Wir greifen, um diese späte Spiegelung der Jugend aufzuzeigen, zuerst das Gedicht «Wanderfüße» auf, das aller Wahrscheinlichkeit nach zu Anfang des Jahres 1889 entstanden ist, in jener Zeit also, da die Alterskrise bereits in bedrohliche Nähe gerückt war, wo zum mindesten bereits eine allgemeine Verunsicherung Platz gegriffen hatte. Dieser Verlust der Selbstsicherheit mag den Dichter auch veranlaßt haben, dem Ehepaar François und Elizabeth Wille, wie er es im Anfang seiner dichterischen Bemühungen oft getan, einen Entwurf zu unterbreiten.

Das Gedicht fängt zwei Grunderlebnisse zu gleicher Zeit ein und vereinigt sie in einem für Meyer typischen Spannungsverhältnis, Jugenderlebnis und reißende Zeit, wie sie von dem vom Dunkel umdrohten alternden Dichter erlebt wurde.

Wanderfüße

Ich bedacht' es oft in diesen Tagen,
Meinem flüchtgen Wandel zu entsagen;
Doch was fang ich an mit meinen Füßen,
Die begehren ihre Lust zu büßen?
Von den ruhelosen Jugendtrieben
Sind mir meine Füße noch geblieben,
Schreitend mit dem Lenz und seinen Flöten,
Schreitend durch die Sommerabendröten,
Rasch vorüber den gefüllten Kufen,
Gleitend auf des Winters weißen Stufen
Über die verschneite Jahreswende,
Rastlos schreitend ohne Ziel und Ende!
Längst beschrieb die Stirne sich mit Falten,
Doch die Füße wollen nicht veralten,
Ihren Stapfen tritt auf Waldeswegen
Meiner Jugend Wanderbild entgegen,
Durch das leichte Paar, das stets entflammte,
Bin ich der zum Reiseschritt verdammte!
Finden möch' ich ohne Sterbebette
Meinen Füßen eine Ruhestätte ...[33]

Solchen Wandertrieb hat zweifellos der Vater mit seinen ungewöhnlich weit ausgedehnten Fußtouren der Jahre 1836 und 1838 geweckt. Er fand in seinem Sohn einen willigen und begabten Sekundanten:

Von den ruhelosen Jugendtrieben
Sind mir meine Füße noch geblieben.

Tatsächlich war muntere Beweglichkeit ein Kennzeichen des Kindes Conrad; von einem auffälligen bis exzessiven Bewegungstrieb berichtet Frey[34]. Im Sommer 1840 bis 1841 – so Ad. Frey – habe Conrad seine Sommerferien in Beckenried verbracht. Seine Wirtin, Frau Deschwanden, die Gattin des Kunstmalers, sei mit dem jungen Zürcher wohl zufrieden gewesen, nur daß er «so verwegen auf den umliegenden Berghöhen und Felsen herumkletterte, daß seine Waghalsigkeit sogar die Hirtenbuben übertraf (...)» Das scheint ein Zeichen dafür zu sein, daß Conrad seine Pubertät zunächst in solch verwegenen Eskapaden auslebte. Daß dies fern vom Elternhaus geschah, läßt erkennen, daß hier, kurz nach dem Tode des Vaters, bereits die lähmende Frustration in der Nähe der Mutter sich auswirkte und sich in der Distanz von ihr löste.

Welche Formen der verwegene Wandertrieb während der Krisenjahre 1852–56 annahm, wird an anderer Stelle darzustellen sein[35]. Daß er nach dem Tode der Mutter in neuen Formen spontan wiedererwachte, läßt sich auf vielfache Weise belegen. Die Ferienaufenthalte in Engelberg und Umgebung und in Graubünden ließen an der Seite der Schwester Betsy die alte Wanderlust wieder aufleben. Aber auch als Conrad nach dem Eheschluß und nach dem Erwerb des Hauses in Kilchberg seßhafter wurde, blieb das Reisen zu Fuß und zu Wagen, mit Schiff und mit Bahn ein bevorzugtes Ferienvergnügen und war seine Passion noch in späten Jahren. Aber diese späte Passion bleibt, wie wir nun sehen, an das Jugenderleben geknüpft:

> Ihren [sc. der Füße] Stapfen tritt auf Waldeswegen
> Meiner Jugend Wanderbild entgegen.

Daß der Dichter dabei ein düsteres Bild durch ein heiteres ersetzt und das Gespenstische von der Jugendstrafe fernhält, bestätigt, daß Meyers Jugend-Wandermotiv an die heitere vorpubertäre Jugend gebunden ist.

> Ihren Stufen tritt auf Schattenwegen
> Meiner Jugend Waldgespenst entgegen.

So hatte er zunächst formuliert; doch dies vertrug sich nicht mit dem euphorischen Zug, der diesem Jugendrelikt innewohnte. Das Gespenstermotiv gehörte – wir wissen es[36] – jener Krisenzeit von 1852 bis 1856 an und war daher in diesem Zusammenhang fehl am Platz.

In diesem Motivbereich gilt auch einmal festzustellen, daß für Conrad Ferdinand Meyer die Rückwendung in die Jugendjahre durchaus nicht mit romantischer Aufhellung des Faktischen verbunden zu sein brauchte. Die vorpubertäre Zeit, die mit der Zeit vor dem Tode des Vaters zusammenfällt, war tatsächlich heiter und unbeschwert.

Hans Zeller hat die literarische Quelle des Gedichts «Wanderfüße» aufgedeckt: Mörikes «Erbauliche Betrachtung», genauer dessen Verse 43–46:

> Bleibt mir getreu und altert schneller nicht als ich!
> Wir haben, hoff' ich, noch ein schön Stück Wegs vor uns;
> Zwar weiß ich's nicht, den Göttern sei es heimgestellt!
> Doch wie es falle, laßt euch nichts mit mir gereun!

Angesprochen sind schon hier wie bei Meyer die Füße; nur darf die ganz andere Tonart bei Meyer nicht übersehen werden, das hier eingangs erwähnte Wechselspiel von Jugendhelle und dem beängstigenden Dunkel der rasch hineilenden Zeit. Die psychische Motivation des Wanderfuß-Motivs ist ganz anders gelagert. Die Euphorie, die beide Gedichte bestimmt, wird bei Meyer durch die Daseinsangst aufgehoben.

> Durch das leichte Paar, das stets entflammte,
> Bin ich der zum Reiseschritt verdammte!

Zwang und Verdammung vertragen sich nicht mit der heiteren Erbaulichkeit Mörikes. Jene tiefe Geborgenheit im metaphysischen Sein war nicht mehr Meyers Teil.

Unter ähnlichem Gesichtspunkt ist nun auch ein anderes Gedicht zu verstehen und der Erlebniswelt Meyers genauer einzuordnen:

Lenzfahrt

Am Himmel wächst der Sonne Glut.
Aufquillt der See, das Eis zersprang,
Das erste Segel teilt die Flut,
Mir schwillt das Herz wie Segeldrang.

Zu wandern ist das Herz verdammt,
Das seinen Jugendtag versäumt,
Sobald die Lenzessonne flammt,
Sobald die Welle wieder schäumt.

Verscherzte Jugend ist ein Schmerz
Und einer ewgen Sehnsucht Hort,
Nach seinem Lenze sucht das Herz
in einem fort, in einem fort!

Und ob die Locke dir ergraut
Und bald das Herz wird stille stehn,
Noch muß es, wann die Welle blaut,
Nach seinem Lenze wandern gehn.[37]

Das Gedicht bedürfte eigentlich keiner weiteren Erklärung; nur darf es, vom Dichter her gesehen, nicht mehr so verstanden werden, daß ihm jede «Jugend», jeder «Jugendtag» versagt geblieben wäre. Vielmehr hatte er «seinen» Lenz, nach dem er wandern gehen mußte. Er gehörte eben nicht zu jenen, die, nach Gottfried Kellers «Jugendgedenken» ‹nie sahn der Jugend Lieblichkeit, die ein unnatürlich Los getroffen Frucht zu bringen ohne Blütezeit›. Er hatte sie gesehen, diese Lieblichkeit der Jugend; er hatte sie auf seine Weise zutiefst erlebt und hatte daher ihren Verlust um so schmerzlicher empfunden. Daß Meyer auch schon in der Entstehungszeit dieses Gedichts (1880), in einer Zeit, da er auf dem Scheitelpunkt seiner materiellen, familiären und dichterischen Existenz stand, die Sehnsucht nach der ungebrochenen Jugendseligkeit nicht unterdrücken konnte, zeigt nur die ungewöhnlich starke Bindung an die väterlich-mütterliche, vorpubertäre Jugendwelt. Sie ist auch in der auffälligen Emphase dieses Gedichts sichtbar, in der Verwendung ausgesprochen pathetischer Verben: Zu wandern sei das Herz *verdammt,* das seinen Jugendtag *verlor;* er spricht von *verscherzter* Jugend, von *ewger Sehnsucht* und wiederholt den an sich schon superlativisch wirkenden Ausdruck ‹*in einem fort*›.

Eine Lebensperiode, die in solcher Weise überhell in das spätere Dasein leuchtet und das ganze Leben mit ihrem Lichte zu überstrahlen vermag, muß Wesen und Schicksal mindestens so stark geprägt haben wie irgend eine andere Lebensstufe. Und die Persönlichkeit, deren Strahlungskraft damals am stärksten war, muß in jeder Hinsicht bestimmend und prägend eingewirkt haben.

Kurz gefaßt: Ferdinand Meyer lieferte an seinen Sohn Conrad – und nicht weniger an seine Tochter Betsy – unendlich viel mehr als die Gene seiner Sippe. Er war ein Leitbild, das sowohl das Reich des Unbewußten wie das des wachen, in Erinnerungsbildern aufblühenden Bewußtseins entscheidend mitprägte.

Die Schriften Ferdinand Meyers

Da die Schriften Ferdinand Meyers heute, weil zum großen Teil in Periodica zerstreut, einige sogar anonym erschienen, nur noch schwer greifbar sind, seien sie hier, in der Reihenfolge ihrer Entstehung, in einer kleinen Bibliographie zusammengestellt. Auch die spärliche Sekundärliteratur sei beigefügt.

Wissenschaftliche und gemeinnützige Publikationen

1. Über das Finanzwesen des Cantons Zürich. In: Archiv für schweizerische Geschichte und Landeskunde, herausgegeben auf Veranstaltung der vaterländisch-historischen Gesellschaft in Zürich, von Heinr. Escher und Joh. Jak. Hottinger. Klammerbemerkung unter dem Titel: (Veranlaßt durch die Verhandlungen des großen Raths in seiner außerordentlichen Sitzung vom 3. bis 5. September 1828). Zweiter Bd. S. 2–141. Zürich, Orell, Füssli und Co. 1829.
2. Der Brand von Bern. (anonym erschienen) 30. Neujahrsblatt der Hülfsgesellschaft in Zürich. Zürich 1830
3. Johann Gottfried Ebel.
   Neujahrsblatt der Stadtbibliothek in Zürich 1833. (anonym erschienen)
4. Leben des Giov. Beccaria.
   Neujahrsblatt der Stadtbibliothek in Zürich 1835. (anonym erschienen)
5. Die evangelische Gemeinde in Locarno, ihre Auswanderung nach Zürich und ihre weiteren Schicksale. Ein Beitrag zur Geschichte der Schweiz im sechszehnten Jahrhundert. Nach bisher meist unbenutzten handschriftlichen Quellen. Erster und zweiter Band. Zürich, bei S. Höhr, 1836.

6. Die Pest in den schweiz. Gegenden 1563–65. (anonym erschienen). 39. Neujahrsblatt der Hülfsgesellschaft in Zürich, 1839.
7. Mißlungener Versuch, das Hochstift Chur zu säkularisieren, in den Jahren 1558–61. In: Schweizerisches Museum für historische Wissenschaften. 2. Band, S. 275–298 und 3. Band, S. 50–72. Verlag Christian Beyel, Frauenfeld, 1838 und 1839.

Briefe

1. Briefwechsel Johann Kaspar Bluntschlis mit Savigny, Niebuhr, Leopold Ranke, Jakob Grimm und *Ferdinand Meyer,* herausgegeben von Wilhelm Öchsli. Frauenfeld 1915 S. 151–243.
2. Der Briefwechsel Ferdinand Meyers mit Johann Caspar Heß. Ein Beitrag zur Geschichte Zürichs in der Regenerationszeit. Mitgeteilt von Anton Largiadèr. In: Zürcher Taschenbuch auf das Jahr 1950, S. 83–120.

Über Ferdinand Meyer

1. Zur Erinnerung an den Herrn Regierungsrath Ferdinand Meier (lies: Meyer), Doktor der Philosophie, Mitglied des Kirchenrathes und Präsident des Erziehungsrathes. (anonym) Zentralbibl. Zürich. 2. Johann Caspar Bluntschli: Denkwürdiges aus meinem Leben. Auf Veranlassung der Familie durchgesehen und veröffentlicht von Dr. Rudolf Seyerlen. Erster Teil: Die schweizerische Periode, 1808–1848.
3. Ernst Gagliardi, Hans Nabholz, Jean Strohl: Die Universität Zürich 1833–1933 und ihre Vorläufer. Festschrift, Zürich 1938.
4. J. J. Hottinger: Ferdinand Meyer. In: Zwölftes Neujahrsblatt zum Besten des Waisenhauses 1849.

Elisabeth Meyer-Ulrich – Versuch einer Konfliktanalyse

Das Bild der Dichtermutter

Am 27. September 1856 hat Frau Elisabeth Meyer-Ulrich, die Mutter Conrad Ferdinand Meyers, in der Nähe der Anstalt Préfargier bei der Schifflandestelle im Neuenburgersee den Tod gesucht und gefunden. Ihre Tochter Betsy hatte sie in die genannte Anstalt gebracht, nachdem das Sterben eines Hausgenossen und Pflegebefohlenen, Antonin Mallet aus Genf, ihren physischen und psychischen Kräften zugesetzt und schwere depressive Selbstbezichtigungen ausgelöst hatte. Man war auf diese Hospitalisierung gekommen, weil der Sohn Conrad vier Jahre zuvor dort in Préfargier Heilung von seiner depressiven Psychose gefunden hatte. Die umsichtige, warmherzige, psychotherapeutisch fortschrittliche Betreuung, die an anderer Stelle in diesem Buche dargestellt wird und an der die ganze Familie des Anstaltsleiters Anteil hatte, ließ auch bei der Mutter die Hoffnung zu, sie würde sich von ihren seelischen Bedrängnissen und Selbstvorwürfen wieder befreien können. Tatsächlich schien die Kranke den Lebenswillen wieder gefunden zu haben, und man glaubte angesichts ihrer religiösen Verankerung eine allfällige Suizidgefahr behoben und die dauernde Aufsicht etwas lockern zu dürfen. Man ließ sie ihrer Tochter Betsy, als sich diese zum Besuch angekündigt hatte, bis an den Schiffslandesteg entgegengehen. Da entfloh sie, ehe das Schiff kam, in den Tod.

Nun war sie unter der Last ihres Witwenlebens, unter der sie immer gelitten und der sie nicht gewachsen war, zerbrochen.

Was sich in dieser Frau vollzogen hatte damals, als ihr Mann, kaum einundvierzigjährig, dahingerafft wurde, deutet der Sohn in einem Gedicht, dessen Titel schon das tragische Unheil erkennen läßt. Jener Todesschock war der Anfang einer tiefgreifenden Veränderung ihrer seelischen Konstitution.

Das begrabene Herz

Mich denkt es eines alten Traums.
Es war in meiner dumpfen Zeit,
Da junge Wildheit in mir gor.
Bekümmert war die Mutter oft.
Da kam einmal ein schlimmer Brief.
(Was er enthielt, erriet ich nie)

Die Mutter fuhr sich mit der Hand
Zum Herzen, fast als stürb' es ihr.
Die Nacht darauf hatt ich den Traum:
Die Mutter sah verstohlen ich
Nach unserm Tannenwinkel gehn,
Den Spaten in der Hand,
Sie grub ein Grab und legt' ein Herz
Hinunter sacht. Sie ebnete
Die Erde dann und schlich davon. (1, 199)

Dieses Gedicht darf nicht allein, wie es Hans Zeller in seinem Kommentar[1] getan hat, auf die Mutter-Sohn-Beziehung hin gedeutet, sondern muß auch als selbständiges Spiegelbild der Mutter in der Deutung des Sohnes verstanden werden. Es ist dabei wohl zu beachten, daß es in zwei deutlich geschiedene Teile zerfällt, in eine Jugenderinnerung – aus seiner dumpfen Zeit – und in ein Traumbild, das dem Sohn das Rätsel löst, weshalb die Mutter, fast einer Sterbenden gleich, mit der Hand zum Herzen fuhr. Gewiß spielen hier jene Briefe eine Rolle, auf die Frau Meyer jeweils wie auf ein Orakel ihre Hoffnung setzte. Aber das Brief-Orakel als Botschaft aus der andern Welt dürfte ganz allgemein ein Leitbild dieses frommen Lebenskreises gewesen sein. Das Motiv des Brief-Empfangens darf auch unabhängig von ihrer Sorge um den Sohn auf die geistig-psychische Existenz der Mutter Meyer bezogen werden.

Angenommen nun, dieser «schlimme Brief», dessen Inhalt der Sohn – im Gegensatz zu denen, die sich auf ihn bezogen – nie erriet, gehe diese selbst an, dann darf, ja muß er vielleicht als Symbol ihrer tiefsten Betroffenheit verstanden werden. Dann wäre das Herz, dessen Herkunft ja durch das Gedicht nicht klargestellt wird, das Herz, das sie sachte beisetzt, das ihres Mannes – und ihr eigenes, das mitgeht. Achten wir wohl darauf, daß das Motiv des Tannenwinkels mit hoher Wahrscheinlichkeit auf den «grünen Seidenhof» verweist[2], wo das Ehepaar Meyer mit den beiden Kindern die glücklichsten Jahre, aber auch das größte Unheil erlebte. Daß die Traum-Mutter all dies mit zarter Hand tut und, nachdem sie die Erde säuberlich geebnet, *davonschleicht* (ein in diesem Konnex sehr merkwürdiges Wort), verweist auf ihre totale Veränderung, auf das freudlose, mutlose Leben, das nach dem Tode des Gatten begann und aus der anmutig-heiteren Frau ein tiefgebeugtes und bekümmertes Wesen machte.

Der Sohn hat erkannt und ins dichterische Traumbild projiziert, was die tiefsten Untergründe seiner schwer depressiven Mutter bestimmte und was sie selbst mit ihrer Tagebuch-Eintragung am Todestag ihres Gatten bezeugte: «Todesstoß».

Elisabeth (Betsy) Meyer-Ulrich, geb. 10. Juni 1802, gest. 27. September 1856, stammte aus einer angesehenen zürcherischen Patrizierfamilie. Ihr Vater, Johann Conrad Ulrich (1761–1828) wurde allerdings, nachdem er frühe seine Eltern verloren, im Waisenhaus erzogen und konnte sich, weil selber mittellos, keine höhere Bildung erwerben. Immerhin ließ er sich, als besonderer Schützling Johann Caspar Lavaters, frühe schon für die Ideen der aufklärerischen Humanität begeistern und betrat eine für die damalige Zeit höchst ungewöhnliche Laufbahn. Angeregt von Pfarrer Keller in Schlieren[3] und unterstützt von Lavater und andern Gönnern, begab er sich zum damals schon berühmt gewordenen Begründer der Taubstummen-Pädagogik, Charles-Michel Abbé de l'Epée (1712–1789) in Paris und ließ sich zum Taubstummenlehrer ausbilden. Da seine Vaterstadt nach seiner Rückkehr keine Verwendung für ihn hatte – es gab zwar in Zürich bereits ein Blinden-, aber noch kein Taubstummen-Institut – folgte er vorerst einem Ruf nach Genf, wo er neun Jahre blieb und eine taubstumme Tochter aus dem Genfer Bürgerstand aus ihrer ausdruckslosen Lethargie befreite. Von da blieben der Familie die Beziehungen zu Genf erhalten. In die Heimat zurückgekehrt, setzte er sich mit unermüdlicher Zähigkeit für die Gründung einer Taubstummen-Anstalt ein – sie führte allerdings erst kurz vor seinem Tode zum Erfolg[4].

Noch auffälliger entwickelte sich seine politische Laufbahn: In Paris war er mit den Ideen der Französischen Revolution vertraut geworden; zu Hause schlug er sich daher auf die Seite der revolutionären Neuerer, wurde zum begeisterten Propagandisten des jungen Ideengutes. Nach dem Umschwung wurde er denn auch bald mit neuen Ämtern ausgestattet. 1798 wurde er in den kantonalen Erziehungsrat berufen und während der Kriegswirren des Jahres 1799 zum Unterstatthalter und schließlich zum Statthalter ernannt.

Selbst die führenden Männer der Mediation wagten es nicht, den seiner Integrität wegen hochangesehenen Mann kaltzustellen und beriefen ihn zunächst ins Stadt-, später ins Obergericht. Dies alles hinderte ihn nicht, sich weiterhin und dauernd für die Taubstummen und für die sozial Benachteiligten einzusetzen. Von dieser philanthropischen Tätigkeit blieb auch Elisabeth, seine Tochter, erfüllt; Armen-, Blinden- und Taubstummen-Bescherung und -Betreuung gehörte zeitlebens zu ihrem Pflichtenkreis. Auch der Sohn Heinrich hätte die Laufbahn eines Taubstummenerziehers antreten sollen. Dessen früher Tod (1817) soll (nach Beer-Pinnow[5]) zu bedrohlichen depressiven Zuständen des Vaters geführt haben. Die Vernichtung der großen Hoffnungen, die er mit guten Gründen auf seinen Sohn setzte, waren Anlaß genug, auch einen robusten Mann eine zeitlang in die Knie zu zwingen. Jedenfalls versah er danach noch ein weiteres Jahrzehnt sein Richteramt und verfolgte unentwegt seine philanthropischen Ziele. Eine pathologisch-depressive Erbanlage darf daher bei ihm wohl kaum schon vorausgesetzt werden. Ebensowenig darf eine solche auf seiten der Mutter und Gattin Johann Conrad Ulrichs, Anna Cleopha Zeller, angenommen werden. Die verhältnismäßig spärlichen Spuren ihres Wirkens lassen eine fein gebildete, liebenswürdige, dem gesellschaftlichen Leben offene Frau und Mutter erkennen.

Dem Eheschluß ihrer Tochter mit Ferdinand Meyer, dem Freund ihres verstorbenen Sohnes Heinrich, standen die Eltern von Anfang an positiv gegenüber; der heimlichen Verlobung der beiden in Lausanne, wo sich Elisabeth Ulrich ihre subtile Kenntnis der französischen Sprache und Kultur erwarb und Ferdinand Meyer seinen juristischen und historischen Studien oblag, stand wohl nichts entgegen. Und es war ein Eheschluß auf ebenbürtiger, gehoben-bürgerlicher Stufe.

Den Eintragungen einer um geringes älteren Zeitgenossin, der Liederdichterin und Arztfrau Meta Heusser-Schweizer in ihr «Vergißmeinnicht»[6] zufolge, war Ferdinand Meyer – und wohl auch seine künftige Ehepartnerin – beliebter Teilnehmer kleiner gesellschaftlicher Lustbarkeiten und Ausflüge, wie sie als Nachklang das Rokoko in der Mediationszeit wieder aufgekommen waren.

Von tieferen seelischen Bedrängnissen der späteren Dichtermutter in jugendlichen Jahren weiß die Überlieferung nur eine zu nennen; doch erhält diese ein von den späteren Krisen her besonderes Gewicht: Der bereits erwähnte frühe Tod ihres Bruders Heinrich – er starb mit 18 Jahren – setzte ihr so zu, daß ihr Vater längere Zeit auch um ihr Leben bangte.

Die religiöse Schwärmerei der Romantik, die sich im zwinglianisch-reformierten Zürich vornehmlich dem herrenhutischen Pietismus zukehrte, verfehlte zwar auch hier nicht ihre Wirkung; doch verhinderte sie nicht ein heiteres, gesellschaftsfreudiges Dasein. Dieses dürfte nach dem Eheschluß, vor allem nachdem die junge Familie im «Grünen Seidenhof» Wohnung genommen hatte[7], noch weitergedauert haben.

Aber die seelische Erschütterung des Jahres 1817 war der Vorbote von jener im Jahre 1840. Beide hatten die gleiche exogene Ursache: unerwarteter Tod eines nahe- oder des nächststehenden Menschen. Genau besehen erweist sich die zum Tode führende Krise des Jahres 1856 als die dritte, auffällig ähnliche Erschütterung. Denn nun waren es Leiden und Sterben des seit vielen Jahren in der Familie lebenden Schützlings aus Genf, von Antonin Mallet, die die Krise auslösten.

In eine Reihe gestellt, wären diese drei Krisen wohl als echte psychogene

Melancholien zu deuten, Folgen einer äußerst tangiblen seelisch-geistigen Konstitution, aber nicht einer eigentlich krankhaften Veranlagung.

Gehen wir dieser tangiblen Veranlagung etwas genauer nach: Zuerst ihr beinahe bis zum Exzeß gesteigerter Ordnungs- und Reinlichkeitssinn; er wäre als Korrelat zu ihren Lebensängsten zu verstehen: In einem System gefestigter, ungetrübter Ordnungen und religiös-sittlicher Überzeugungen suchte und fand sie in gewöhnlichen, weniger gefährdeten Zeiten Halt wider die Anfechtungen und wider abgründige Zweifel.

In dieses ängstlich gehütete Ordnungssystem suchte sie auch ihre Kinder, die ihr zur Erziehung anvertraut waren, einzubeziehen. Das Reinlichkeits- und Ordnungsbedürfnis und damit eine gewisse Unverträglichkeit den entgegenwirkenden Tendenzen gegenüber stand im Zentrum ihrer erzieherischen Bemühungen. Die Kinder folgten ihr nach dem Grade ihrer Kräfte, Betsy vorbehaltlos; bei Conrad sollte daraus (im Jahre 1852) eine Reinlichkeitspsychose werden, verbunden mit einem Horror vor dem Gestank, der, wie es ihm seine depressiven Illusionen eingaben, von seinem Munde ausging. In solchen Illusionen zeigte sich Conrads Einsicht in sein Unvermögen, den Reinlichkeitsforderungen der Mutter gerecht zu werden.

Der Tod ihres Gatten führte noch nicht zu einem gänzlichen Zusammenbruch ihres Ordnungsgefüges, weil ihr Schmerz noch aufgeteilt und aufgefangen war. Ihre Mutter Cleopha, geb. Zeller war mit dabei. Und die Verpflichtung, die Kinder im Sinne und nach dem Vorbild ihres Vaters und ihres Gatten zu erziehen, stützte ihre Lebensgeister. Aber ihre Mutter folgte schon drei Jahre später (1843) dem Gatten im Tode nach. Von diesem Augenblicke an war die Frau mit ihren Ängsten und Skrupeln auf sich allein gestellt, ihrem eigenen pietistischen Moralismus und der stets fraglichen Teilnahme ihres mitbürgerlichen Lebenskreises ausgeliefert.

Eine tiefgreifende Veränderung ihres Wesens und Verhaltens nach dem Tode ihres Gatten und ihrer Mutter ist unverkennbar, und sie fand ihre Motivation und Legitimation in der pietistischen Gläubigkeit, der sie sich mehr und mehr hingab. Das Begriffsdreieck Sünde, Schuld, Demut gab ihrem Leben in zunehmendem Maße das Gepräge. Daß sie eines ihrer heiteren Jugendbildnisse – ein anderes hat sich glücklicherweise erhalten[8] – später dunkel übermalen ließ und daß sie als Witwe ihre schönen lockigen Haare unter eine sogenannte weiße Barbe zwängte, läßt diesen Wandel in die Verdüsterung erkennen, in den sie ihren Sohn mitzog. Jede natürliche Freude wurde mit dem Vorwurf der Sündhaftigkeit belastet. Zur bildfeindlichen Nüchternheit der zwinglianischen Frömmigkeit gesellten sich Askese, Demütigung und Weltflucht.

Für den Sohn, den es nach dieser Welt und nach dem Leben drängte, bedeutete dieses immer starrer werdende Ordnungsgefüge der Mutter, dem er sich nicht zu entziehen vermochte, ein unauflösliches Dilemma. Es wurde um so bedrängender, je mehr er sich, nach dem Tode des Vaters, an die Mutter gebunden fühlte und je unbedingter und unverträglicher sich die von der pietistischen Ethik geförderte Verdüsterung ihres Gemütes bemerkbar machte. Ein Hang zu moralistischer Selbstgerechtigkeit und eine mühsam verhüllte Gewohnheit, sich vor ihren Kindern als Muster und Vorbild aufzuspielen, ist dabei, wie viele Briefstellen zeigen, nicht übersehbar.

Seelische Deformationen

In diesem Zusammenhang erhält nun der Brieftausch zwischen Elisabeth Meyer-Ulrich und David Hess, dem ersten Biographen Salomon Landolts und Verfasser der «Badenfahrt» (1770–1843) vom 24./25. November 1841, der schon von Adolf Frey zitiert wurde, sein besonderes Gewicht und muß an dieser Stelle neu überdacht werden.

Hochzuverehrender Herr!

Gleich wie von Möwes[9] erzählt wird, «jede Sünde seiner Gemeinde habe *ihn* zur Buße getrieben und er habe sich einen Teil derselben selbst zugeschrieben», so blicke ich mit Beschämung auf den gestrigen Abend zurück. Wie rücksichtslos, anmaßend, wie unbeschreiblich roh hat sich Conrad betragen! Seine Äußerungen schnitten mir durch die Seele und versetzten mich in einen so peinlichen Zustand, daß ich mir gleich vornahm, Sie recht von Herzen um Verzeihung zu bitten. Glauben Sie mir, es gehört zu den bittersten Prüfungen meines Lebens, in dem Sohne so ganz das Gegenteil des sanften, gemütvollen Vaters zu erblikken, und ich kann wohl sagen, daß ich mich namentlich wegen Conrad vor dem Leben *fürchte*.

Was nützen Talente, so glänzend sie sind?
Das Lob, das sie sammeln, zerstreuet der Wind.

Solange er innerlich nicht umgewandelt wird, kann ich mich seiner nicht freuen. Ich kann nur seufzen und für ihn beten.

Hoffentlich hat Ihnen das schlechte Wetter nicht geschadet, verehrter Herr. Empfangen Sie unseren wiederholten Dank für Ihren Besuch, für Ihre Nachsicht und die trefflichen Lehren, welche Sie Conrad in einem so anziehenden Gewande zu geben wußten, daß er nachher selbst gestand, er habe seit langer Zeit keinen so genußreichen Abend mehr verlebt.

Ihre traurige, aber von Herzen ergebene B. M. U.

[von David Heß mit 24. November 1841 datiert[10]]

Der Brief Frau Meyers, geschrieben am Tage nach dem Besuch des alten Herrn am 23. November – Conrad war damals 16jährig, ein Jüngling im oberen Gymnasialalter – erweist sich als ein Dokument, das bereits die gefährliche seelische Deformation dieser Frau und ihr gestörtes Verhältnis zu ihrem Sohn sichtbar macht. Daß sie sich eingangs auf den Pietisten Möwes beruft, zeigt, wo sie sich ihre geistige Handreichung und seelische Stärkung zu holen pflegt, aber auch wie sie die vom gläubigen Christen geforderte Demütigung und Selbstbezichtigung zuerst von sich selber fordert und auf ihren mütterlichen Erziehungsauftrag lenkt. Schon jetzt hat Conrad in ihren Augen ihr erzieherisches Versagen erwiesen: Er hat sich – man beachte die massiv vorwurfsvollen Ausdrücke – rücksichtslos, anmaßend und unbeschreiblich roh betragen. Offenbar hatte er vor dem vertrauenerweckenden alten Herrn seine gewöhnliche Schüchternheit abgelegt; sein pubertäres Selbstbewußtsein war zum Durchbruch gekommen; er hatte sich zum Gesprächspartner des alten Hausfreundes aufgeschwungen, hatte eigne Gedanken und Ansichten zu äußern gewußt.

Das peinigende Gefühl der Mutter war, wie die Fortsetzung des Textes zeigt, das Resultat eines Vergleichs, der ihr den besonderen Erziehungsauftrag – und ihr Versagen – stets wieder vor Augen führte: Ihr Sohn, so meint sie, ist so ganz das Gegenteil des sanften, gemütvollen Vaters. Das, die sanfte und gemütvolle Art des Vaters, ist die Zwangsjacke, in die sie ihren Sohn streckt.

Der nächste Satz kündet nicht nur kommendes Unheil an, es ist bereits Zeugnis dieses Unheils: Frau Meyer fürchtet sich wegen Conrad vor dem Leben. Damit ist ihr abgründiger Zweifel an dessen Erziehbarkeit und ihr Unvermögen, ihn in seiner besonderen Art zu verstehen und anzunehmen, bereits offen am Tage.

Jetzt zieht sie sich auf eine für ihre Beziehung zum Sohne geradezu mörderliche pietistische Spruchweisheit zurück:

> Was nützen Talente, so glänzend sie sind?
> Das Lob, das sie sammeln, zerstreuet der Wind.

Eine déformation religieuse, wie sie nur dem Gehirn kleinkarierter, auf Gaben anderer neidischer Moralisten entspringen kann! Sie ist dazu angetan, alle Kreativität, alle künstlerische und handwerkliche Tüchtigkeit, alles Können überhaupt, zu entwerten, zu zerstören. In seiner ganzen Tragweite genommen, mußte eine solche Spruchweisheit Elisabeth Meyers Weg zum Künstler- und Dichtertum ihres Sohnes verbauen.

Noch setzt sie zwar eine Möglichkeit, unter der sie ihn und seine Fähigkeiten anzuerkennen bereit wäre: wenn er sich innerlich umwandeln würde. Es wäre die Wandlung zur totalen Selbsterniedrigung, zur humiliation, wie sie das später nennen wird. Das aber kann ja nur den Tod einer selbstbewußten Kreativität herbeiführen. Es ist ein Zeichen gesunden Empfindens, wenn sie an die Erfüllung einer solchen Bedingung nicht glauben kann und daher nur noch zu seufzen und zu beten vermag, Zeichen einer ohnmächtigen Resignation! Die spätere totale Ausweglosigkeit zeichnet sich bereits ab.

Das Antwortschreiben des alten Hausfreundes zeugt von Mut und großzügigem Verständnis; er scheint vom Geiste Pestalozzis mehr als nur angeweht zu sein. Sein pädagogisches Verständnis geht weit über das der Mutter Conrads hinaus. Der Brief beweist ferner, daß im Umkreis von Frau Meyer-Ulrich Persönlichkeiten gewesen wären, welche die verängstigte Frau auf die rechte und vernünftige Spur hätten zurückführen können. David Heß ist freilich im selben Jahr wie die Großmutter Ulrich (1843) gestorben. Allein schon der nachfolgende Antwortbrief enthielt Klärungen und Anweisungen genug, um der Mutter den Irrweg ihrer Erziehung bewußt zu machen. Daß sie als gebildete Frau das Warnezeichen nicht verstand, läßt die nunmehr einsetzende pathologische Deformation, resp. die nicht mehr korrigierbaren sittlich-religiösen Fixierungen erkennen, unter der diese tragische Mutter-Sohnbeziehung fortan stand. Der Brief von David Heß läßt seinerseits keine Zweifel darüber bestehen, daß er die Tragweite der mütterlichen Verirrungen voll erfaßte. Mit dem Hinweis, daß sie, Frau Meyer, wenn sie fortfahren sollte, so ängstlich jedes Wort ihres Sohnes abzuwägen, noch hypochondrisch würde, hat Heß der Vierzigjährigen bereits mit erstaunlicher Genauigkeit eine Diagnose gestellt, die sich anderthalb Jahrzehnte später nur zu folgerichtig bewahrheiten sollte.

Nach diesen einführenden Worten bedarf es wohl auch für das Verständnis dieses Antwortschreibens kaum eines weiteren Kommentars:

Liebe, gute Frau Meyer. Wie ist es möglich, daß Sie sich so ohne Not selbst quälen können, und zwar eines Sohnes wegen, der Sie zu schönen Erwartungen berechtigt! Wissen Sie denn nicht, daß junger Most gären muß, wenn er Wein werden soll? Frühe Gärung aber deutet auf innewohnenden Geist, und daß dessen viel vorhanden, konnte ich am Dienstag Abend recht gewahr werden, da Conrad einmal ein wenig auspackte und nicht, wie sonst, vor dem alten Zopf davonlief. Jede Zeit hat ihre besonderen Formen; die der jetzigen haben allerdings den Anstrich früher Emanzipation, sogar den Anschein der Anmaßung. Wenn aber in unseren Tagen die Jugend im sechzehnten Jahre mehr schon gelernt, in sich aufgenommen und verarbeitet hat, als ehemals im zwanzigsten, so ist sich nicht zu verwundern, wenn sie sich selbst fühlt und etwas keck auftritt. Im praktischen Leben stoßen sich in der Folge die Hörnlein von selbst ab. Bis es zum (fehlt ein Wort) kommt, gibt es freilich viel zu schaffen mit den jungen Herren, besonders für das weiche Herz einer ängstlichen Mutter. Eine solche führt aber den Wildfang weit sicherer am seidenen

Fädelein der Liebe als der strenge Vater am Subordinationsseil, wenn er keine Eigentümlichkeit aufkommen lassen will, hinwieder aber auch manches zurückdrängt, das in dem Jüngling, wenn er in der Fremde sein eigener Herr ist, wie zusammengepreßte Federkraft nur desto heftiger aufschnellt.

Wenn Sie fortfahren sollten, so ängstlich jedes Wort Ihres Sohnes abzuwägen, so werden Sie darüber hypochondrisch und halten am Ende jede Frühlingsmücke für einen langberüsselten Elefanten. Ich habe am Dienstag auch gar nichts gehört, das Tadel verdiente oder mir als unstatthaft aufgefallen wäre. Die junge kräftig zu werden versprechende Natur sprach sich frei und frank aus, und das halte ich für besser, als wenn ein Jüngling sich bewußt ist, daß viel in ihm streckt, dasselbe aber kalt in sich verschließt und im tiefsten Herzen aufschwellen läßt, woraus dann heimlicher Stolz wird, der tiefere und gefährlichere Wurzeln treibt, als was den Weg nach außen findet und wie eine Rakete verplatzt. Sollte Conrad in einzelnen Momenten über die Schnur hauen, dann, glaube ich, werden Sie mit sanfter, aber sicherer Ironie weit mehr ausrichten als mit einem langen ernsten Sermon.

Ich gewahre aber mit Schrecken, daß ich Ihnen selbst einen solchen halte, während ich Ihnen lieber heiteren Mut und Vertrauen in die Kraft Ihrer sanften Waffen einflößen möchte.

Von Herzen Ihr ergebenster David Heß [11]

Auf ein tragisches Mißverständnis muß noch hingewiesen werden: David Heß setzt am Ende seines Briefes die Möglichkeit, daß seine Briefpartnerin fähig würde, ihrem Sohn mit Ironie und Humor zu begegnen. Dieser Freiheit ihr selbst gegenüber war sie nicht, oder, nach dem Tode ihres Gatten, nicht mehr fähig; im Gespräch mit ihrem Sohne kam stets nur der lange ernste Sermon und nicht mehr die überlegen-heitere Ironie zum Wort.

Die beiden Dokumente stellen den Anfang eines Stationenweges und einer gegenseitigen, beinahe totalen Frustration dar, gegenseitig, weil beide sich in Liebe verbunden fühlten. Sie sollte ihr Ende erst im Tod Elisabeth Meyer-Ulrichs finden. Ihr Hingang bedeutete für den Sohn, wie dies mit Recht mehrmals festgestellt wurde, das Ende des schweren Leidensweges und den Aufbruch zur Freiheit. Und die Pausen zwischen den Stationen bestätigen die enge Verflechtung der Frustration mit der Mutter-Sohn-Beziehung.

Im Frühjahr 1843 verließ Conrad, ein halbes Jahr vor der Maturitätsprüfung, das Gymnasium, das er seit 1837 besucht hatte. Den Anstoß zu diesem vorzeitigen Abbruch seines Bildungsweges gab die Mutter. Die Verrohung Conrads, welche der Mutter nach dem Brief an David Heß soviel zu schaffen machte, kam ihrer Meinung nach von der Gymnasialklasse, der er angehörte. Dort herrschten, wie sie glaubte, renommierende

Kneiperei und eine auflüpfisch-revolutionäre Tonart. Tatsächlich sind wir ja noch in der zeitlichen Nähe der Burschenschaftsbewegung, die in der jungen Universitätsstadt, wo Flüchtlinge den Ton angaben, einen Nachhall erlebte.

Zum Vorbild einer gesitteteren Erziehung gab sie sich selbst: Das Ziel einer für notwendig erachteten Ortsveränderung, eines Milieuwechsels, sollte, wie für sie und ihren Gatten, Lausanne sein. Conrad willigte, da ihn der öde Schulbetrieb schon lange anekelte, gerne ein. Er vertauschte damit den streng geregelten Stundenablauf eines Gymnasiums mit der lockeren Tagesordnung einer Schülerpension im Welschland mit wahlfreiem, unverpflichtendem Unterricht. Ein Zeichen seines ernsthaften Bildungswillens war indes, daß er die Zeit nicht ungenutzt verstreichen ließ, sondern Italienisch-Unterricht nahm und seine Französisch-Kenntnisse durch ausgedehnte Lektüre – auch des zeitgenössischen Schrifttums – erweiterte. Sogar der Muttersprache blieb er durch ausgiebige Jean-Paul-Lektüre verbunden.

Und mehr als in seiner Vaterstadt nahm er teil am Zeitgeschehen. Er interessierte sich für die Polenflüchtlinge und wohl auch für die beginnenden nationalistischen Strömungen in Italien. Im Hause Louis Vuillemins, des Studienfreundes seines Vaters, in dem er einen freundlich-offenen und verständnisvollen Betreuer fand, ging er frei ein und aus.

Alle diese Züge zeigen, daß er sich nun der Welt gegenüber aufschloß, daß sich Hemmungen und Verklemmungen lösten. Die Entfernung von der Mutter wirkte wohl mehr noch als die Befreiung von lästigem Schulzwang – den er ja auch nur der Mutter zuliebe ertragen hatte – entspannend auf seine ganze sich nun entfaltende Persönlichkeit. Die Befreiung vom niederdrückenden mütterlichen Bannkreis gab auch den Willen zu schöpferischem Tun wieder frei. Die schüchternen Versuche des Gymnasiasten wiederholten sich in mutigerer, keckerer, selbstbewußterer Form:

> Steigt wohl täglich ufernieder
> Nach Ouchy ein Dichterblut,
> Volle Rosen auf den Wangen
> Rosenknospen auf dem Hut.

Keine Leistung eines Wunderkindes, aber doch Zeilen, die Bedeutendes über ihren Verfasser aussagen: Schon wagt er eine Wortschöpfung, wie er sie später immer wieder finden wird: ‹ufernieder›. Und daß er sich jetzt, von niemandem ängstlich beargwöhnt, als einen Dichter mit rosigen Wangen und mit Rosen geschmückt, aufspielen darf, zeugt von einer Bewegungsfreiheit, die ihm die Vaterstadt versagte.

Wir sind im Zusammenhang mit der Klärung der Vaterbeziehung Conrads auf das Gedicht «Kampf und Sieg» gekommen; an dieser Stelle mag genügen, die Lösung der Fesseln, die ihm die Mutter und ihr Kreis angelegt hatten, sichtbar zu machen.

Daß Konrad mit dem festen Entschluß nach Hause zurückkehrte, sich zur Matur-Prüfung zu stellen und damit die Voraussetzungen für ein Brotstudium und den Eintritt in die bürgerliche Gesellschaft zu schaffen, läßt erkennen, daß er keine Emanzipationsgelüste kannte, sondern den Wünschen der Mutter entgegenkommen wollte. Ein Versuch allerdings, sich bei Dekan Benker in Dießenhofen, einem Freunde seines Vaters, auf die Prüfungen vorzubereiten, mißlang. Conrad vertrug die Enge des Rheinstädtchens und das Pfarrhaus nicht und entwich.

Aber diese selbständige Entscheidung des nunmehr Neunzehnjährigen löste bei der Mutter Schrecken und Kümmernis aus. Es scheint, wie eine ihrer Freundinnen berichtet[12], daß sie schon jetzt von einer Gemütskrankheit ihres Sohnes zu sprechen wagte. Insubordination, Schweigen, Zweifel am Berufsziel, Trotz und Menschenscheu, alles zunächst einmal natürliche Abwehr-Reaktionen eines Verunsicherten, werden von der Mutter bereits als Krankheitssymptome gedeutet; der Sinn für natürliche Entwicklungsschwierigkeiten, auf die sie David Heß hingewiesen hatte, und gesellschaftliche Konflikte stand ihr offensichtlich nicht mehr zu Gebote.

Noch scheint Conrad genügend jugendliche Abwehrkräfte gegen das verderbliche Mißtrauen der Mutter entwickelt zu haben. Sonst hätte er nicht noch im selben Jahr ohne Schwierigkeiten die Maturitätsprüfung bestanden. Auch schrieb er sich, um dem Vorbild des Vaters zu folgen, bei den Juristen ein. Aber der Versuch schlug fehl. Bald blieb er, weil sie ihm nicht zusagten, von den Lehrveranstaltungen fern und versuchte sich beim Maler H. J. Schweizer[13] im Zeichnen, auch dies ohne nachhaltige Anstöße und Anregungen.

Zum Mißerfolg trug sicher die ablehnende Haltung der Mutter gegen jede künstlerisch-kreative Betätigung bei. Das Gefühl, in den Augen der Mutter ein Versager zu sein und ihre Hoffnungen zu enttäuschen, mußte immer schwerer auf ihm lasten.

Daß diese selbst, wie ihr Sohn, in aller Mutlosigkeit doch guten Willens war, zeigt ihr Verhalten seinen poetischen Versuchen gegenüber. Eine Ferienbekanntschaft mit Marie Jäger, der Nichte Gustav Schwabs – sie reichte ins Jahr 1829 zurück – sollte nach Meinung der Mutter weiterhelfen. Sie suchte nach einer sachgerechten Beurteilung der poetischen Produkte. Marie Jäger hatte sich inzwischen mit dem Gymnasiallehrer und Poeten Gustav Pfizer[14] in Stuttgart verheiratet. So entschloß sie sich, diesem die literarischen Produkte ihres Sohnes, ausschließlich Gedichte, zu unterbreiten.

Ob Frau Meyer, wie Frey glaubt[15], zusammen mit dem Sohne auf eine positive Antwort hoffte, ist füglich zu bezweifeln. Die Tatsache, daß sie Pfizers Antwortbrief unerbrochen an den Weihnachtsbaum hängte, läßt eher auf ihren pietistischen Orakelglauben denn auf ihren Optimismus schließen: Die Antwort sollte von Conrad als ein Wink vom Himmel hingenommen werden.

Wir wissen, wie diese lautete; es war der Rat, vom Dichten fürderhin abzusehen und sich eher dem Malerberuf – wozu zu raten Pfizer keinerlei Kompetenz hatte – zuzuwenden, kurz: eine endgültige Vertreibung aus dem Garten der Poesie.

War Pfizers Rat, aufgrund der Proben, die ihm vorgelegt wurden, berechtigt oder mindestens verständlich? Ich glaube, daß dieses schulmeisterliche Verdikt zum mindesten voreilig und auf alle Fälle für einen Menschen, der in seiner existenziellen Verunsicherung dringend einer Aufmunterung bedurfte, von geradezu zerstörerischer Wirkung war. Frey, der den Kunstrichter in Schutz nimmt[16], legt zwei Proben Conrad Meyers vor, die zum mindesten zu einer vorsichtigen Aufmunterung gereicht hätten. Wenn nicht Pfizer, so hätte doch dem Biographen das erste Bildgedicht (auf den Christus eines unbekannten Italieners) ins Auge springen müssen. Nicht nur dies! Daß der junge Poet gerade dieses Thema – den leidenden Christus – wählte, und daß er es in so eigenwilliger und subjektiver Weise auf seine eigene Lebenssituation bezieht, das hätte Pfizer und Frey stutzig machen sollen; die eigenwillige Wort- und Bilderwahl macht ja die große Gefahr sichtbar, in der sich der junge frustrierte Mensch in seinem Lebenskreise befand:

Noch darfst du nicht dein müdes Antlitz neigen;
Dein schönes Antlitz leuchtet milde, milde
Auf deiner Peiniger geängstigt Schweigen ...

Schon wird mit dem Verb ‹darfst› der Tod als das wünschenswerte Ziel geschaut; sterben *dürfen* gilt für den, der den Tod ersehnt. Und wen anders konnte Conrad bei der Formulierung ‹geängstigt Schweigen› vor Augen haben als seine Mutter und alle jene, die seine Bewegungen mit ängstlichen Blicken verfolgten? Auf keinen Fall können die Folterer Christi ‹geängstigt› geschwiegen haben.

... Und hingezogen zu dem blassen Bilde
Der Leiden wird mein Herz, das öd' und wilde,
Ein widerspenstig Herz wird dir zu eigen.[17]

Kein Zweifel, diese drei Verszeilen sind eine frappante Selbstprojektion Conrad Meyers. Der junge, noch wortarme, unbeholfene Poet sucht nach der wahrhaftigen Aussage über seine Leiden, die ihn, obwohl so ganz anders motiviert, mit dem Bilde des gepeinigten Christus verbinden. ‹Öde›, ‹wild› und ‹widerspenstig› diese drei Ausagen enthalten drei Hauptzüge seines Daseinsgefühls und seines Verhaltens in seiner Umwelt, eines Verhaltens, das in solcher Weise sein bedrohtes Selbst gegen das geängstigte Schweigen seiner Peiniger – seiner Mutter vor allem – zu verteidigen und zu bewahren sucht.

Das Bildgedicht auf den unbekannten italienischen Meister steht am Anfang jener Reihe, die in Beispielen gipfelt wie «Michelangelo und seine Statuen», «In der Sistina», «Il Pensieroso» und «Der römische Brunnen» [18]. Daß auch sie stets durch eine persönliche Betroffenheit ausgelöst wurden, braucht nicht erst erwähnt zu werden.

Die Mutter Meyer aber mußte durch Pfizers Urteil sich bestätigt sehen. Ihre Ablehnung aller künstlerischen Bemühungen Conrads – als Äußerungen eines gottlosen Hochmuts – hatte sich als richtig erwiesen. Es liegen auch keine Beweise vor, daß Elisabeth Meyer nachträglich dazu gekommen wäre, die Autorität Pfizers anzuzweifeln. Ihr Trachten ging fortan vielmehr darauf aus, ihm, dem Sohn, diesen Künstler-Hochmut auszutreiben, und das war ein zermürbender Prozeß, der sich über mindestens sechs Jahre erstreckte. Es war die Zeit der Schattenexistenz Conrads, von 1845 bis 1852, während der er, von seiner «Entelechie», seinem künstlerischen Zielstreben, abgedrängt, jede äußere Bestätigung dieser seiner Entelechie verlor, aber auch den offenen und verdeckten Wünschen der Mutter, sich einer nutzbringenden, der Gemeinschaft dienenden Beschäftigung zu widmen, nicht zu willfahren bereit oder fähig war. Seine fortdauernde und im Grunde nie geschmälerte Mutterbindung wurde so die Ursache einer durch Jahrzehnte fortdauernden Frustration, einer Frustration, die aber die künstlerische Grundkraft doch nicht auszutilgen vermochte.

Resultat dieses Spannungsverhältnisses war zunächst wie angedeutet eine weitere sechs Jahre dauernde Planlosigkeit: Was er anstrebte, war ihm durch die Ablehnung der Mutter und ihrer Gefolgsleute verbaut; was von ihm, von der Mutter zuerst, dann von der Familie und von der standesbewußten bürgerlichen Gesellschaft Zürichs gefordert wurde, das war ihm zuwider, weil es seinem Denken und Trachten ganz und gar widersprach.

Die Fluchtrouten, die er aus dieser Ausweglosigkeit einschlug, entsprechen ganz dieser geistig-seelischen Konstellation: Aus dem schöpferischen Versuchsfeld zog er sich in ein passives, völlig diffuses Lesen zurück, in undisziplinierte, meist historisch gefärbte Studien, darin in dumpf-tastender Weise seinem verstorbenen Vater folgend. Der fragwürdigen, vom Mitleid triefenden Gesellschaft entzog er sich in ein Abseits, in ein Leben in mönchischer Zurückgezogenheit. In zunehmendem Maße suchte er sogar den Umgang mit seinen Nächsten, mit Schwester und Mutter, einzuschränken, mit letzterer, weil ihn ihre traurige Resignation bedrückte.

Beide Tendenzen, Menschenscheu und diffuses Lesen, steigerten sich im Laufe dieser Jahre bis zum krankhaften Exzeß. Lektüre ohne klares Studienziel verlor sich in Zweifeln am Sinn seiner Existenz, die Menschenscheu zu einer mönchischen Klaustrophilie.

Die Mutter vermochte bei all ihrer Liebe weder in sich selbst noch im Sohne Gegenkräfte aufzubieten. Noch weniger war es ihr möglich, ihre tiefe Betrübnis darüber, daß sie mit einem krankhaft müßigen, verträumten Sohn geschlagen war, vor diesem zu verstecken. Sie ergab sich einer totalen Resignation. Sie hatte ihre Hoffnung auf eine Wende zum Guten endgültig aufgegeben; für das Leben hienieden war er verloren.

Wir müssen zum Beweis dieser ausweglosen Situation eine in Betsys Erinnerungen und bei d'Harcourt überlieferte Szene im Leben dieses Einsiedlers genauer ins Auge fassen. Für Conrad war sie Bestätigung seiner Mutmaßungen. Sie brachte eine Gesinnung der Mutter an den Tag, die den Sohn niederschmettern mußte.[19] Dieser wurde, nach Meinung Betsys unfreiwillig, Zeuge eines Gesprächs seiner Mutter mit einer Besucherin, die ihm schon wegen ihres wenig anziehenden Äußeren unsympathisch war. Sie hatte sich mit schlecht verhohlener Neugier bei Frau Meyer nach dem Ergehen ihres Sohnes erkundigt und suchte sie mit üblicher Geschwätzigkeit auf die Zukunft zu vertrösten. Jetzt hörte Conrad – ob als freiwilliger oder unfreiwilliger Lauscher, bleibe dahingestellt; das Motiv belauschter Gespräche taucht später in Meyers Dichtung häufig auf – die Antwort seiner Mutter: «Schonen Sie meiner! Mein erstes, mein begabtes Kind ist für solche Zukunftshoffnungen einer Mutter verloren! Es begräbt sich selbst. Er ist für dieses Leben nicht mehr da.»

Diese Worte zeigten ihm schonungslos, daß ihn die Mutter – an die der Vaterlose eng gebunden war – für dieses Leben aufgegeben hatte.

Für die Mutter Meyer wog diese Katastrophe noch schwerer, als sie sich uns im ersten Augenblick darbietet. War doch ihr Sohn, wie sie glaubte, von Christus abgefallen, ein Abtrünniger, ein Gottloser. Für die strenggläubige Pietistin bedeutete dies nichts weniger als ewige Verlorenheit. Denn wer Christus verleugnete, verlor nach ihrer Meinung auch die verheißene ewige Seligkeit. Um die ganze Tragik dieses Mutter-Sohn-Verhältnisses zu ermessen, müssen wir uns diese ihre Überzeugung vor Augen halten: die zeitliche und ewige Verlorenheit ihres Sohnes.

Es war für den Sohn nicht schwer, aus und zwischen ihren Worten dieses Verdammungsurteil herauszulesen; es ist auch nicht schwer, Conrads Folgerungen zu begreifen: Blieb er bei mütterlichen Glaubenshaltungen, dann war er auf ewig verloren; ein Recht auf eigene Existenz bestand nicht mehr. Die Alternative war die Preisgabe des mütterlichen christozentrischen pietistischen Weltbildes. Als ein Gottloser solcher Art konnte er sich noch selbst behaupten.

Aber eine solche Selbstbehauptung war in den Augen der noch immer vielgeliebten Mutter Frevelmut, maßloser Egoismus. Vor solcher gottloser Ichbezogenheit schauderte sie zurück. Was Wunder, wenn sich in ihr die Überzeugung festwurzelte, für einen Menschen solcher Art wäre besser, ungeboren zu sein, hatte er doch den Anspruch auf die ewige Seligkeit verscherzt und war der Gnade der Erlösung verlustig gegangen.

Für den Sohn gab es, wie eben angedeutet, nur noch die eine Möglichkeit, sich gegen eine solche Art religiösen Irrglaubens zur Wehr zu setzen: das religiöse Gebäude selbst, wie es sich die Mutter zurechtgezimmert hatte, zum Einsturz zu bringen. Er scheint dies in wilden «Hitzen» gegen die Mutter, in plötzlichen Zornausbrüchen, gefolgt von eisiger Kälte und Schweigsamkeit, versucht zu haben. Ob er sich in solchen Augenblicken sogar zu Tätlichkeiten gegen die Mutter hinreißen ließ[20], ist zwar nicht ganz sicher, kann aber aus späteren Andeutungen der Mutter und aus ihren wiederholten Hinweisen, daß sie Conrads Zornausbrüche zittern machten, vermutet werden. Es genügten ja wohl auch die Tränen und von Seufzern begleitete Gebete, um den Sohn nach derartigen Szenen ganz aus der Fassung zu bringen und ihn in depressive Stimmungen zu stürzen.

Auch die Zwangsvorstellungen, daß er zum Mund heraus stinke, lassen sich ohne Mühe mit den eben geschilderten Zornausbrüchen gegen die Mutter in Verbindung bringen. Auch die Reinlichkeitspsychose, der Waschzwang, von dem er befallen wurde, läßt sich als Bedürfnis nach Katharsis nach derartigen Auftritten verstehen. Dieses Reinigungsmotiv wird ihn im Zusammenhang mit dem Mutterbild noch lange über deren Tod hinaus verfolgen (vgl. das Gedicht «Am Himmelstor»).

Noch gefährlicher als dieser Waschzwang, der sich ja aus der Zwangsvorstellung vom stinkenden Munde von selbst ergab, war ein biblisches Motiv, das sich in dieser Zeit in seine Schuldvorstellungen eindrängte: das Bild vom Missetäter, der – nach der Luther-Übersetzung – dort versenkt werden müßte, wo das Meer am tiefsten sei[21]. Conrad wird es später noch einmal verwenden, um die ihm von seiner menschlichen Umgebung eingetrichterte Todsünde, mit einem ironischen Nebenton, zu kennzeichnen. Nach einem Brief an Cécile Borrel hat er das Dichten, von dem er nach der

Meinung einiger seiner Ratgeber lassen soll, dorthin geworfen, wo der See, gemeint der Genfersee, am tiefsten ist[22].

Jetzt aber, 1852, bezichtigt er sich mit seiner ganzen Person solch tödlicher Sündhaftigkeit. In seiner psychotischen Verdüsterung – die Episode wird von Frey erstmals berichtet – zieht er eines Abends die wörtliche Folgerung aus Christi Verdammungsurteil und füllt seine Taschen mit Gewichtsteinen, «um das Untersinken im See zu befördern»[23]. Ob das toddrohende Unterfangen, das von Mutter und Schwester mit lähmendem Schrecken beobachtet wurde, vom Verängstigten und seelisch zu Tode Gehetzten nur als Einschüchterungsmanöver gedacht oder in voller Tötungsabsicht angelegt wurde, ist dabei nicht von Belang. Denn beide Motivationen würden in gleicher Weise die ausweglose Verhetzung des nunmehr siebenundzwanzigjährigen Mannes zum Ausdruck bringen. Jedenfalls hatte das Zerwürfnis mit der Mutter damit seine größte Intensität erreicht.

Aber eine andere Frage stellt sich in diesem Zusammenhang: War die Suizid-Drohung oder Suizid-Absicht – im eben angedeuteten Sinne – das Ergebnis einer bereits pathologisch zu nennenden Depression? War es eine Zwangshandlung, die sich dem Verantwortungsvermögen des Betroffenen entzog, oder wurde die Drohung oder der Tötungsplan mit noch einigermaßen funktionstüchtigem Verstand in die Wege geleitet?

Für die letztere Version spricht Conrads nachträglicher Abbruch des selbstmörderischen Tuns, das heißt die Mäßigung seiner exaltierten Emotionen. Er hätte nach dieser Version wieder Zeit gefunden, sich auf soziale oder religiöse Verantwortungen zurückzubesinnen. Noch deutlicher spricht für diese Erklärung, nämlich für ein noch nicht ganz «ver-rücktes» Gemüt, der Ausspruch, den Conrad einige Tage später vor den Toren der Anstalt Préfargier getan haben soll: «Ich glaube, ich bin gesund[24].»

Man wird sich allerdings kaum dazu versteigen – was ja allerdings auch schon geschehen ist – zu behaupten, eine Internierung wäre überhaupt nicht nötig gewesen. Lebensgefahr und eine unerträgliche Spannung für Mutter und Schwester lagen jedenfalls vor; nur war keine eigentliche Verwirrung der Sinne eingetreten. Auch die Tatsache, daß schon nach wenigen Wochen von «Heilung» gesprochen wurde, und daß der leitende Arzt, Dr. James Borrel, auf eine externe, ambulante Behandlung oder gar auf eine Entlassung hintendieren konnte (so in seinen Briefen an Frau Meyer), würde es rechtfertigen, von einer seelisch-geistigen Verwirrung und vom Ausbruch einer Geisteskrankheit nur in sehr bedingtem und einschränkendem Sinne zu sprechen.

Wie es in Préfargier tatsächlich zu einer raschen Heilung gekommen ist und welche heilsamen Kräfte hier mitgewirkt haben, wird im Kapitel über Cécile Borrel aufgezeigt. An dieser Stelle können wir die anderthalb Jahre, die den zweiten Welschlandaufenthalt umspannen, mit seinen drei Stationen Préfargier, Neuenburg und Lausanne leicht streifend übergehen und dafür jene Zeit genauer ins Auge fassen, die von der Rückkehr Conrads (31. Dezember 1853) nach Zürich bis zum Tode Frau Elisabeth Meyers verging. Es ist auch aus einem anderen Grunde gerechtfertigt, die genannten anderthalb Jahre zu übergehen, weil ja die Heilung – oder besser die Befreiung Conrads aus seinem schweren Bann – ohne, wenn nicht sogar gegen die Einwirkung der Mutter erfolgte. Denn die Entspannung war eine gegenseitige. Conrads Abwesenheit von Zürich entlastete auch die Mutter. Und auch ihre Fernwirkung durch die brieflichen Kontakte mit Préfargier stand doch zum großen Teil unter dem Eindruck der optimistisch tönenden Berichte von dorther. Und ihre kleinlichen Bemutterungen, unter denen der achtundzwanzigjährige Mann litt, trafen ihn doch nicht mehr so ins Mark wie zu Hause; denn er lebte dort in einer neuen, andersartigen Geborgenheit.

Für die Mutter entsprachen allerdings diese optimistischen Berichte von ihres Sohnes Heilung nicht der Wirklichkeit, und sie begegnete ihnen mit Mißtrauen. Sie hatte sich diese Heilung anders vorgestellt.

Eine Enttäuschung bedeutete für sie schon das erste Wiedersehen mit Conrad in Bern im März 1853. Die hochfliegenden Pläne, mit denen er dort herausrückte: der Paris-Aufenthalt, und mehr noch sein ganzes Gehaben zeigten ihr, daß er noch sehr weit entfernt war von jener «humiliation», jener Demütigung, die ihrer Meinung nach an die Stelle seines Orgueil excessif, seines unerträglichen Hochmuts zu treten hatte. In dieser Forderung war sie ja erstaunlicherweise von Dr. James Borrel, und noch mehr von ihrem Neuenburger Briefpartner Professor Godet sekundiert worden.

Daß es sich hier um ein tragisches Mißverständnis der Mutter handelte, ist offensichtlich. Ihr Sohn hatte das gänzlich verlorene Selbstvertrauen in der welschen Schweiz wiedergefunden, und damit auch eine gewisse Sicherheit im gesellschaftlichen Auftreten. Schon daß er die Mahlzeiten in Préfargier am Tisch des Direktors einnehmen durfte, daß er von allen wie Ihresgleichen behandelt wurde, und dann vor allem das freie Ein und Aus im Hause Vuillemin, dies alles hatte ihn von seiner Menschenscheu befreit, die ihn in Zürich zum Einsiedler gemacht hatte.

Kein Zweifel, daß auch der Mutter diese Veränderung seines Auftretens und Gehabens auffiel. Doch für sie war dies ein Zeichen unveränderter Arroganz, die lediglich gefälligere Formen angenommen hatte. Arroganz,

Brüskheit und trotziger Widerspruchsgeist, damit hatte er sich gegen die «liebreichen» Machtansprüche seiner Mutter zur Wehr gesetzt, das hatte diese so schwer betroffen.

Jetzt hatte er freilich solche Renitenz nicht mehr nötig; aber er ersetzte sie durch ein selbstsicheres Betragen, Zeichen einer Rückkehr zum Selbstvertrauen, das er im Welschland wiedergewonnen hatte.

Aber eben dieses selbstsichere Betragen blieb in den Augen der Mutter orgueil, Hochmut. Und Conrads Hochmut war in ihren Augen noch immer auch Zeichen seiner Gottlosigkeit, seiner maßlosen Egozentrik.

Dem Sohne waren, so scheint es, diese Zusammenhänge und damit die mütterlichen Mißverständnisse klar. Bewußt war ihm auch, daß die Gottlosigkeit, die er vor seiner Abreise nach Préfargier demonstriert hatte, die demütig fromme Pietistin am stärksten treffen mußte.

Es war klar, daß er, als er sich Ende 1853 von Lausanne nach Zürich aufmachte, sich alle diese Zusammenhänge durch den Kopf gehen ließ und daß er seine Mutter vor neuen schweren Enttäuschungen zu bewahren trachtete. Tatsächlich stellt diese auch in ihren späteren Briefen an Cécile Borrel fest, daß Conrad offensichtlich seine fromme Gläubigkeit zurückgewonnen habe.

Diese wiedergewonnene und ein wenig zur Schau gestellte christliche Gläubigkeit, sein offenes Ja zu Bibel und Gebet, war bestimmt nicht nur ein Akt versöhnlicher Diplomatie, sondern entsprach einer Regeneration seines religiösen Denkens, und dieses selbst war die Folge jener andersartigen Frömmigkeit, die ihm in der welschen Schweiz, vor allem in Préfargier und Lausanne, begegnet war, eine Frömmigkeit verbunden mit einer heiteren Offenheit den Fragen des Alltags und der Mitmenschlichkeit gegenüber. An die Stelle des unverträglichen Moralismus der Mutter war dort ein heiteres, ebenfalls aus der christlichen Moral abgeleitetes laisser faire, laisser aller getreten. Davon hatte er sich förmlich anstecken lassen, und nun bewahrte er dieses Verhalten auch in seiner Zürcher Umgebung.

Die Mutter versäumte nicht, diese «Bekehrung» zum christlichen Glauben zur Kenntnis zu nehmen; es entging ihr nicht, daß Conrad verträglich, freundlich, heiter und umgänglicher geworden war. Dazu notierte sie seine Arbeitsfreude, die in so auffälligem Gegensatz stand zu seinem müßigen und ziellosen Träumen, von dem er in der Krisenzeit vor Préfargier beherrscht wurde.

Gesundung des Sohnes – Rückwirkungen auf die Mutter

Geistige Störungen sind wie Seuchen ansteckend und pflegen wie diese solche Individuen zu befallen, die gewisse Anfälligkeiten, Dispositionen, Schwächen mit sich bringen.

Conrad war – schließlich mußte auch die Mutter ihr kleinmütiges Mißtrauen aufgeben und den Erfolg anerkennen – wenn nicht als Geheilter, so doch als ein der Heilung viel näherer Mensch zu ihr heimgekehrt. Und der relativ euphorische Zustand dauerte an. Dazu kam eine gesunde Kontaktfreude zu einigen Verwandten und Freunden und vor allem zur Schwester Betsy. Auch der Arbeitseifer des Übersetzers ließ nicht nach. Die Übersetzung von Constantin Thierrys «Récits des temps Mérovingiens» näherte sich dem Abschluß, und neue Pläne traten in Sichtweite.

Dies alles ließ keinen Zweifel aufkommen: Conrad war als ein ganz anderer zurückgekehrt.

Aber diese Tatsache erzwang bei der geistig hochdifferenzierten und sensiblen Frau eine neue verhängnisvolle Folgerung: An diesen Gesundungsprozeß hatte sie selbst keinen Teil geleistet. Ja sie mußte sich sogar sagen, daß gerade ihre Abwesenheit, ihr Nichtbeteiligt-Sein Wesentliches zur Heilung beigetragen habe.

Die nächste Folgerung, die Elisabeth Meyer daraus ziehen mußte: Ihre mütterliche Liebe, derer sie gewiß war, hatte im Falle ihres Sohnes versagt, während sie von seiten ihrer Tochter die schönsten Früchte zeitigte. Mit ihrem liebenden, sorgenden mütterlichen Einsatz hatte sie das Gegenteil von dem bewirkt, was sie sich erhofft hatte: Der Sohn hatte sich wider die fortdauernde Bemutterung zur Wehr gesetzt, hatte sich ihr entzogen, ja sie von sich weggestoßen. Er war darob nicht gestrandet, sondern hatte seinen Weg gefunden. Und die Folge solcher und ähnlicher echter Einsichten: Sie erkannte ihr totales erzieherisches Versagen. Und dies wiederum führte zu depressiven Stimmungen und zu pessimistischen Bewertungen alltäglichster Ereignisse.

Dieser pessimistischen Lebensstimmung suchte sie sich durch Gebet und Gottvertrauen zu erwehren, das heißt sie stellte all ihr Wirken und Versagen der Gnade und Barmherzigkeit Christi anheim.

Aber es war eben kein froher Glaube, der sie beseelte, kein Vertrauen, wie es Conrad in der Westschweiz wiedergefunden hatte; es war ein gedrückter, resignierender Glaube, stets mit Seufzern verbunden. Die Formel von ihrem «armen Conrad» hielt sich denn auch hartnäckig in ihrem Wortschatz.

Daraus und aus vielen brieflichen Äußerungen läßt sich eine besorgniserregende Entwicklung ihrer Geisteskräfte ableiten: Ihre Beweglichkeit und Offenheit läßt nach. Diese Erstarrung hinderte sie daran, das Neue, was sich in ihrem Sohne anbahnte, zu sehen und anzuerkennen. Ihre vom Pietismus geförderte Abneigung gegen jede künstlerische Unternehmung Conrads blieb und festigte sich, während sie doch gleichzeitig die Ausbildung der Tochter Betsy zur Porträtistin und Aquarellistin in jedem Sinne förderte und zum Beispiel ihre zeitweilige Übersiedlung nach Genf zur weiteren Ausbildung im Aquarellieren ohne weiteres in Kauf nahm. An den sprachlichen Fähigkeiten ihres Sohnes dagegen und an seiner Übersetzungskunst zweifelte sie weiterhin, selbst als diese von Louis Vuillemin bestätigt wurde und als der Vertrag mit dem Verleger Friederichs in Elberfeld bereits vorlag[25].

Natürlich durfte sie sich eine gewisse Kompetenz in diesen Dingen anmaßen, da sie ja sprachenkundig war und das Deutsche und das Französische in Wort und Schrift beherrschte. Aber eben nur dies! Die künstlerische Kraft der Übersetzung stellte sie ganz einfach nicht in Rechnung, weil sie sie nicht sehen *wollte*.

Wurde die zunehmende Depressivität von Sohn und Tochter erkannt? Äußerungen solcher Art lassen sich kaum feststellen. Sie blieb die gute, liebe Mutter, an der sie seit dem Tode des Vaters ohnehin die Traurigkeit und die schmerzlich verhärmten Gesichtszüge gewohnt waren. Anlaß zu besonderer Beunruhigung bestand nicht; ihre feste Verankerung im Glauben schien das Versinken in Verzweiflung und letzter Isolation auszuschließen.

Es ist aber nach den vorausgehenden Überlegungen nicht zu übersehen, daß die Gegenwart eines leidlich gesund wirkenden, unternehmungsfreudigen Sohnes auf das Gemüt dieser Frau aus den geschilderten Gründen niederdrückend wirken mußte.

Damit werden die geistigen und seelischen Dispositionen klar, aus denen die unheilvolle Lebenskrise Elisabeth Meyers herauswuchs. Die Schilderung, die davon in den Biographien gegeben wird, entspricht wohl weitgehend den Tatsachen, und es liegen keine Gründe vor, sie anzuzweifeln.

Ausgelöst wurde sie durch eine längere Krankheit und durch den Tod des vieljährigen, geistig etwas debilen Hausgenossen Antonin Mallet aus Genf. Er war seinerzeit als Pflegling ihres Vaters Johann Conrad Ulrich, dem er von seiner Familie anvertraut worden war, nach Zürich gekommen. Nach dessen Tode (1828) wurde er als verpflichtendes Erbe zusammen mit der Großmutter ins Haus der Familie Meyer aufgenommen, und seither lebte er, über ein Vierteljahrhundert im Hause Meyer, als ein freundlicher, stiller, stets zu Handreichungen und kleinen Diensten bereiter Hausgenosse mit Frau Meyer und ihren Kindern zusammen. Einer der Gründe, weshalb sie alle so selbstverständlich über so ausgezeichnet sichere Französischkenntnisse verfügten! Das war die Folge dieses täglichen Umgangs mit einem französischsprechenden Hausgenossen, dem sie Rücksicht und Freundlichkeit schuldeten.

Jetzt war, kurz nach Neujahr 1856 eine Krankheit – es scheint eine Leukämieform gewesen zu sein – ausgebrochen, die den bereits neunundsechzigjährigen Mann ans Bett fesselte und offenbar, wie es Leukämie-Schübe an sich haben, mit großen Schmerzen verbunden war. Eine Hospitalisierung kam in der damaligen Zeit, da die Krankenhäuser noch äußerst ärmlich ausgestattet waren, nicht in Frage. Frau Meyer mußte die Hauspflege großenteils selbst übernehmen. Später zog sie noch einen Krankenwärter bei. Ihre Einsatzbereitschaft für die Armen und Schwachen, schon immer ein verpflichtendes Familienerbe, mußte sich nun im täglichen schweren Dienst bewähren, und ihr christliches Ethos gebot ihr den uneingeschränkten persönlichen Einsatz. Die großen Schmerzen, die der Sterbenskranke bekundete – die laute Bekundung entsprach wohl auch ein Stück weit seinem debilen Geisteszustand – verlangten ihre tröstliche Gegenwart am Krankenlager bei Tag und bei Nacht.

Die Folgen solcher Überforderung ließen nicht auf sich warten: anhaltende Schlaflosigkeit, Ausbruch einer Gesichtsrose, einer infektiösen, von Fiebern begleiteten Erkrankung der Haut (Erysipel). Kurz: die dauernde Überbeanspruchung machte sie für alles anfällig.

Als Antonin Mallet während ihrer Abwesenheit vom Krankenlager von seinem Leiden erlöst wurde, maß sie sich die Schuld an seinem Tode bei. Das war eine typische depressive Umdeutung der Tatbestände. Ihre Selbstbezichtigungen gingen aber weiter: Nicht nur maß sie sich die Schuld am Tode zu, sie bezeichnete sich als seine Mörderin, und zwar, weil sie beim Anblick des Leidenden des öftern den Tod herbeigewünscht habe. Solche Äußerungen bezeugen bereits eindeutig den Ausbruch einer schweren depressiven Neurose, Folge akuter Ermüdungserscheinungen. Natürlich waren die Selbstbezichtigungen verbunden mit religiösen Skrupeln, Ergebnisse ihrer strengen christlichen Moral!

Es dürfte nicht leicht sein, den nun immer härter werdenden Anfechtungen auf den Grund zu kommen, die sich der Frau bemächtigten und ihren letzten Glaubenshalt erschütterten. Möglicherweise war es wie bei ihrem Sohne eine Auflehnung schwindender Lebensenergien wider eine Ordnung, die mehr von ihr gefordert hatte, als ihr zu leisten möglich gewesen war. Sicher ist, daß nun sogar ihr Christusglaube ins Wanken geriet[26].

Daß sich Betsy und die Mutter selbst in diesen Tagen ihrer Beziehungen zur Evangelischen Brüdergemeinde in Wilhelmsdorf bei Ravensburg erinnerten und daß man zunächst dort um Aufnahme und seelischen Beistand bat, läßt die Zusammenhänge erkennen: die bedrohte, wenn nicht bereits im Innersten erschütterte Glaubensordnung sollte in einem fromm-gläubigen Heim, in der Umgebung fraglos-gläubiger Menschen, wieder gefestigt werden. Es ist übrigens möglich, daß diese Beziehungen zu Wilhelmsdorf durch Johanna Spyri und durch deren Mutter Meta Heusser[27] vermittelt wurden, da ja Johanna in ihren jungen Jahren vor ihrer Verheiratung mit Johann Bernhard Spyri sehr häufig im Hause Meyer verkehrte und mit Frau Elisabeth, mit Betsy und sogar mit dem «armen Conrad» freundschaftlich verbunden war[28].

Die evangelische Brüdergemeinde zu Wilhelmsdorf hatte aber, ein gutes Vierteljahrhundert nach ihrer Gründung, noch immer mit erheblichen materiellen Schwierigkeiten zu kämpfen, weshalb dort noch sehr bescheidene Verhältnisse bezüglich Unterkunft und Ernährung herrschten. Frau Meyer, an die Annehmlichkeiten eines bürgerlichen Haushaltes gewöhnt, vertrug, geschwächt, wie sie war, dieses Armeleute-Klima nicht. Vielleicht hat sie in Wilhelmsdorf auch nicht gefunden, was sie in ihrer Erschütterung und Seelennot bedurfte: Aufmunterung, Wiedergewinn eines ruhigen Selbstvertrauens. Offenbar blieben ihre krankhaften Selbstbezichtigungen und ihre abgründigen Zweifel an der Gnade Gottes, derer sie auf immer verlustig zu sein meinte, bestehen. Zu einer Rebellion gegen dieses Verdammungsurteil fehlten ihr die Kräfte.

Der gottlos gewordene Sohn hatte in Préfargier seinen Gottesglauben wiedergefunden. Warum sollte nicht auch die Mutter dort ihre gestörte Glaubenszuversicht wiederherstellen und ihrer Verzweiflung Herr werden können?

Betsy holte daher ihre Mutter in Wilhelmsdorf ab und brachte sie, ohne Zwischenstation in der Vaterstadt zu machen, unverzüglich nach Préfargier. Dort wurde sie mit größter Rücksichtnahme aufgenommen und betreut, sozusagen als Familienmitglied der Geschwister Dr. James und Cécile Borrel. Ersterer überließ ihr sogar sein Studierzimmer mit der schönen Aussicht auf den Neuenburgersee.

Schwere Depressivität bedeutet aber, daß alle Denkanstöße und Stimmungsmotive depressiv umfunktioniert werden. So auch hier: Der See und seine Tiefe, einst verlockendes Ziel ihres Sohnes bei Ausbruch seiner schweren Krise, zog nun auch die Mutter in seinen Bann. Er sollte ihr helfen, nachdem ihr Leben nutzlos geworden und sie von Gott verworfen war, sich aus der Welt wegzuschaffen.

Betsy durfte anderseits ihre Mutter der Umsicht und Fürsorge der Heilanstalt überlassen und kehrte zu ihrem Bruder nach Zürich zurück. Es waren ohnehin turbulente Tage, weil die Erbangelegenheit – Antonin Mallet hatte die Familie Meyer zu Erben seines nicht unbeträchtlichen Vermögens gemacht – geordnet und in Genf bereinigt werden mußte. Betsy übernahm die Sache in Zürich, während Conrad sich, solange die Mutter in Préfargier wäre, in Genf aufhalten sollte. Zunächst war er aber noch in Zürich mit dem Ordnen seiner Papiere beschäftigt. Betsy aber wollte so bald wie möglich zur Mutter nach Préfargier zurückkehren; ihre Sorgen waren mit der Unterbringung in der Anstalt nicht gebannt. Bereits hatte sie ihre Ankunft gemeldet, und man hatte die Mutter über die Zeit ihrer Ankunft verständigt.

Elisabeth Meyer begab sich denn auch mit Zustimmung des Anstaltspersonals zum Schiffs-Landesteg an der Zihl. Dort stürzte sie sich vom Geländer ins Wasser. Obwohl der Vorgang sogleich bemerkt wurde, kam jede Hilfe zu spät. Sie hatte – das stand fest – den Tod gesucht und gefunden. Daß sie ihn gesucht hatte, bekundet sie in einem Schreiben an ihre Kinder, das sie in der Anstalt zurückgelassen hatte und das wir hier im Wortlaut anführen wollen, nicht um das Geschehen nachträglich zu skandalisieren, sondern um der Motivation dieses Freitodes so nahe wie möglich zu kommen.

Abschiedsbrief der Mutter Elisabeth Meyer-Ulrich an ihre Kinder Conrad und Betsy, geschrieben 1856 in Préfargier[29]:

Theures, innig geliebtes Kind
und auch du mein guter Conrad.
Mit einem unaussprechlichen Seelenschmerze reiße ich mich von Euch los, wahrscheinlich auf Nimmerwiedersehen, – aber es muß geschehen, damit ich nicht *Sünde auf Sünde häufe* und *Euch immer unglücklicher mache*. O klammert Euch doch recht an Christi Kreuz und Verdienst an, damit ihr die entsetzliche Prüfung durchmacht!
Ich schaudere vor mir selbst – Ach, Allbarmherziger, erbarme dich meiner auch *an dem dunkeln Orte, wohin ich mich jetzt stürze* – Vielleicht darf ich wieder von vorn anfangen und im übrig gebliebenen Guten wachsen.

Der Kontext dieser letzten Worte einer den schwersten Depressionen ausgelieferten Frau verrät keine eigentliche Verwirrung des Bewußtseins. Auch die mitmenschliche Konstellation, in der Frau Meyer stand, ist unverändert, sogar unheimlich unverändert: Ihr Verhältnis zum Sohne bleibt bis zuletzt ein gestörtes. Denn ihre Tochter Betsy redet sie in unverhohlener Liebe an mit ‹theures, innig geliebtes Kind›, wogegen sie ihre Beziehung zu Conrad lediglich mit ‹und auch du mein guter Conrad› kundtut. Wohl wendet sie sich hierauf an beide Kinder, aber der unterschiedliche Abstand von den beiden bleibt bestehen, mit dem Unterschied allerdings, daß sie die Sündenlast, unter der sie seelisch zusammengebrochen ist, nunmehr auf beide Kinder bezieht. Ihr doppelter erzieherischer Mißerfolg steht jetzt übermächtig vor ihr. Was ihre Wirkung auf Conrad war, nämlich daß sie ihn unglücklich machte, dieses Bewußtsein überträgt die von der tödlichen Depression Befallene nunmehr auf beide Kinder. Beide stellt sie der Gnade des Gekreuzigten anheim.

In den Denkformen und im Wortgebrauch der pietistisch-demütigen Frau wird zwar ihr freigewählter Tod für die Beiden eine ‹entsetzliche Prüfung› sein. Aber sie selbst vermag ihre eigene schuldbeladene Existenz nicht mehr dieser Gnade anheimzustellen, es sei denn, daß sie den geplanten Sturz ins Wasser mit einbezieht als den einzigen und letzten Ausweg. Auch ihr bis dahin unerschütterlicher Auferstehungsglaube wird jetzt durch ein ‹vielleicht› relativiert, eingeschränkt.

Entscheidend ist, daß sie durch ihren Tod die Sündenlast, mit anderen Worten: die Schuldgefühle von sich werfen kann. Daß ihre Depression an der Todesschwelle Formen angenommen hat, die den Lebensüberdruß Conrads im Sommer 1852 übertrifft, ist, vom Ganzen dieses Textes her gesehen, unverkennbar.

Alle diese Tatbestände einer schwer gestörten Mutter-Sohn-Beziehung lassen sich heute in einer überraschenden Weise bestätigen durch eine Brieffolge, die sich im Nachlaß C. F. Meyers (unter CFM 385.13) in der Zentralbibliothek Zürich findet. In diesen 25 Briefen Meta Heussers an Frau Elisabeth Meyer-Ulrich und in einem Brief derselben Verfasserin an Betsy Meyer (CFM 396.15) bekundet sich eine fast bis zum Exzeß gesteigerte Seelenfreundschaft der beiden tief gläubigen, einem weltverneinenden Pietismus zuneigenden Frauen. Die Briefe sind so ausführlich und klar abgefaßt, daß sich auch die Tonart der Partnerbriefe Frau Meyers (die sich nicht erhalten haben) ihrem Sinn und ihrer Tonlage nach ergänzen lassen. Sie erstrecken sich über einen Zeitraum von siebzehn Jahren, nämlich von 1839 bis in Elisabeth Meyers Todesjahr hinein; doch ist diese Frauenfreundschaft schon in jenen Jahren aufgeblüht, da sich eine schwärmerische Zürcherjugend in sommerlichen Tagen im Pfarrhause Hirzel zusammenzufinden pflegte. Zu ihnen zählten sich, wie bereits gezeigt, auch Elisabeth Ulrich, ihr Bruder und Ferdinand Meyer.

Nachdem sie sich eine zeitlang aus den Augen verloren hatten, fanden sich die zwei feingebildeten, zart besaiteten Briefschreiberinnen wieder in den Jahren, da Ferdinand Meyer zum zweiten Mal zu seiner kurzen, steilen politischen Laufbahn angetreten und der Arzt im Hirzel, der Gatte Metas, energisch die Sache des erfolgreichen konservativen Flügels unterstützt hatte.

Frau Heusser nahm am unerwartet frühen Tode Ferdinand Meyers bewegten Anteil und blieb fortan der schwergeprüften Witwe zugetan. Bindeglieder waren neben Elisabeth Meyers jährlich wiederholten Geschenksendungen aus der Stadt zugunsten der Armen und der Mädchenarbeitsschule des Bergdorfes – woran sich auch Elisabeth Meyers begüterter Schützling und Hausgenosse Antonin Mallet beteiligte – die Herzensergießungen der beiden Frauen. Sie trafen sich in ihrem Fühlen und Denken, das so ganz auf Christus, Gott und die Ewigkeit ausgerichtet war.

Es zeigt sich, daß sich schon knappe zehn Monate nach dem Tode des Vaters jene verhängnisvolle seelische Deformation abzeichnet, die zur frühen Entfremdung zwischen Mutter und Sohn geführt hat. Ein Satz Elisabeth Meyers, bei Meta Heusser zitiert (im Brief vom 28. Februar 1841), verrät bereits jenes schwere Todes-Trauma, von der die Mutter getroffen war: «Trösten können sie [gemeint die beiden Kinder] mich nicht»; d. h. sie bleibt mit ihrem Denken und Fühlen am toten Gatten haften und findet in der Sorge und der Erziehung ihrer Kinder keinen tröstlichen Ersatz. Und im Februar oder März 1842 scheint sich Elisabeth Meyer erstmals über Trotzreaktionen ihres Sohnes (er war damals sechzehneinhalbjährig) beklagt zu haben. Meta Heusser verweist sie wenigstens auf ähnliches Verhalten ihres Erstgebornen Theodor und meint, daß es eben so der Welt Lauf sei, daß gerade sie, die Söhne «den Müttern ihre stachlichte Seite zukehren» müßten. «Lassen Sie uns hoffen für Mutter und Sohn», fügt sie tröstend bei.

Im Frühsommer 1842 weilte Elisabeth Meyer mit ihren Kindern als Kurgast in der «Krone» Hütten, nachdem sie zuvor über einen ähnlichen Aufenthalt im Hirzler Doktorhause sondiert, aber wegen Platzmangel hatte abgewiesen werden müssen. Jetzt gab sich die Gelegenheit nicht nur für die Heusser-Töchter, die «liebliche Betsy», wie sie fortan immer genannt wird, in der ländlichen Nähe zu haben, sondern auch Conrad kennen zu lernen. Der Dorfdoktor lud ihn sogar ein, ihn auf seinem Pferdegespann auf der Fahrt nach Einsiedeln zu begleiten.

Noch mehr: Meta Heusser, die der Zürcher Freundin bereits auch als Liederdichterin bekannt war, sollte Conrads erste Kunstrichterin werden. Seine Mutter legte ihr Kostproben seiner dichterischen Versuche vor, und zwar offenbar, wie sie dies in der Folgezeit immer wieder betrieb, um sich ihre Abneigung gegen Conrads Dichtereien bestätigen zu lassen. Allein Frau Heusser urteilte ganz anders:

O treiben Sie die mütterliche Bescheidenheit nicht so weit, einer so innigen, so durchaus gelungenen Dichtung – die mich wenigstens im Blick auf das Alter des Dichters in Erstaunen setzte – den poetischen Wert abzusprechen. Nein, lassen Sie mich Ihnen von ganzem Herzen zu dem ungemeinen Talente Ihres Sohnes Glück wünschen und erlauben Sie mir, Ihnen recht zuversichtlich zu wahrsagen, daß Sie sich seiner seltenen Gaben einst ganz ungetrübt erfreuen werden, wenn nur erst der Gährungsprozeß des frühen Jünglingsalters durchgemacht ist.

Elisabeth Meyer hatte offenbar gesprächsweise – die Frauen hatten sich in Hütten getroffen – einen «sanften Einfluß» einer Jugendliebe Conrads angedeutet, und auch eine solche Beziehung fand Meta Heussers wohlgefällige Billigung. Solche Neigungen seien, meinte sie, «als gute Engel auf dem Lebensweg» zu verstehen. Selbst die entschiedene Ablehnung von dichterischen Produkten einer Schutzbefohlenen Frau Meyers durch Conrad traf sich mit einem ähnlichen, wenn auch nicht so scharfen Urteil Meta Heussers.

Es gehört mit zur Tragik dieses Mutter-Sohn-Konfliktes, daß sich Frau Meyer von den überzeugenden Urteilen nicht anregen und noch weniger umstimmen ließ. Indes darf festgehalten werden, daß Frau Meyer auch günstige Wendungen im Verhalten Ihres Sohnes an ihre Briefpartnerin weitergab. Beim Tode ihrer Mutter, Frau Ulrich, scheint Conrad z. B. die Trotzhaltung für einige Zeit abgelegt zu haben. Übrigens ehrt es den angehenden Poeten, daß er Meta Heussers Lieder lobte, ein Urteil, das diese aber in ihrer Bescheidenheit entschieden ablehnte.

Das Mutter-Sohn-Problem kam immer wieder, bei gegenseitigen Besuchen und in den Briefen, zur Sprache. Im Zusammenhang mit den politischen und kriegerischen Auseinandersetzungen der Sonderbundszeit stellen die Briefpartnerinnen mit Genugtuung fest, daß ihre Söhne sich «von der Politik geschieden halten», aber im Zusammenhang einer – vielleicht durch die politischen Wirren verursachten – Vermögenseinbuße betont Elisabeth Meyer noch einmal: «Der dunkle Punkt in meinem Leben liegt anderswo.» Wenn Meta Heusser mit dem zarten Verweis, «daß Gottes Gedanken und Wege so gar anders sind als die seligen Mutterträume an der Wiege des Erstgebornen», ihre Freundin von ihrer starren Resignation abzubringen sucht, dann trifft sie auf taube Ohren.

Einmal versucht Meta Heusser, indem sie sich zur Partnerin Betsys macht, die erstarrten Fronten aufzubrechen. Sie finde, schreibt sie,

auch in der ganzen Art und Weise, wie diese treue Schwester über ihren Bruder spricht, eine Bürgschaft dafür, daß es mit diesem so wunderbar geführten jungen Mann sich im Grunde und vor Gottes Augen ganz anders verhält als vor Menschenaugen und Menschenurteilen, und das macht mich für die theure Mutter getrost, auch wenn dieser sonderbare Zustand freiwilliger Verbannung noch so lange anhalten sollte. Ach, wer weiß, was in dieser Abgeschiedenheit von der Welt im Verborgenen reifen, vor welchen Gefahren sie schirmen und verbergen muß.

Dieser Brief, geschrieben in Conrads schwerster Krisenzeit – er ist mit 25. Mai 1851 datiert – läßt erkennen, daß Frau Heusser die gegenseitigen Beziehungen zwischen Mutter und Sohn durchaus richtig und keinesfalls nur als Anwältin des mütterlichen Standpunktes sah. Ihre Zuversicht erfüllte sich allerdings nicht, der sie noch im März 1852 Ausdruck gibt: «Die Nacht, die sich über das Mutterherz gebreitet hat, scheint doch lichter und sternenhell zu werden.» Denn wenige Monate später mußte Conrad seine Einwilligung geben zum Eintritt in Préfargier.

Offenbar hielt Frau Meyer ihre Freundin auch über die Therapien und die Gesundungsprozesse in der welschen Schweiz auf dem laufenden. Zwar weiß Meta Heusser, daß Frau Meyer mit ihrem einen Sohn Schwereres durchzuringen habe, als sie mit ihren Söhnen Theodor und Christian; aber dann stellt sie – am 24. Februar 1853 – fest: «Als einen Hoffnungsstrahl begrüßte ich die Kunde, daß Ihr Sohn *arbeitet*. Ach, die Arbeit ist ja mehr Segen als Strafe für den armen Erdenpilger, der das Paradies verloren hat und wie oft schon sein erster Schritt zur Umkehr!» – «... der das Paradies verloren hat», mit dieser Bemerkung scheint Meta Heusser in die starre Sündentheorie Frau Meyers eingeschwenkt zu sein, die ja glaubte, ihr Sohn sei infolge seines Hochmutes und seines Unglaubens der ewigen Seligkeit verlustig gegangen. Aber noch einmal findet sie einen beschwörenden Satz: «Ein Sohn so vieler Tränen kann nicht verloren gehen.» Und am 2. Februar 1854 stellt sie, nachdem Conrad aus der welschen Schweiz als ein Geheilter zurückgekehrt, fest, Christus habe «das Flehen Ihres Mutterherzens gehört und erhört».

Sogar den Übergang Elisabeth Meyers in die schwere Depressivität vermag Meta Heusser mitzuvollziehen, wenn sie «den innersten Stachel Ihres herzzerreißenden Leidens» selbst zu spüren meint und den Schmerz und die Seelenangst und die tiefe Demütigung mitempfindet, von der die arme Frau angesichts des Leidens ihres Hausgenossen Antonin Mallet ergriffen ist. «Gott mit Ihnen und Ihrem armen Pflegekind!» ruft sie ihr noch am 27. Februar 1856 zu. Dann notiert sie nur noch in ihr Diarium die Nachricht vom Tode Frau Meyers, von dem sie zunächst ohne die näheren Umstände ihres Sterbens Kunde erhält. Erst einige Tage später kommt ihr – der frommen Frau ein völlig unfaßliches Ereignis – die Wahrheit über ihren Tod zu Ohren. Die Tatsache, daß sie erst drei Jahre später einen Brief an Betsy zu schreiben wagt, läßt erahnen, wie tief sie durch die Art, wie ihre Seelenfreundin aus dem Leben schied, betroffen war.

Von den dichterischen Erfolgen ihres Sohnes Conrad – die sie ja prophezeit hatte – konnte sie aber wohl kaum mehr Kenntnis nehmen.

Die Wandlung des Mutterbildes im Sohne

Von der Rückwirkung des Freitodes der Mutter auf die Kinder wissen wir wenig, aus der unmittelbaren Folgezeit gar nichts. Er blieb für die beiden ein Tabu. Ihre angeborene zurückhaltende Art und die Angst vor gesellschaftlichen Zurücksetzungen und Verunglimpfungen, namentlich in den frommgläubigen Kreisen, legte ihnen ein Schweigen auf, das sie, soweit dies aus der Überlieferung erkennbar ist, nach keiner Seite hin gebrochen haben.

Sicher überwogen zunächst, nachdem die Mutter aus dem See geborgen worden war, die Schuldgefühle. Feinfühlig und überempfindlich, wie Conrad war, mußte er sich die Hauptschuld an Leiden und Tod der Mutter zumessen. Ja, in dunkeln Stunden verlangte ihn danach, es der Mutter gleich zu tun. Nur schwer und langsam löste er sich vom Banne dieser Schuld, und spät erst fanden seine Gefühle und Erschütterungen eine gültige Aussage.

Erst dreizehn Jahre später tritt die eigene Todessehnsucht in einem Gedicht der Sammlung «Romanzen und Bilder» [30] an den Tag:

Auf dem See

Trüb verglomm der Tag,
Dumpf ertönt mein Ruderschlag,
Schwüles Brüten in der Luft
Über finstrer Wassergruft.

Bleich der Felsenhang!
Schilf, was flüsterst du so bang?
Sterne! – Abend ist es ja –
Kommet! Seid ihr nicht mehr da?

Obwohl hier das Mutterbild – in der Vorstellung von der *finstren Wassergruft* – bereits erahnbar wird, unterbleibt die Konkretisierung. Das Wort Mutter verträgt sich noch nicht mit einer poetischen Aussage.

Erst die Endfassung [31] dieses Gedichts, abermals dreizehn Jahre später, vereinigt die Todesbangnis und die Todessehnsucht des Schuldbeladenen mit dem Verlangen nach der liebenden Mutter. Jetzt, im Gedicht «Schwüle» lautet die dritte Strophe:

> Eine liebe, liebe Stimme ruft
> Mich beständig aus der Wassergruft –
> Weg, Gespenst, das oft ich winken sah!
> Sterne, Sterne, seid ihr nicht mehr da?

Die bange Frage in der Schlußzeile bekundet jenen Zwiespalt und jene Ambivalenz des Glaubens, die zum Grundwesen Meyers gehört: Wo war die Mutter, im Nichts oder erlöst in der Welt der Sterne? In «Schwüle» ist der Glaube wie vor der Verzweiflungstat der Mutter bedroht; die Sternenwelt, sichtbares Symbol des Ewigen, droht zu entschwinden. Der Ruf der Mutter ertönt nicht von oben, sondern aus der Tiefe des Abgrundes.

Dann aber kehrt, in der vierten Strophe, mit der Mutterstimme und dem Mutterbild die Glaubenszuversicht zurück:

> Endlich, endlich durch das Dunkel bricht –
> Es war Zeit! – ein schwaches Flimmerlicht –
> Denn ich wußte nicht wie mir geschah.
> Sterne, Sterne, bleibt mir immer nah!

Die Verbindung zwischen Sternenwelt und Mutter wird in den dichterischen Bildern Meyers ihren Platz behaupten und sich verdichten. In «Schwüle» aber wird die Erbschwäche sichtbar: Was die Mutter Elisabeth und die Tochter Camilla in den Tod geführt, das hat er hier für sich selbst ins dichterische Wort gebannt.

Die Macht des Todeserlebnisses um die Mutter offenbart sich im tabuistischen Verhalten: Erst nach sechsundzwanzig Jahren wagt der Dichter, die Mutter also ins Bild zu rufen. Vorerst lag es unsagbar in der Tiefe, ein bald abschreckendes, bald verlockendes, jedenfalls ein unheimliches Bild, bald von der eigenen Schuld verzerrt, bald von der Liebe ins Überirdische erhöht.

Kein Wunder, daß Meyer von diesen zwei Bildern durch die Jahrzehnte hin verfolgt wurde. Sie verdichten sich in zwei einander völlig entgegengesetzten mythischen Visionen. Sie scheinen sich zunächst auszuschließen und daher überhaupt nicht in unseren Deutungsversuch hineinzupassen. Sie seien zunächst stichwortähnlich genannt: das Bild der *todbringenden Meduse* und das Bild der *himmlischen Madonna.*

Dem Gorgonenhaupt, dessen Anblick den Menschen nach dem Mythos versteint, war der Dichter erstmals im Vatikan begegnet. Später wählte es, wie wir wissen, Meyers Verleger Hermann Hässel, mit dessen Zustimmung, zu seinem Signet. Auf solche Weise machte er sich das Schreckenerregende zum täglich Vertrauten. Und als er schließlich das Gorgonenhaupt selber dichterisch zu bewältigen versuchte, da war es nicht mehr das todbringende Schreckgespenst; er hatte es in ein erlöstes Wesen umfunktioniert. Der Tod der Gorgo Medusa durch das Schwert des Perseus bedeutet, wie wir sehen werden, Befreiung von der Verdammnis, den Tod um sich verbreiten zu müssen. Und beide, die Mörderin und der Mörder, sind Willensvollstrecker hoher, gnädiger Mächte.

Die sterbende Meduse

Ein kurzes Schwert gezückt in nervger Rechten,
Belauert Perseus bang in seinem Schild
Der schlummernden Meduse Spiegelbild,
Das süße Haupt mit müden Schlangenflechten.
5 Zur Hälfte zeigt der Spiegel längs der Erde
Des jungen Wuchses atmende Gebärde –
«Raub ich das arge Haupt mit raschem Hiebe,
Verderblich der Verderberin genaht?
Wenn nur die blonde Wimper schlummern bliebe!
10 Der Blick versteint! Gefährlich ist die Tat.
Die Mörderin! Sie schließt vielleicht aus List
Die wachen Augen! Sie, die grausam ist!
Durch weiße Lider schimmert blaues Licht
Und – zische dort der Kopf der Natter nicht?»

15 Medusen träumt, daß einen Kranz sie winde,
Der Menschen schöner Liebling, der sie war,
Bevor die Stirn der Göttin Angebinde
Verschattet ihr mit wirrem Schlangenhaar.
Mit den Gespielen glaubt sie noch zu wandern
20 Und spendet ihnen lockenschüttelnd Grüße,
In blühndem Reigen regt sie mit den andern
Die freudehellen, die beschwingten Füße.
Ihr Antlitz hat vergessen, daß es töte,
Es glaubt, es glaubt an die barmherz'ge Lüge
25 Des Traums. Es lauscht dem Hauch der Hirtenflöte,
Der weichmelodisch zieht durch seine Züge.
Es lächelt still, von schwerem Bann befreit,
In unverlorner erster Lieblichkeit.

Der Mörder tritt an ihre Seite dicht
30 Und dunkler träumt Medusens Angesicht.
Ihr ist, sie habe Haß empfunden schon,
Vor sich geschaudert, dumpf und bang gelitten,

Die Menschen habe scheu sie erst geflohn,
Dann ihnen nachgestellt mit Meuchlerschritten –
35 Sie sinnt, was Unheilbares sie gequält,
Daß sie dem eignen Leben feind geworden
Und andres Leben sich ergötzt zu morden –
Sie sinnt umsonst. Ihr hält's der Traum verhehlt.
Die grause Larve, die sie lang geschreckt,
40 Ist wie mit einem Purpurtuch bedeckt.
Das Graun ist aufgelöst in Seligkeit,
Begonnen hat der Seele Feierzeit.
Der Dämmer herrscht. Das harte Licht verblich.
Als eine der Erlösten fühlt sie sich.
45 Sie fürchtet keines Schreckens Wiederkehr,
Sie weiß, die Qualen kommen nimmermehr,
Nein, nimmermehr, und nun ist alles gut!
Sie liegt, den Hals gebogen, auf dem Rasen,
Sie hört die Hirtenflöte wieder blasen
50 Und lauscht. Sie zuckt. Sie windet sich. Sie ruht.[32]

Erstaunlich schon die Tatsache an sich, daß den Dichter auf dem Scheitelpunkt seines Schaffens zu Anfang der Achtzigerjahre der Motivkreis Perseus-Medusa in Anspruch nahm! Mit dem Hinweis auf das von Werken der bildenden Kunst abhängige «Bildgedicht» kommt man hier nicht weit. Natürlich schafft dies den Vorwand und den Anstoß. Natürlich verschafft ihm die Flucht in einen Kreis der griechisch-römischen mythischen Tradition die Möglichkeit, sich selbst hinter fremdartigen Figuren zu tarnen. Aber nun geht es um die Wahl der Bilder und um die Frage, wie er sich den Mythos anverwandelt.

Zwar waren die einzelnen Phasen des mythischen Geschehens gegeben, und er hat daran keine grundlegenden strukturellen Veränderungen vorgenommen. Was Meyer dazubrachte, das war die besondere, äußerst auffällige Akzentverlegung. Zwar waren ihm die Figuren vom Westgiebel des Artemistempels in Korfu[33] (gefunden 1910/11), noch nicht zugänglich, sondern nur die Bildwerke und deren Kopien aus der hellenistischen Tradition. Doch gerade diese Einengung verschaffte ihm die Möglichkeit zu Vergleichen mit seiner Erfahrungswelt und zu Identifikationen. Das menschlich-schöne, nicht das ins Unheimliche oder ins Groteske verzerrte Gorgonenhaupt war es gerade, was ihn – im ursprünglichsten Sinne dieses Wortes – faszinierte. In den beiden Meyer zugänglichen hellenistisch-römischen oder wenigstens damals so gedeuteten Medusendarstellungen, der sogenannten Medusa Ludovisi und der Medusa Rondanini, war die Gorgo «schön» im Sinne des klassischen Schönheitsideals dargestellt; selbst die

Anordnung und die Form der Schlangen folgte diesem ästhetischen Prinzip.

Schönheit noch im Sterben, noch im Tode, darin lag der entscheidende dichterische Anstoß. Das Sterben war hier nicht in expressiver Pathetik als schmerzlicher, zerstörerischer Akt, sondern als Eintritt oder bereits als ein Drinnensein in seligen Gefilden gesehen; hier konnte der Dichter anknüpfen und Neues in diesen Mythus einbringen: die besondere Motivation ihres schönen Wesens: Sie, die Medusa, war es ursprünglich schon gewesen. Das Böse, Zerstörerische, todbringende Wesen hatte erst bei ihr Platz gegriffen, als sie von Athene mit den Schlangenhaaren ausgestattet wurde. Jetzt war sie die Ausgestoßene, zu einem entsetzlichen Los Verdammte.

Perseus, mit der Tötung beauftragt, überrascht die Schlafende; es bedürfte somit des spiegelnden Schildes und des Spiegelgefechtes nicht. Medusa ist durch einen beglückenden Traum in die Zeit vor dem mörderlichen Angebinde zurückversetzt worden; über ihrem Geschick waltet eine Gnade. Das ist eine gänzlich neue Sicht dieses Tötungsvorgangs.

Das Mißtrauen des Helden ist unbegründet. Medusas geschlossene Augen sind keine Täuschung; sie will Perseus damit nicht ins Verderben locken. Sie will nicht töten, sondern in ihrem Jugendtraum verharren. Denn mit ihrem Sterben darf sie in ihre frühere, schuldlos heitere und schöne Existenz zurückkehren. Perseus verübt damit keinen Mord, sondern bringt Erlösung von einem schweren Bann.

Beachten wir unter dieser hypothetischen Deutung nun den Wortlaut des Gedichts und greifen wir jene Formulierungen heraus, die möglicherweise Mythos und Mutterbild verbinden und die eine Identifikation der Medusa mit dem Mutterbild ermöglichen, wo mit andern Worten die mythische Figur Züge der Dichtermutter annimmt.

Perseus belauert (V.4) «Das süße Haupt mit müden Schlangenflechten». Das Adjektiv ‹müden› ist höchst willkürlich eingesetzt und verträgt sich viel eher mit einem Menschenantlitz als mit einem todbringenden Gorgonenhaupt.

Wenn Perseus «verderblich der Verderberin genaht» (V.8), dann mag auch hier eine mythische Überhöhung des Zwistes zwischen Mutter und Sohn einwirken.

Entscheidend ist aber der Traum Medusas:

> Medusen träumt, daß einen Kranz sie winde
> Der Menschen schöner Liebling, der sie war,
> Bevor die Stirn der Göttin Angebinde
> Verschattet ihr mit wirrem Schlangenhaar.

In diesen Zeilen wäre sichtbar gemacht die Verwandlung der heiter lieblichen Mutter, «der Menschen schöner Liebling, der sie war», in die freudlose, auf die Umwelt lähmend wirkende Witwenexistenz. Jetzt aber kehrt die Mutter im spannungslösenden Traum in ihre frühere, unbeschwerte Existenz zurück:

> Mit den Gespielen glaubt sie noch zu wandern
> Und spendet ihnen lockenschüttelnd Grüße,
> In blühndem Reigen regt sie mit den andern
> Die freudehellen, die beschwingten Füße.

Es dürfte nicht schwierig sein, diese vier Zeilen mit dem Muttererlebnis in Deckung zu bringen: das Bild der jugendlichen Mutter, wie es sich einprägte zu der Zeit, als der Vater noch lebte, ihre gesellschaftsfreundliche, ihre verbindlich-liebenswürdige Offenheit, so wie sie in den Erinnerungen J. C. Bluntschlis[34] in Erscheinung tritt:

«Sie erschien mir wie das lebendig gewordene Ideal der Weiblichkeit. Geistreiche Frauen, die mit den Männern wetteiferten, waren mir unangenehm. In ihr aber fand ich die edelsten Eigenschaften des Geistes, schnellen und klaren Verstand, tiefen Durchblick, feines sittliches Gefühl mit lieblichster Anmut, Sanftheit und Milde gemischt. Sie war eine treue sorgende Gattin, eine gute Mutter, eine aufopferungsfreudige Freundin der Armen, eine anspruchslose Hausfrau und eine freundliche und heitere Wirtin. In ihrer Gegenwart fühlte ich mich wie gehoben und reiner als sonst. Sie war tief religiös, aber nicht unduldsam und nicht kopfhängerisch. Die Religion gab ihr einen Halt, dessen sie um so mehr bedurfte, als ihr beweglicher und entzündlicher Geist sie leicht hätte ins Maßlose und ins Weite fortreißen können. Es war etwas Ungewöhnliches und daher Unberechenbares in ihr. Dadurch war sie ihrem Manne, so hochgebildet er war, doch geistig überlegen. Seine Tugend war schulgerechter als die ihrige. Sie konnte wagen, wozu ihm der Mut schwankte. Für mich hatte sie das Gefühl einer ältern Freundin und inniges Wohlwollen. Aber auch ihr Geist wurde in meiner Gegenwart belebter und heller. Eine innere, niemals in Worten ausgesprochene Sympathie verband uns.»

Daß sie sich damals nicht absonderte, sondern gerne die Spiele der gesellschaftlichen Konventionen mitspielte, sie selbst ein liebwertes, schönes Wesen, darin deckt sich die frühe ehefrauliche Existenz Elisabeth Meyers mit dem mythischen Wesen. Mit andern Worten: das Erinnerungsbild der jungen Mutter wird in den Mythos der Gorgo Medusa hinausprojiziert. Die im gnädig erlösenden Traum gewährte Rückkehr malt sich in den

Zügen, die sich unter dem «Hauch der Hirtenflöte», die «weichmelodisch» durch die Traumzüge zieht, geglättet haben:

> Es lächelt still, von schwerem Bann befreit,
> In unverlorner erster Lieblichkeit.

Frau Meyers spätere Existenz, als «schwerer Bann» gedeutet, der sich über die «unverlorne erste Lieblichkeit» legte, diese Erzählfolge läßt das schwere psychische Trauma erkennen, unter dem sie nach dem «Todesstoß» litt und das die Beziehung zu ihrem Sohne so verhängnisvoll in Mitleidenschaft zog. Denn das Trauma wirkte ansteckend; auch Conrad wurde von ihm in Bann geschlagen:

> Ich lebte nicht, ich lag im Traum erstarrt.

So gesehen, erweisen sich die Verse 33–37 lediglich als eine Steigerung ins mythische Pathos:

> Die Menschen habe scheu sie erst geflohn,
> Dann ihnen nachgestellt mit Meuchlerschritten –
> Sie sinnt, was Unheilbares sie gequält,
> Daß sie dem eignen Leben feind geworden.

Rückzug aus dem geselligen Dasein und zunehmende Menschenscheu, das bestätigt nur die genaue Übertragung ins mythische Bild. Daß sie von etwas Unheilbarem gequält wurde, ist geprägte Aussage über den pathologischen Zustand der Mutter. Zwar zielten ihre Haßgefühle nicht auf Meuchelmord, doch wirkten sie mörderisch auf die künstlerischen Intentionen ihres Sohnes. Dazu war ihr unverträglicher Moralismus dem Sohne gegenüber stets verbunden mit einer entschiedenen Lebensfeindlichkeit; Lebensfeindlichkeit deckte sich mit Kunstfeindlichkeit.

Es ist nicht nötig, die Gleichung Mutter-Medusa zu überspannen. Der Dichter hat ja auch dem Mythos seine Eigenständigkeit zu wahren gesucht – schon aus Gründen der Tarnung. Aber daß hier inwendige Figurationen und Mutterdeutungen zum Zuge kamen, scheint mir unverkennbar. Die tödlich lähmende Wirkung auf die Schaffenskräfte des Sohnes ist zur Genüge bekannt. Neu ist hier nur die Erkenntnis, daß der Sohn diese Konflikte, mythisch verschlüsselt zwar, klar ins Wort gerufen hat. Die Einsicht der Medusa [‹medusa› heißt ja die ‹Sinnende›] in ihr mörderliches Tun müßte den lieblichen Traum zerstören. Sie wird ihr gnädig erspart; es ist ja das Recht des Traumes, Unpassendes wegzulassen! Zwar wird das kommende in einer blutähnlichen Vision angedeutet, aber sie wird in ein beglückendes

Farbsymbol abgewandelt: Purpurtuch. In Konsequenz dieser Wandlung bleibt das Traumbild genau:

> Das Graun ist aufgelöst in Seligkeit,
> Begonnen hat der Seele Feierzeit.

Das sind Worte, die zwischen Traum und Seligkeits-, beziehungsweise Jenseitsvorstellungen schweben; die Grenze zwischen Traum und Tod wird bewußt verwischt. Diese Verwischung wird auch in den folgenden Versen beibehalten:

> Der Dämmer herrscht. Das harte Licht verblich.
> Als eine der Erlösten fühlt sie sich.

Und jetzt schon ist, wenigstens im Bereich des Gefühls, die Grenze zwischen Diesseits und Jenseits überschritten; sie *ist* erlöst:

> Sie fürchtet keines Schreckens Wiederkehr,
> Sie weiß, die Qualen kommen nimmermehr,
> Nein, nimmermehr, und nun ist alles gut!

Das bedeutet endgültige Erlöstheit, Seligkeit. So ist der tödliche Streich des Perseus nur noch eine notwendig gewordene Grenzüberschreitung; jedes mörderische, rächende Moment ist ihm genommen; würde man nicht von ihm aus dem traditionellen Mythos wissen, würde man ihn kaum mehr bemerken. Er wird nur noch in zwei Verben angedeutet: «... Sie zuckt. Sie windet sich.» Und im Verb des Schlusses – «Sie ruht» – sind Traum und Tod eins geworden.

Besinnen wir uns auf das Ganze, so ergibt sich, daß der Mythos von Perseus und der Gorgo Medusa eine fundamentale Veränderung erfahren hat. Meyer hat über dem mythischen Geschehen ganz neue Akzente gesetzt, indem er der Vorgeschichte der Gorgo Medusa größtes Gewicht beimaß und ihr Ende mit dieser Vorgeschichte in enge Beziehung brachte. Perseus tritt dadurch in den Hintergrund, wird zum Vollstrecker einer höheren Heilskraft, zum Wohltäter.

Was er damit erreichte, daß er die Mordtat des Perseus an Medusa herunterspielte? Die Befreiung von der Schuld am Tode der Mutter, die zweifellos über Jahre hin auf ihm lastete! Indem er sich mit Perseus identifiziert, weiß er sich im Dienste höherer Mächte, die letzten Endes nur das Heil und die Seligkeit wollen.

Am Himmelstor

Drei bis vier Jahre nach «Die sterbende Meduse» entstand das Gedicht «Am Himmelstor»[35]. Daß es in Beziehung auf das tragende Motiv mit einem Märchen aus 1001 Nacht, das im zugehörigen Kommentarband[36] zitiert wird, zusammengebracht werden kann, wie Hans Zeller überzeugend nachweist, bleibt unbestritten; auch daß sein Wortlaut aus den Entwürfen zu «Der Pilger und die Sarazenin» abgezweigt wurde und daß sogar eine Stelle aus Goethes «Werther» eingewirkt haben könnte[37], darf ohne weiteres seine Geltung bewahren. Die Flucht in Literarisches, sogar in ein Märchenthema, deutet ja gerade auf ein starkes persönliches Engagement. Und daß er das Gedicht, laut einem Brief an J. V. Widmann, bei Anlegung der Sammlung von 1882 einmal wegzulassen gedachte – weil zu unbedeutend, wie er sagte –, dürfte von der Angst mitbestimmt gewesen sein, er könnte dabei Persönlichstes preisgeben.

Das Gedicht als eine einprägsame Stufe eines Emanzipationsprozesses und damit als eine zentrale innere Figuration zu verstehen, dafür bleiben, wie wir bald sehen werden, auch so noch Gründe genug:

Am Himmelstor

Mir träumt', ich komm ans Himmelstor
Und finde dich, die Süße!
Du saßest bei dem Quell davor
Und wuschest dir die Füße.

Du wuschest, wuschest ohne Rast
Den blendend weißen Schimmer,
Begannst mit wunderlicher Hast
Dein Werk von neuem immer.

Ich frug: «Was badest du dich hier
Mit tränennassen Wangen?»
Du sprachst: «Weil ich im Staub mit dir,
So tief im Staub gegangen.»[38]

Es fragt sich zunächst, auf wen die Aussagen dieses Gedichtes, wenn sie nicht nur märchenhaft-allgemein in den Wind gesprochen sein sollen, im Menschenkreis um Conrad passen könnten. Da die Schwester Betsy für die traumhafte Erhebung zum Himmelstor keinen Anlaß gibt – sie lebte ja um diese Zeit noch in leibhafter schwesterlicher Nähe – kann doch einzig und allein auf *eine* Gestalt geschlossen werden: auf die Mutter. Auf sie sind alle Aussagen ohne Ausnahme übertragbar. Nur mit ihr besteht – wir wissen es schon längst – eine langdauernde Schuldverhaftung, die in diesen Versen so einprägsam zum Ausdruck kommt.

Das Motiv einer exzessiv betriebenen Fußwaschung ist dabei für einen Poeten, der einst selbst von einer Reinlichkeitspsychose befallen worden war, sehr naheliegend. Und natürlich drängt sich für einen Menschen, der sich gerne im Bilde eines Erdenpilgers sah, das Motiv der Pforte auf, vor deren Schwelle man sich den Staub von den Füßen zu schütteln pflegt. Entscheidend aber ist, wie angedeutet, zwischen diesem ‹süßen› weiblichen Du und dem Gesprächspartner, dem Frager, daß sie miteinander «so tief im Staub gegangen». So kann nur der Sohn Conrad von seiner Mutter reden! Nur zwischen ihnen bestand die viele Jahre dauernde Frustration und der vergebliche Versuch von an sich Unschuldigen, ihre Schuld von sich zu tun. Dies wird großartig in den Gebärden symbolisiert, in der ‹wunderlichen Hast› eines sinnlosen Unterfangens, der Waschung bereits weißer, (todes-)weißer Füße.

Und in den Augen des Träumenden ist der Staub schon längst weggewaschen, beseitigt; nur in den Augen der Süßen, deren (Reue-)Tränen die Wangen befeuchten, bleibt noch immer Staub an den Füßen haften. Das tragische Zerwürfnis zweier Menschen, die einander in Liebe verbunden sind und sich doch wehtun müssen: Wie könnte diese Mutter-Sohnbeziehung in ihrem Grundwesen ergreifender dargestellt werden!

Im Vergleich zum mythischen Motiv von Perseus und Medusa ist nun aber die Aktion des Tötens aufgehoben; am Himmelstor, just an der Pforte zum Eintritt in die Seligkeit, hat der Tod seine Wirkkraft eingebüßt. Noch ist die Seligkeit, die Erlöstheit nicht ganz da, aber sie steht unmittelbar bevor.

Daß sie, die Mutter, diese Reinigung am Himmelstor vollzieht, verweist auf Begnadung und Versöhnung. Mutter und Sohn sind zwar «so tief im Staub gegangen», beide sind aneinander schuldig geworden. Ein Dämon hat sie in die gegenseitige Unduldsamkeit, in Hader und Streit getrieben; aber die süße Partnerin, die Mutter, ist eine schuldlos Schuldige, sie ist schon rein, ehe sie sich an das wunderliche Bad macht.

Die Traumvision läßt noch einmal die ins Krankhafte gesteigerte Selbstbezichtigung erkennen, an der die zarte, überfromme Frau zerbrochen ist.

Aber in die Vision vom Himmelstor ist auch das Schuldbewußtsein des Sohnes miteinverwoben, deutlich artikuliert in dem ‹mit dir› der zweitletzten Zeile. Doch nun, am Himmelstor, ist die Schuld getilgt, die Erlösung nahe. Im nächsten Gedicht, das wir einer Betrachtung unterziehen, wird das Himmelstor aufgegangen sein. Doch ehe wir uns ihm zuwenden, wollen wir den Stufenweg der Verklärung nachzeichnen, den der Dichter seit dem Tode der Mutter gegangen ist.

Unter den Bildern, die diesen zunächst vom bildfeindlich-abstrakten Glauben der Kirche Zwinglis und von einem strengen Calvinismus geprägten Menschen auf seinen mannigfachen Wanderfahrten bezauberten, standen an vorderster Stelle Darstellungen der Gottesmutter Maria, und unter ihnen Assunta, die zum Himmel Auffahrende. Ihr begegnete er – von der Hand Murillos – ein halbes Jahr nach dem Tode der Mutter im Louvre, dann, weniger majestätisch, dafür vielleicht schlichter und wärmer, in der Klosterkirche zu Engelberg, noch im selben Jahre 1857. Und Engelberg, Berg der Engel, Mons Angelorum wird ihm zum Symbol eines ins Überirdische verklärten Muttertums. Eben dies wird ja in der Mitte der anderthalb Jahrzehnte später erscheinenden Versdichtung «Engelberg» stehen. Und «Engelberg» stand, wie leicht nachzuweisen ist, vor der Hutten-Dichtung lange im Zentrum seiner dichterischen Bemühungen[39].

Noch tiefer und mächtiger als das Engelberger Altarbild aus dem Hochbarock ergriff ihn im Winter 1871/72 die berühmte Assunta des Tizian in Santa Maria dei Frari zu Venedig. Ihr hat er – Zeichen seiner Ergriffenheit – ein ganzes Kapitel im Zweiten Buch seines Romans «Jürg Jenatsch» gewidmet[40]. Natürlich geht es im Roman um ganz anderes als um Adoration und Verklärung, nämlich um die eigenartige Konstellation der Gesellschaft der Lebenden, die in diesem Raum und vor diesem Bilde sich entfaltet. Aber daß er die Assunta Tizians zum Szenarium erkor, das ist eben doch höchst eigenartig und durchaus nicht aus der inneren Konsequenz der Romanfabel erklärbar. Die Wahl verweist auf die unterschwelligen seelischen Bezüge des Verfassers.

Aber lange vor «Jürg Jenatsch», nämlich schon in «Huttens letzte Tage» wird das Motiv der Gottesmutter in höchst eigenartiger Weise in das Geschehen um den todkranken Hutten hineinverwoben, wiederum ohne, oder sogar gegen den Grundsinn und den protestantischen Geist der Erzählfolge. Dagegen läßt die Bildszene neben dem Thema Mutter eine andere tief gegründete Konfliktlage des Dichters aufleuchten, nämlich seinen inneren Widerstand gegen die Bildfeindlichkeit der zwinglianischen Kirche.

Die Bilderstürmer

Ich sprach: So, Hutten, kann's nicht länger gehn,
Heut mußt du wieder einmal Menschen sehn!

Und sprang ins Boot und bahnte mir den Pfad
Mit Ruderschlag ans rechte Seegestad.

Ein stattlich Dorf erzielt' ich mit dem Boot –
Da regte sich's, als wäre Feuersnot.

Wo sich der Dorfbach in den See ergoß,
Lärmt' eine Männerschar, ein Kindertroß.

Aus ihrem Kirchlein schleppten mit Geschrei
Die Bilder ihrer Heil'gen sie herbei

Und warfen in die Flut den ganzen Hort
Mit manchem schnöden Witz und frechem Wort.

Der Strudel führte weg den alten Graus
Und wusch der Märtrer blut'ge Wunden aus.

Wachsherz, Votivgeschenk, Reliquienschrein
Flog alles lustig in den Bach hinein –

Da werd' ich eines Steingebilds gewahr,
Mit schwiel'gen Händen hob's ein Männerpaar

Und ich erschrak. Es war ein zart Gebild:
Die Magd Maria lächelte so mild

Und sah das grobe Volk so rührend an
Als spräche sie: Was hab' ich euch getan!

Wie kam das Werk in dieses Kirchleins Raum?
In Nürnberg selber sah ich Bessres kaum.

Man fühlte, daß ein Meister spät und früh
Daran gewendet lauter Lieb und Müh.

Zerstören, was ein gläubig Herze schuf,
Gehorsam einem leisen Engelruf,

Vernichten eine fromme Schöpferlust,
Ein Frevel ist's! Ich fühlt's in tiefer Brust …

Gebiet ich Halt? Ich? Ulrich Hutten? Nein …
Ihr Männer, stürzt das Götzenbild hinein!

Ich trat hervor und rief's mit strengem Mund.
Sie warfen. Etwas Edles ging zu Grund. [41]

Hutten, und mit ihm der vom Calvinismus beeindruckte Zwinglianer Conrad Ferdinand Meyer, lehnt die Bilderverehrung und Bildanbetung nach katholischen Bräuchen ab. Bilderkult wurde von den Anhängern Luthers als Götzendienst apostrophiert. Für die Anhänger Zwinglis galt diese Bildfeindlichkeit auch für den gekreuzigten und den auferstandenen Christus. Wieviel mehr noch für die Marienbilder!

Hutten bleibt denn auch in unserem Gedicht «Die Bilderstürmer» nach einem kurzen Zögern kompromißlos: Der Bildersturm verträgt keine Ausnahmen. Doch gilt nun genauer zu beobachten, was bei Hutten das Zögern auslöst: «Die Magd Maria lächelte so mild.»

Die Verklärung alles Muttertums in der Gottesmutter Maria macht ihn für einige Augenblicke stutzig, betroffen, und er ist nahe daran, den Bilderstürmern Halt zu gebieten. Aber Hutten überspielt seine innere Betroffenheit mit seinem rigorosen Protestantismus. Doch selbst bei ihm setzt sich der Entschluß zur Kompromißlosigkeit nicht eindeutig durch; noch in der Schluß-Zeile der Strophenfolge vom Bildersturm bleibt ein Rest ungelöster Problematik des stürmerischen Fanatismus: «Etwas Edles ging zu Grund.»

Meyer läßt diesen Widerspruch bei Ulrich von Hutten offen. Er selbst aber verrät mit dieser Zäsur in der bilderstürmerischen Szene, in dieser Aussparung des Marienbildes, die eigentümliche Konstellation seiner seelischen Struktur: Hier ist ein hohes, dem Sakrosankten zuzuordnendes Tabu wirksam, ein kultisches Verhalten ist mit im Spiele. Gottesmutter / Menschenmutter / verklärte Dichtermutter sind eins geworden.

Welche Tiefen dieses und die anderen Marienbilder in ihm anrührten, zeigt die Nachhaltigkeit. Denn abgesehen von dem bereits vorweggenommenen Kapitel des «Jürg Jenatsch» ist ja die Jungfrau Maria und die Frage ihrer Göttlichkeit noch einmal aufgegriffen und diesmal in die Mitte einer Novelle, der ersten Prosadichtung Meyers, gerückt worden, im «Amulett». Die Novelle entstand in der Nachfolge der Engelberg- und der Huttendichtung und ist als Zwischenfrucht zwischen den langen Bemühungen um den Jenatsch-Stoff zu verstehen. Es sei nochmals in Erinnerung gerufen, daß das Marienmotiv unübersehbar in allen vier Werken Eingang gefunden und daß es in zweien von ihnen, in «Engelberg» und im «Amulett» eine zentrale Funktion, beziehungsweise eine Schlüsselstellung einnimmt.

Während «Engelberg» in diesem Buche einer besonderen eingehenden Betrachtung unterzogen wird, ist es nötig, die Schlüsselstelle im «Amulett»[42], die ja mit dem Titel der Novelle in engster Verbindung steht, im Wortlaut anzuführen.

Der Protestant Schadau zählt vor Boccard (der ihm später als Freund zur Seite treten wird) die Schwächen des Papismus auf, kommt dabei auf den Reliquienkult und die Bilderanbetung zu sprechen. Seine kritischen Bemerkungen werden vom katholischen Partner mit wenigen sachlichen Einschränkungen angenommen. Dann aber wirft Schadau den Ausspruch «Dieser alberne Mariendienst ...» ins Gespräch. Nun wörtlich:

> Kaum war das Wort ausgesprochen, so veränderte sich das helle Angesicht des Fryburgers [Boccards], das Blut stieg ihm mit Gewalt zu Haupte, zornrot sprang er vom Sessel auf, legte die Hand an den Degen und rief mir zu: «Wollt Ihr mich persönlich beleidigen? Ist das Eure Absicht, so zieht!»

Boccard läßt sich durch das Fräulein (Gasparde) und Schadau, der selbst seine Ruhe bewahrt hat, besänftigen und begründet im Folgenden seine heftige Aufwallung, weil nämlich, wie er sagt, «unsere liebe Frau von Einsiedeln ein Wunder an mir Unwürdigem getan hat». Auch bekennt er, daß eine Votivtafel im Kloster dieses Wunder bezeuge:

«In meinem dritten Jahre befiel mich eine schwere Krankheit und ich blieb in Folge derselben an allen Gliedern gelähmt. Alle erdenklichen Mittel wurden vergeblich angewendet, aber kein Arzt wußte Rat. Endlich tat meine liebe gute Mutter barfuß für mich eine Wallfahrt nach Einsiedeln. Und, siehe da, es geschah ein Gnadenwunder! Von Stund an ging es besser mit mir, ich erstarkte und gedieh und bin heute, wie ihr seht, ein Mann von gesunden und geraden Gliedern! Nur der guten Dame von Einsiedeln danke ich es, wenn ich heute meiner Jugend froh bin und nicht als ein unnützer Krüppel mein Herz in Gram verzehre. So werdet ihr es begreifen, liebe Herrn, und natürlich finden, daß ich meiner Helferin zeitlebens zu Dank verbunden und herzlich zugetan bleibe.»

Mit diesen Worten zog er eine seidene Schnur, die er um den Hals trug und an der ein Medaillon hing, aus dem Wams hervor und küßte es mit Inbrunst.

Herr Chatillon, der ihn mit einem seltsamen Gemisch von Spott und Rührung betrachtete, begann nun in seiner verbindlichen Weise: «Aber glaubt Ihr wohl, Herr Boccard, daß jede Madonna diese glückliche Kur an Euch hätte verrichten können?»

«Nicht doch!» versetzte Boccard lebhaft, «die Meinigen versuchten es an manchem Gnadenorte, bis sie an die rechte Pforte klopften. Die liebe Frau von Einsiedeln ist eben einzig in ihrer Art.»

Wir wissen, wie dieses Medaillon, dieses Amulett, zum Bindestück der ganzen Novelle wird, wie es Boccard seinem Freunde Schadau bei einer inszenierten Umarmung in dessen Wamstasche gleiten läßt und wie es an dieser Körperstelle im nachfolgenden Duell mit dem Grafen Guiche den langsamen Berner Schadau gegen den tödlichen Stich des Franzosen schützt. Wir wissen ferner, daß es, im Getümmel der Bartholomäusnacht, den treuen Boccard nicht wider die tödliche Kugel schützt. Damit bleibt das Mysterium der wundertätigen lieben Frau von Einsiedeln offen; das Medaillon schützt zwar den Ungläubigen aber überantwortet seinen gläubigen Träger seinem Todesschicksal. Die beiden Stellen, Zweikampf Schadau/Guiche und Tod Boccards werden dabei zu Paradeszenen für den Widersinn und die Absurdität der calvinistischen Prädestinationslehre[43].

Für unseren Zusammenhang bleibt aber von entscheidender Wichtigkeit die Integration des Marienbildes, der lieben Frau von Einsiedeln, in den Geschehnisablauf der Novellenfabel. Ihm, dem Amulett mit dem Bilde der wundertätigen Maria, wird eine zentrale Funktion im Ganzen zugewiesen.

Fassen wir kurz zusammen: Das verklärte Bild der toten Mutter, Tizians Assunta zu Venedig, das Marienbild zu Engelberg und das Gnadenbild der Maria von Einsiedeln schlossen sich zusammen und drängten den Dichter zu mehrfacher poetischer Gestaltung. Das Muttererlebnis und dieser Sublimationsvorgang erlaubten zugleich eine Weiterung des religiösen Weltbildes, bewirkten überhaupt, daß aus dem abstrakten religiösen Denkgerüst ein dichterisch geschautes Welt-*Bild* wurde.

«Die tote Liebe» und «Hesperos»

Die von den Schlacken der irdisch-menschlichen Begrenztheit gereinigte und verklärte Mutter, die von der Trübung durch eigene Schuldgefühle gelöste, *seine* Mutter war es, die Conrad Ferdinand Meyer, der lebenslange Bewunderer hoher Kunst, in den Madonnen-Bildern erkannte, beziehungsweise in sie hineinlegte. Die Identifikation war um so leichter möglich, als, wie wir bereits wissen, Frau Elisabeth Meyer-Ulrich selbst, zumindest in ihren jungen Jahren, eine Frau von fast überzarter Schönheit war. Als solche blieb sie den beiden Kindern, Conrad und Betsy, im Gedächtnis. Beide fühlten sich durch den tragischen Tod der Mutter, vielleicht sogar durch gemeinsame Schuldgefühle, tief verbunden. Das verklärte Bild der Mutter war ihr köstlichster gemeinsamer Besitz. Sie fühlten sich untereinander und mit der Dahingegangenen in gleicher Liebe vereinigt.

Davon kündet nun in ergreifender Weise, sofern wir eine solche psychologische Deutung an einem Gedicht dieser Art zulassen[44], das Gedicht

Die tote Liebe

Entgegen wandeln wir
Dem Dorf im Sonnenkuß,
Fast wie das Jüngerpaar
Nach Emmaus,
Dazwischen leise
Redend schritt
Der Meister, dem sie folgten
Und der den Tod erlitt.
So wandelt zwischen uns
Im Abendlicht
Unsre tote Liebe,
Die leise spricht.
Sie weiß für das Geheimnis
Ein heimlich Wort,
Sie kennt der Seelen
Allertiefsten Hort.

Sie deutet und erläutert
Uns jedes Ding,
Sie sagt: So ist's gekommen,
Daß ich am Holze hing.
Ihr habet mich verleugnet
Und schlimm verhöhnt,
Ich saß im Purpur,
Blutig, dorngekrönt,
Ich habe Tod erlitten,
Den Tod bezwang ich bald,
Und geh in eurer Mitten
Als himmlische Gestalt –
Da ward die Weggesellin
Von uns erkannt,
Da hat uns wie den Jüngern
Das Herz gebrannt.[45]

Aus dem ausführlichen Kommentar von Hans Zeller wissen wir, daß dieses Gedicht eine besonders lange Entstehungsgeschichte hat, daß es bereits im Manuskript der Bilder und Balladen des Jahres 1860 erscheint, daß es erst im Jahre 1879, als Beitrag in der Deutschen Dichterhalle motivisch und stofflich ausgereift ist und von hier aus, rhythmisch und formal völlig umgestaltet, in die mehr oder weniger endgültige Gestalt der «Gedichte» des Jahres 1882 überging.

Ebenfalls von Hans Zeller wissen wir, daß die Erstfassung[46] von einer weiteren Gestalt – außer Christus und den Jüngern – noch nichts andeutet. Hier beschränkt sich der angehende Dichter noch auf die poetische Paraphrase zum Bibeltext (Markus 16, 12–13 und Lukas 24, 13–35): es sollte eines der lyrischen Bilder werden, die ihm für eine erste Veröffentlichung vorschwebten.

Was ihn von Anfang an, offenbar schon damals, als er sich die Emmaus-Stelle im Markus-Evangelium markierte, in Anspruch nahm, war die von beiden Evangelien festgehaltene Zweizahl der Jünger und ihr gemeinsames Wandern auf dem Weg nach Emmaus. Diese Zweizahl ermöglichte ihm die (zunächst wohl unbewußte) Identifikation. Denn wie die Christus-Jünger, so pflegte er mit seiner Schwester Betsy zu wandern[47].

Die beiden Jünger gedenken – nach Lukas – in schmerzlicher Trauer des eben Geschehenen, des Kreuzestodes Jesu, und sie müssen sich – verständlicherweise – sagen, daß seine Messias-Verheißung nicht in Erfüllung gegangen ist. Gemeinsame Trauer, gemeinsamer Schmerz, gemeinsamer Kleinmut, das Bild des entschwundenen Meisters in frischester Erinnerung: in solchen Gefühlen und Empfindungen finden sie sich mit dem Jüngerpaar auf gleicher Ebene. Diese Übereinstimmung genügt zunächst. Ein religiöses Lied im Volkston, beinahe bänkelsängerisch, entsteht, da und dort noch unbeholfen und schwerfällig in der Wortwahl.

Der Gang

Im Abendlicht zwei Wandrer,
Sie schreiten über Feld,
Zu denen sich ein andrer
Mit trauten Worten hält. (Str. 1)

Noch ragt da auch der Wortgebrauch der Pietisten, das heißt des mütterlichen Wortschatzes herein:

«Und ist er auch verschwunden,
So ists für eine Zeit:
Es reift in schweren Stunden
Die wahre *Freudigkeit.*» (Str. 8)

Noch ist auch dem bänkelsängerischen Ton die prägnantere Aussage zum Opfer gefallen. Nicht einmal die berühmte Zusicherung der Jünger-Botschaft, «er ist wahrhaftig auferstanden» ist in eine wortmächtige Variation gegossen; vielmehr beschließt eine eher unbeholfene Verquickung der zwei einprägsamsten Aussagen das zwölfstrophige Gedicht:

Und Einer sagt zum Andern:
Er war's. Er auferstand!
Und hat dir nicht im Wandern,
Mir hat das Herz gebrannt.

Die Strophen bleiben ganz im Stoff- und Motivbereich der biblischen Erzählung.

Ein erster Versuch, aus der biblischen Welt auszuscheren und die Figur des Auferstandenen durch eine andere zu ersetzen, wird – nach Hans Zellers Kommentar – 1871 unternommen:

Gehen Zwei im Dämmerlicht
Mit gelassnem Schritte,
Bleibt davon der Dritte nicht,
Tritt in ihre Mitte.
Fragst du, wer der Dritte sei?
Frei von Leibesbanden:
Alle(s) Liebe drin die Zwei
Selig einverstanden.

Der Versuch zeigt, daß die Tarnung durch den biblischen Stoff noch nicht durchbrochen ist; noch wagt der Dichter nicht, eine greifbare menschliche Gestalt einzuführen; vielmehr wird noch deutlich gesagt, der «Dritte» sei «frei von Leibesbanden». Er wird mit der Liebe gleichgesetzt, worin die «Zwei» miteinander «selig einverstanden», was wohl bedeutet, daß sie sich in einer gemeinsamen großen Liebe treffen. Die Erscheinung des Dritten wird also in ihr subjektives seelisches Erleben hereingeholt.

Erst weitere zwei Jahre später verdichtet sich das zuvor mit «Liebe» Angedeutete, und zwar gleich in zwei bedeutsamen Aussagen. Erstens wird nun die Identifikation Christusjünger-Geschwisterpaar auch im Wort ausgesagt:

> *Wir* wandern wieder auf den trauten Wegen
> Wie vormals unserm stillen Dorf entgegen,
> *Mir* klopft das Herz in immer lautern Schlägen.

Zweitens aber wird jetzt in der verbalen Aussage das Gefühlsabstraktum ‹Liebe› personifiziert und gleichzeitig auch schon die Möglichkeit gesetzt, die mit ‹sie› angeredete Person des Dritten mit der Mutter in Verbindung zu bringen:

> Und wüßt' ich nicht, daß *sie* den Tod erlitten,
> Ich meint', es käme dort aus Feldes Mitten
> Die alte Liebe zu mir hergeschritten.

Ein weiteres halbes Jahrzehnt später[48] wird dieses vorerst nur erahnbare Mutterbild sogar im Gedichttitel (der später noch mehrmals verändert wird) genauer artikuliert:

> Auferstandene Liebe
> Alte Liebe.

Und jetzt tritt neu – in den Versen 7–9 – die eigene Schuld, also die Henkersfunktion dem Gemarterten gegenüber, ins Licht:

> Wir haben *sie* gemartert und gebunden,
> Mit scharfen Dornenspitzen *sie* umwunden

oder:

> Mit Dornen sie gekrönt in finstern Stunden,
> Bis sie verschied an blutgen, tiefen Wunden ...

Es folgt die Formulierung der vorangehenden Version: «Und wüßt' ich nicht ...»

Aber dann wird nochmals der Versuch unternommen, die Identifikation mit der toten Liebe wieder zu verwischen und den auferstandenen Christus wieder ins Gedicht einzubringen (V. 16–18):

> Wir sind die Jünger, die nach Emmaus gehen …
> Fühlst Du die Glut von Herz zu Herzen wehen,
> Die Liebe wandert mit uns ungesehen.

Doch dann bricht doch das Bild der auferstandenen Mutter unverstellt durch (V. 19–21):

> Sie lebt, sie lebt! Sie brach die Todesbande!
> Sie löste sich die kalten Grabgewande
> Und dort glüht Emmaus im Abendbrande.

Erst jetzt wird der Versuch unternommen, Christus, den Dorngekrönten und Gemarterten ganz mit der toten und auferstandenen Liebe gleichzusetzen, und zwar auch in dem Sinne, daß sie die Lehrerin und Nährerin genannt wird, die das Brot des Lebens spendete. Jetzt wird die Mutter als Heilsbringerin und als Lamm Gottes stilisiert, bis zur vollen Identifikation mit Christus sublimiert. Mit dieser Version sind wir in die Nähe der endgültigen Fassung, ins Jahr 1879, vorgestoßen:

> Hier lehrt' ich euch der Seele tiefste Worte,
> Hier tränkt' und speist' ich euch aus meinem Horte …
> Ihr aber habt mich auf das Kreuz gebunden,
> Daß ich verschied an blut'gen tiefen Wunden.
> Ihr suchet mich in meinen Grabgewanden!
> Und kennt mich nicht? … Ich bin vom Tod erstanden!

Die am Anfang zitierte endgültige Fassung unterscheidet sich im stofflichen Gehalt und in der Abfolge der Motive nur noch geringfügig von der für die Deutsche Dichterhalle hergerichteten Form. Entscheidend für Stil und Ton wird nun die Verwandlung der fünfhebigen Jambenverse in die zwei- bis dreihebigen Kurzzeilen. Die Aussage wird dadurch wieder wie in der zwei Jahrzehnte früher entstandenen Erstfassung knapper, fragmentarischer; doch hat sie nun jeden bänkelsängerischen und erbaulich-frommen Liedton verloren und wirkt damit in ihrer Aussage beinahe lapidar.

Aber halten wir dazu fest: In solcher Weise über alles Menschliche erhöht und dem Gekreuzigten gleichgestellt, ja mit ihm identifiziert, das kann nur die tote und im Tode überhöhte Mutter sein, und die zwei, die «fast wie das Jüngerpaar nach Emmaus» ziehen, das können nur die unzertrennlich verbundenen Geschwister sein. Das Martyrium ihres Lebens und Sterbens und der Glaube an einen seligen Tod – bei Selbstmörderinnen in jener Zeit noch keine Selbstverständlichkeit – dieser Mutter, die nur das Beste für ihre

Kinder gewollt und die doch eine schwere Krise in ihrem Sohne bewirkt hatte: So sah sie Conrad Ferdinand Meyer nach dem endlichen Durchbruch in die Dichterexistenz, und nur er durfte diese Gleichung zwischen Christus und seiner Mutter wagen.

Hesperos

Doch dieses Wagnis war noch nicht die letzte Stufe dieses Wandels des Mutterbildes, dieser geradezu klassischen Sublimation! Die Hoffnung, der Glaube an ihre himmlische Verklärung erregte noch eine andere Erhöhung. Sie ist an den schon in früher Antike verbreiteten Glauben an die Sternwerdung, an die «Verstirnung» heldischer Menschen geknüpft. Ohne ihn wäre ja die traditionelle Benennung unserer Sternbilder und damit die Aufteilung des nächtlichen Himmelsraumes nicht denkbar. In christlicher Zeit konkretisierte er den Glauben an den Eingang der selig Entschlafenen in die himmlischen Gefilde. Sublimierte poetisch geschaute Metaphysik und kindliches Hoffen suchten darin ihren Ausdruck. Davon kündet das Gedicht «Hesperos» (Abendstern).

Hesperos

Über schwarzem Tannenhange
Schimmerst mir zum Abendgange,
Eine Liebe fühl ich neigen
Sich in deinem Niedersteigen,
Unbemerkt bist du gekommen,
Aus der blassen Luft entglommen –
So mit ungehörten Tritten
Durch die Dämmrung hergeglitten
Kam die Mutter, die mir legte
Auf die Schulter die bewegte
Hand, daß ich ihr nicht verhehle,
Was ich leide, was mich quäle,
Und warum ich ohne Klage
Mich verzehre, mich zernage.
Und ich schwieg und unter Zähren
Ließ sie meinen Trotz gewähren.
Hat sie Wohnung jetzt, die Milde,
Dort in deinem Lichtgefilde?
Deiner Strahlen saug ich jeden,
Durch das Dunkel hör ich reden,
(Und mir ist, als ob die kühle
Hand ich auf der Schulter fühle)
Reden nicht von Seligkeiten,

Nur Erinnrung alter Zeiten –
Jetzt versteht sie ohne Kunde
Wer ich bin im Herzensgrunde.
Dies und jenes muß sie schelten,
Andres läßt sie heiter gelten,
Und sie meint, wie sich's entschieden,
Gebe sie sich auch zufrieden ...
Abendstern, du eilst geschwinde!
Laß sie plaudern mit dem Kinde!
Freundlich zitternd gehst du nieder ...
Mutter, Mutter, komme wieder![49]

Das Gedicht scheint mehr oder weniger in *einem* Guß[50], und zwar erst kurz vor Erscheinen der «Gedichte» (1882) entstanden zu sein, in einer Zeit also, da der wohlinstallierte Dichter den Mut gewonnen hatte, sein Persönlichstes, soweit er es hinter sich gebracht hatte, ohne Verschleierung zum Ausdruck zu bringen. Auch dies Zeichen des unerhört schweren, aber klar erkennbaren Reifungsprozesses. Jetzt konnte er es auch wagen, die Mutter selbst, nicht nur ein namenloses Du, ins Bild zu rufen. Bezeichnend ist freilich, daß die Traum- und Wunschmutter, die ihm nun zur Seite tritt, sozusagen nur mit Negationen, Negationen dessen, was sich einst abgespielt hatte, umkreist wird. Um so deutlicher tritt die Antithese wirkliche Mutter-Traumutter und damit die Bewältigung des Muttertraumas ins Licht!

Nun ist jenes abgrundtiefe Zerwürfnis, das einst die Bindung zwischen Mutter und Sohn zur Qual hatte werden lassen, ganz geschwunden und die Mutter der Kinderzeit tritt wieder hervor. Jetzt ist die moralistische Unverträglichkeit, der mitleidige Tadel am Wesen ihres «armen Conrad» abgebaut; eine teilnehmende Güte und ein tiefes Verständnis für sein Wesen sind an deren Stelle getreten:

Jetzt versteht sie ohne Kunde,
Wer ich bin im Herzensgrunde.

Nun lehnt sie sich nicht mehr auf gegen das Schicksal, mit einem mißratenen Sohn geschlagen zu sein:

Und sie meint, wie sich's entschieden,
Gebe sie sich auch zufrieden.

Ihr ganzes Verhalten und Reden hat sich ins Gegenteil gekehrt: Jetzt führt sie die ewige Seligkeit, ihre pietistische Weltflucht, nicht mehr ständig im Munde und anbefiehlt den unglücklichen Sohn nicht mehr der Gnade des

Erlösers, nachdem sie ihn für diese Welt und die Tage hienieden aufgegeben. Vielmehr vergegenwärtigt sie sich jetzt die selige Kinderzeit:

> Reden nicht von Seligkeiten,
> Nur Erinnrung alter Zeiten!

Sogar ihr abweisendes, jede Liebkosung scheuendes Wesen scheint nunmehr korrigiert. Die seine «Hitzen» beschwichtigende kühlende Hand wird ihm auf den Schultern spürbar:

> Und mir ist, als ob die kühle
> Hand ich auf der Schulter fühle.

So ist an die Stelle der irdischen, leiblichen Mutter das Traumbild der himmlischen, verklärten Mutter getreten, einer Mutter, die zwar die Züge ihrer heiteren jungen Jahre bewahrt hat, darüber hinaus aber, wie die Gottesmutter, alles Muttertum in sich vereinigt und die still wie Hesperos, der Abendstern, über seinem Lebenswandel in den Abend hinein dahinzieht. Ein Bild, dessen Wiederkunft sein ganzes Sehnen erfüllt:

> Mutter, Mutter, komme wieder!

Cécile Borrel und Conrad Ferdinand Meyer

Préfargier und Neuenburg

Unter den Frauengestalten, die auf den werdenden Dichter Conrad Ferdinand Meyer einen entscheidenden Einfluß ausübten, steht Cécile Borrel, die leibliche Schwester James Borrels, der kurz vor Conrad Meyers Eintritt, 1852, die Leitung der Anstalt Préfargier am Nordwestende des Neuenburgersees von Dr. Bovet übernommen hatte. Cécile war sozusagen die rechte Hand ihres Bruders und war, wenn nicht de iure, so doch de facto die Oberschwester dieses Irren-Asyls (asyle d'aliénés), das sich Maison de Santé nannte. Mit ihrem Bruder zusammen – beide waren unverheiratet – leitete sie die Anstalt und war mit ihr verwachsen. Es scheint überdies, daß sie auch einen Teil der Anstaltskorrespondenz besorgte. Den Schwesternberuf scheint sie in einem Diakonissenhaus protestantisch-calvinistischer Prägung gelernt zu haben. Ihre fromme Gläubigkeit und ihr unbegrenzter, selbstloser, vom christlichen Ethos bestimmter Einsatz, davon war ihre ganze Existenz erfüllt, wie denn das Asyl als religiöses Haus zu verstehen ist. Denn ein Bruder von James und Cécile, Fritz Borrel, war als Anstaltsgeistlicher und geistig-seelischer Betreuer der Patienten tätig[1]. Ein weiteres Mitglied der Anstaltsleitung, Charles de Marval, Assistent des leitenden Arztes, ein philosophisch-theologisch interessierter Kopf, vervollständigte das von sittlichem Ernst und Einsatzfreude bestimmte Team.

Begleitet von der Mutter und einem Verwandten, war Meyer am 12. Juni 1852 in Préfargier eingetroffen[2]. Wie der Ausspruch, den Conrad nach Freys[3] Darstellung beim Anblick der Mauern von Préfargier getan haben soll: «Ich glaube, ich bin gesund», zu deuten ist, ist heute nicht mehr so klar, wie es bis jetzt den Anschein hatte. Könnte es doch ebensosehr ein Versuch sein, den Eintritt im letzten Augenblick abzuwenden, als ein Geständnis, daß er bereits geheilt sei. Jedenfalls wurde, wie die Briefe James Borrels an die Mutter[4] bezeugen, der Patient am Anfang von einer tiefen Ausweglosigkeit verfolgt. In den ersten Wochen beherrschte ihn das Gefühl, gänzlich gescheitert zu sein.

Als Hilfloser wendet er sich an seinen Arzt und erheischt von ihm Rat. Was ihm dieser anzubieten hatte, restlosen Einsatz im Dienste der Mitmenschen, das waren schöne Worte, aber für einen Menschen wie Conrad völlig abwegig, da ja seine sprachlich-künstlerischen Neigungen, alle seine bisherigen Studien und Bemühungen in einem solchen Dienst am Nächsten kaum «verwertbar» waren. Die Aufforderung, seinen Stolz und

Hochmut abzulegen, hätte sehr leicht zu einer vollständigen Zerstörung seines längst lädierten Selbstbewußtseins führen können.

Daß es trotz falscher, von der Mutter verhängnisvoll vorbereiteter Therapie nicht zu dieser seelischen Katastrophe gekommen ist, dazu haben weniger die therapeutischen Bemühungen des leitenden Arztes als die Atmosphäre des Hauses beigetragen. Diese Atmosphäre aber wurde von Cécile Borrel geschaffen.

Robert d'Harcourt hebt den Familiencharakter der Maison de Santé de Préfargier heraus, die Arbeitsgemeinschaft, die sich zwischen Arzt und Patientenschaft entwickelt hatte, das gemeinsame familiäre Tun und Erleben, gemeinsame nächtliche Seefahrten und gemeinsames Fischen; dieser Familiencharakter wurde durch das schlichte unauffällige Wirken Cécile Borrels bestimmt. Sie nahm sich des Fremdlings aus Zürich, dieses irritierten und verängstigten Menschen, an und brachte ihn, den Scheuen, mit den Menschen in Berührung, deren Umgang er ihrer Meinung nach nötig hatte. Der Panzer seiner Gefühlskälte schmolz in ihrer Nähe langsam weg, seine Gesprächigkeit nahm zu, und er zeigt sich neuen Überlegungen gegenüber zugänglich.

Conrad stammte aus einem sehr frommen Hause; frömmelnde Unverträglichkeit der Mutter und der allgemeine antikirchliche Zug, der durch die Zeit wehte, hatten ihm seine eigene Frömmigkeit fraglich gemacht, ja alle religiösen Gedanken vergällt. Nun war er in ein Haus eingewiesen worden, dessen Lebensstil ein religiöser, ein betont frommer war. Die Voraussetzungen dafür, daß sich seine Revolte gegen Frömmelei und Frömmigkeit und gegen die Moral der Demut verstärken würde, waren gegeben. Aber die Revolte klang ab und der vertrotzte Gast aus Zürich ließ sich die frommen Übungen des Hauses und den frommen Ton gefallen, und zwar deshalb, weil es kein unduldsamer, unzufriedener, humorlos fordernder Ton war, der das Haus beherrschte, sondern ein heiteres freundliches Gewährenlassen. Diese befreiende, unbeschwerte Heiterkeit ging in erster Linie von Cécile Borrel aus, nach der bedrückenden Atmosphäre des Hauses in Stadelhofen eine eigentliche Erlösung!

Über ihr Äußeres ist sehr wenig überliefert. D'Harcourt spricht[5] von ihr als von einer «jeune religieuse, que la nature avait pourvue de charmes physiques aussi précieux que les dons de son âme étaient rares». Äußerer Charme und seltene seelische Gaben: Das genügte, daß das Eis von Conrads Gemütsverhärtung allmählich dahinschmolz, daß er zu einem gerne angenommenen Gesprächspartner am gastlichen Tisch oder auf Spazierwegen wurde. Es scheint, daß Cécile sehr bald das Zutrauen Conrads gewann, daß er zum Beispiel ihre Kontrolle seiner Korrespondenzen ohne

Widerspruch hinnahm. Sie war es, die im Einverständnis mit ihrem Bruder einen strengen, mit Vorwürfen gespickten Brief der Mutter an Conrad unterdrückte, um den langsamen Heilungsprozeß nicht damit zu gefährden. Und ihr gegenüber tat er seinen Gefühlen, auch seinen Stimmungen des Unmuts, nicht Gewalt an. Sie war klug genug, ihn daran nicht zu hindern. Und was ihn von seiner Mutter am meisten entfremdet hatte, sein Stolz, seine Anmaßlichkeiten, das legte er in ihrer Nähe ab und war bereit, Fehler zuzugeben, die er sich z. B. gegenüber Mitinsassen des Asyls hatte zu Schulden kommen lassen. Diese feinen Fortschritte in der Überwindung seines hoch gesteigerten Autismus übermittelt sie mit größter Anteilnahme und Genugtuung an Frau Elisabeth Meyer, um ihr Vertrauen auf den guten Ausgang des Aufenthaltes in Neuenburg zu stärken[6].

In der Zeit nach Weihnachten 1852[7] übermittelt Cécile ein Geständnis Conrads an Frau Elisabeth Meyer, das ihr Bedenken, daß der Sohn sie noch nicht wiederzusehen wünsche, zerstreuen sollte: «Mon avenir, me disait-il, sera de faire ma paix avec Dieu, avec ma mère, de vivre pour ma mère et pour ma soeur.» Ferner bekundete er, nach einer anderen Aussage, Reue, daß er ihr, der Mutter, bis jetzt nur Böses angetan und daß es jetzt Zeit sei, mit dem Guten anzufangen[8].

Allerdings scheint Cécile Borrel um diese Zeit bei aller Anteilnahme für den 27jährigen Mann aus Zürich ihre Bemühungen ganz nach dem Geiste der vom Bruder angeordneten Therapie gerichtet zu haben. Als er sich wegen einer verletzenden Bemerkung eines Herrn G. bei ihr beklagte, gelang es ihr nicht, ihn wieder zu beruhigen. «Le lendemin», fährt sie fort, «c'était pire encore. Voyant que toute discussion était inutile, je pris ma chandelle, lui disant adieu; je le priai, de lire un chapitre (de la bible) que je lui indiquai[9].» Offenbar pflegte sie ihn auf seinem Zimmer aufzusuchen und mit ihm ein offenes Gespräch zu führen. Sie hatte sein Vertrauen gewonnen. Ja noch mehr, sie wußte, daß er diese offenen Aussprachen ersehnte und daß sie, wenn sie sich ihm entzog, einen seelischen Druck auf ihn auszuüben vermochte. Sie zwang ihn damit in die angeordnete Demütigungs-Therapie hinein. Zwei Tage später kommt er reumütig zu ihr und tut Abbitte – um ihre Freundschaft nicht zu verlieren. Dabei weckt die deutlich zur Schau getragene Angst, sie zu verlieren, auf ihrer Seite Rührung und mütterliche Teilnahme, freilich ohne daß sie von der Zerknirschungstherapie abläßt: «Il faut encore qu'il apprenne à se dépouiller de sa volonté propre pour se sentir pauvre, aveugle et nu.» Für einen von Depressionen verfolgten Kranken eine äußerst gefährliche Forderung.

Zum Glück erwies sich die freundschaftliche Verbundenheit stärker als der therapeutische Anspruch. Und man bemühte sich, ihn in seine geistige

Welt, in die Welt der Bücher und der Sprache zurückzuführen. Französischunterricht bei Prof. Secrétan und die Übersiedlung in das Haus von Charles Henri Godet nach Neuenburg sollten den Weg der Genesung bestimmen. Aber die Verbindungen mit dem leitenden Team von Préfargier wurden nicht abgebrochen, ja sie erwiesen sich als heilsam für den Rekonvaleszenten. Denn das Haus Godet – vor allem aber dieser selbst, mit seinem bösartig herrischen Moralismus – war dazu angetan, die erreichten Erfolge zunichte zu machen. Godet erkannte bald selbst, daß er sich den Weg zu Conrad verbaut hatte und wies Frau Meyer an, sich mit ihren Wünschen und Anliegen an Herrn und Fräulein Borrel zu wenden, «pour lesquels il professe une grande considération» [10].

Die Rolle, die dabei Cécile Borrel zufiel, ist klar. Wenn Conrad an Sonntagen von Neuenburg nach Préfargier hinaus pilgerte, suchte und fand er bei ihr eine willige, teilnehmende Hörerin und eine verständige Gesprächspartnerin, und das war sie im besten Sinne. Wohl sekundierte sie die therapeutischen Absichten ihres Bruders, aber ohne das Gefühl schulmeisterlicher oder sittlicher Überlegenheit. Sie lehnte daher die Meinung der Mutter Meyer, daß sie einen großen Einfluß auf ihren Conrad ausübe, mit Entschiedenheit ab. «Ne croyez pas ma chère Madame, que j'eusse pu agir sur lui (...); vous verrez, que je suis la personne la moins capable de le faire. J'ai tout à recevoir et rien à donner (...) [11]» schreibt sie ihr am 10. Februar 1853.

Darin gerade, so scheint mir, liegt ihr heilsamer Einfluß begründet: Eben weil sie nichts zu geben hatte, nichts geben *wollte,* sondern nur empfangen, nur offen sein wollte ihren Mitmenschen gegenüber, darum fand sie den Zugang zu Conrad, darum suchte er ihre Gegenwart und ihr Gespräch.

Wir haben von der mütterlichen Teilnahme Céciles an Conrads Hilflosigkeit gesprochen. Es scheint, daß eben diese warme Mütterlichkeit Conrads Anhänglichkeit verstärkte und daß sich langsam zum Gefühl der mütterlichen Gesprächspartnerin ein erotisches Element beimischte. Cécile gibt Frau Meyer im Brief, der mit 10. Februar datiert ist, unter mercredi «einem kleinen befremdlichen Erlebnis Ausdruck: (...) lorsqu'il arrive tout plein de son sujet et qu'il conclut que *nous l'avons échappé belle vous et moi!*» [12] Es war ohne Zweifel ein hübsches Kompliment Conrads der reizenden Krankenschwester gegenüber, sie mit seiner Mutter zu vergleichen und beiden die gleichen (pädagogischen) Absichten zuzumuten (‹échapper belle› heißt ‹mit einem blauen Auge davonkommen›).

Conrad, einst bei seinem Eintritt in die Maison de santé kalt und abweisend, hatte gewagt, spontan seinen Sympathien Ausdruck zu geben, und Cécile war dafür, das verrät ihr Bericht an die Mutter, nicht unempfänglich. Sie war es auch, der er als erster den Plan unterbreitete, sich zur Vervollständigung seiner sprachlichen und literarischen Kenntnisse nach Paris zu begeben. Mit ihr scheint er laut Brief vom 11. März 1853[13] dieses Unternehmen in aller Ruhe durchgesprochen zu haben. Sie konnte ihn dazu überreden, daß er bereit war, die letzte Entscheidung darüber seiner Mutter anheimzustellen. Tatsächlich fügte sich Conrad den Wünschen der Mutter, die ihrerseits Dr. James Borrel zu Rate gezogen hatte, und verzichtete auf den Aufenthalt in der französischen Metropole. Doch scheint die Mutter anläßlich der Zusammenkunft in Bern, wo sie ihren Sohn nach neun Monaten zum ersten Mal wiedersah, in die Dislokation von Neuenburg nach Lausanne eingewilligt zu haben.

Wiederum hatte Cécile, ihrer passiven Grundhaltung getreu, auf jegliche Einflußnahme von ihrer Seite verzichtet, während ihr Bruder die Reise nach Paris zwar nicht grundsätzlich negierte, aber für den Augenblick noch nicht für opportun erachtete.

Cécile blieb während dieser Zeit Conrads Beichtigerin und verständnisvolle Freundin. Das war um so nötiger, als die eben erwähnte Begegnung in Bern nicht nach Wunsch verlaufen und die Mutter von den Fortschritten der Heilung enttäuscht war. Offenbar hatte Conrad seine eisige Kälte der Mutter gegenüber nicht durchbrechen können. Dazu kam das unerfreuliche Verhältnis Conrads zu seinem Gastgeber Ch. Godet, dessen kleinliche, knifflige Sparsamkeit und dessen Unordnung gepaart mit schulmeisterlicher Belehrung ihm auf die Nerven gingen.

Es war verabredet worden, daß nach der Begegnung in Bern Bruder und Schwester über Préfargier nach Lausanne (und Genf) weiterreisen und daß die Gelegenheit benützt werden sollte, Betsy mit Cécile Borrel in Préfargier oder Neuenburg bekannt zu machen. Aber da man in Lausanne auf eine bestimmte Stunde verabredet war, mußte der Plan aufgegeben werden, zum großen Bedauern Conrads[14]. Conrads Brief an Cécile Borrel, noch während des Aufenthalts in Bern geschrieben, läßt erkennen, daß er seine Freundin in all seine Schwierigkeiten eingeweiht hatte. «J'ai trouvé ma mère très bien portante et ma soeur m'a fait un accueil bien aimable.» Was darauf schließen läßt, daß sich zur Mutter von Anfang an Kontaktschwierigkeiten ergaben, nicht aber zur Schwester. Der anschließende Satz läßt seinerseits Conrads Bindung an Cécile erkennen: «Il ne manque absolument à notre bonheur que vous; on m'accable de questions sur vous et votre monde[15].» Cécile stand im Mittelpunkt der Gespräche zwischen den Dreien, die sich in Bern Rendez-vous gaben. Und Frau Meyer war überzeugt – eine zweifellos richtige Einsicht – daß Cécile die größten Verdienste um das Wohlergehen ihres Sohnes zukamen.

Sie schloß sie in ihr Herz, wie man sagt, und überhäufte sie mit kleinen Geschenken, Handstrickarbeiten, Zeichen freundschaftlicher Verbundenheit, untermauert noch durch beinahe deckungsgleiche Glaubensüberzeugungen und durch gleiche Bereitschaft zur «humiliation».

Lausanne

Die Übersiedlung nach Lausanne bedeutete das Ende der Begegnungen und vertrauten Gespräche zwischen Conrad und Cécile. Jetzt, an den Gestaden des Genfersees, unabhängig geworden von jeder Betreuung, begann sie ihm zu fehlen. Der spontane Gedankentausch und die natürliche Heiterkeit und Wärme, die Cécile ausstrahlte, blieben aus. Kein Wunder, daß er nach einer Verlängerung dieser schönen menschlichen Beziehung in anderer Form suchte. Wie er später, von Paris aus, seine Schwester zur Vertrauten seiner täglichen Eindrücke in der Großstadt machte, so suchte er, mit Briefen von seltener Spontaneität, mit Cécile in Verbindung zu bleiben.

Diese selbst hatte vorerst genug damit zu tun, die enttäuschte Mutter zu beruhigen. Daß die Begegnung in Bern für diese selbst und für Conrad eine Enttäuschung brachte und daß Conrads Vorfreude in Bern eine merkliche Abkühlung erfahren hatte, war ihr klar geworden. Aber auch jetzt nahm sie Conrad vor seiner Mutter in Schutz: «Que s'est-il passé dans le coeur de ce pauvre ami, qui allait à vous comme au devant du moment le plus solennel de sa vie (...) Il n'a certainement pas conscience des coups, qu'il porte, car il est revenu persuadé qu'il vous avait plainement satisfaite (...). Est-ce peut-être que dans ses élans et ses désirs de marcher droit il veut plus qu'il ne peut (...)?[16]» Sie kann der Mutter auch ein rührendes Geständnis Conrads übermitteln: «En voyant ma mère dans la voiture s'en retourner seule [Betsy hatte sich ihm für die Reise nach Lausanne und Genf angeschlossen, vgl. oben] tous les chagrins que je lui ai causés me sont montés au coeur, et j'étais près d'éclater[17].» Merkwürdig genug, daß sie hierauf, obwohl dieses Geständnis ein Zeugnis echter Reue und ernsthafter Selbstbezichtigung ist, sich noch einmal dem Sprachmuster der Briefpartnerin ausliefert und seine Reifung zur Selbsterniedrigung Gott und dem Gebet der Mutter anheimstellt. War das diplomatische Anpassung an die Briefpartnerin und wußte sie über Conrads Stimmung besser Bescheid? Dann müßten ihr auch die fundamentalen Irrgänge dieser Frau und Mutter bewußt geworden sein!

Der Briefwechsel

Nun aber bestürmte sie ihr junger Freund mit ungestümer Spontaneität. Geständnisse von geradezu kecker Unmittelbarkeit füllen schon den ersten Brief aus Lausanne vom 9. April 1853[18]. Der Brief hat nur das eine Ziel: eine Antwort zu erhalten, die ihm sein Verlangen stillen könnte, an ihrer Seite zu sein, wenigstens im Geist und in der Einbildungskraft. Wohl ist er zufrieden, von Neuenburg losgekommen zu sein, und er hat nur etwas zu beklagen: daß er von ihr, Cécile, weiter entfernt ist, wobei er sich damit tröstet, daß er mit ihr brieflich verkehren darf, wann immer es ihn drängt, und ohne Angst vor einer lästigen Umgebung; daß er sich ferner vornimmt, sie so schnell wie möglich in Préfargier wiederzusehen. Nur ihr Besuch in Lausanne, (den sie ihm wohl in Aussicht gestellt) kann ihn davon abhalten. Daß er lange Zeit nach ihr habe, brauche er ihr, meint er, nicht zu sagen. Und nun entwirft er ihr Charakterbild in knappster Eindrücklichkeit: «Il me manque d'abord votre douce bonté, qui m'a tant charmé, puis votre drôle d'esprit, et jusqu'à vos sermons ... il me manque surtout vous-même qui, quelque peine que vous vous donniez, ne sauriez jamais détruire votre naturel vif et fier, quelquefois même un peu capricieux[19].» Eben dieser drôle d'esprit, dieses kapriziöse Naturell sind es, die ihn glücklich stimmen. Und er möchte, daß sie alles ablege, was geeignet ist, ihn in gebührender Entfernung zu halten: «Quand vous m'écrirez, n'allez pas au moins prendre vos airs de tante, ni ceux, pires encore, de directrice, ni de soeur grise ...»

Er möchte ihr Freund oder wenigstens ihr Kamerad sein, denn, so fährt er fort, das seien sie gewesen, das sollten sie bleiben. Wie an ihren besten Freund, so sollte sie an ihn schreiben, denn das sei er, auch wenn er ihrer nicht würdig sei.

Das ist der eindringliche Stil nicht nur eines Verliebten, sondern eines Liebenden, und er steht in den überlieferten Briefen Conrad Ferdinand Meyers einzig da. Nur in Briefen an die Schwester wird gelegentlich eine ähnlich stürmische Zuneigung spürbar. Wesen und Herkunft dieser Liebe sind ihm nicht unerklärlich; sie ist die natürliche Folge von Céciles Teilnahme: «Tout cela, je l'apprécie, bien qu'il faille dire qu'il n'y ait rien d'inexplicable dans une affection forte, véritable, involontaire s'il en fut jamais [wenn es je so etwas gab], fondée sur le malheur et la compassion ... chose presque divine, qui ne s'éteindra pas avec la vie[20].» So überhöht Conrad diese Liebe bis ins Mystische; sie wird selbst das Leben überdauern. Und noch einmal läßt er sich am Schluß des Briefes in seinen erotischen Begehren gehen, wenn er wünscht, Cécile möge dies Gekritzel entziffern, indem sie ihre dunklen Augenbrauen verlängert (à force d'allonger vos cils noirs).

Was gab dem sonst so scheu Zurückhaltenden den Mut zu so leidenschaftlichem Begehren? War es einfach nach jahrelanger Verhaltenheit der Durchbruch? Oder war er einer ähnlichen Reaktion bei seiner Briefpartnerin gewiß? Auf jeden Fall: Der Brief atmet das Gegenteil von dem, was die Mutter an ihrem Sohn erlebte, das Gegenteil von Gefühlskälte und Heftigkeit (nature à la fois glaciale et violente[21]).

Jedenfalls sieht sich Cécile nunmehr zwischen zwei Menschen gestellt, die ihr einerseits rückhaltlose Offenheit entgegenbringen, anderseits aber noch immer den Weg nicht zueinander zu finden vermögen. Die Einsicht in die verkrampften Vorstellungen der Mutter konnte ihr nicht entgehen. Die Parteinahme für Conrad mußte sich verstärken.

Die Briefe Céciles an Conrad haben sich nicht erhalten. Wir sind, ihre Reaktion zu erschließen, auf ihre Berichte an Frau Meyer aus dieser Zeit und auf Conrads Bemerkungen und Andeutungen in seinen Briefen angewiesen. Daß ihr als Oberschwester und Directrice und als der rechten Hand ihres Bruders die Zeit zu langen Episteln, wie sie Conrad wünschte, fehlte, ist klar. Immerhin fand sie sechs Tage nach der stürmischen Liebeserklärung Zeit für ein «billet»[22]. In seinem Brief vom 18. April – neun Tage nach dem ersten – dankt er ihr dafür, ohne auf den Inhalt einzugehen, grollt ihr, daß sie ihn so lange habe warten lassen und fordert strickte, daß sie jeweils am Samstag schreiben soll, damit ihn der Brief am Sonntag erreiche. Ist das eine herrische Forderung oder nur eine Vereinbarung, zu der ihm Cécile längst die Zustimmung erteilt hatte? Und betrachtete sie diese Aufgabe als eine therapeutische Maßnahme oder war es ein tieferes Anliegen?

Conrad hat seinen Sturm im zweiten Brief etwas aufgefangen, erzählt ihr von seinen vielfältigen geistigen Engagements, zu denen ihn Vuillemin angeregt hatte. Aber Fleiß und interessante Abwechslungen täuschen ihn nicht über sein tiefstes Verlangen hinweg: «Je m'ennuie profondément faute d'attachement de coeur[23].» Nicht einmal die Möglichkeit sich aufzuregen oder den Bösen zu spielen, habe er, fährt er scherzend fort. Ein erstaunlicher Brief im ganzen, heiter, voll Genugtuung darüber, daß er in Lausanne reiche geistige und gesellschaftliche Anregung gefunden. Hier ist er nicht mehr le pauvre Conrad, den man mit einem mitleidigen Lächeln begrüßt, hier fühlt er sich als Gleicher unter Gleichen angenommen. Selbst über Mädchen, die zu seiner jetzigen Umgebung gehören, wagt er zu scherzen und entwirft von ihnen reizende kleine Porträts.

Daß der Humor noch immer über dunklem Grunde entfaltet ist, zeigt der

Schluß des Briefes. Er will Cécile ein Autograph von Alexandre Vinet, dessen Sohn er bei Vuillemin kennen gelernt, vermitteln. «Tout cela si je ne moeurs pas d'un joli petit typhus[24].» Es sei, fährt er fort, die Jahreszeit, wo er sich seine Opfer hole. Er, Conrad kümmere sich nicht darum, um so weniger als er ihr, Cécile, ferne sei. Dann entwirft er ein ziemlich makabres Traumbild: Wenn er gestorben sei, dann werde er ihr erscheinen, nicht in einem Totenhemde und zu nächtlicher Stunde, sondern eines Abends, wenn die Sonne untergegangen, wenn sie längs der Margeriten-Beete spaziere. «Alors je serai là, invisible et modeste, et foi de spectre, je ne vous quitte plus.» Das ist abermals das Geständnis einer Leben und Tod überspannenden Liebe. Wir erstaunen nicht, wenn er jetzt mit den Worten eines Liebenden schließt: «Ma chère Cécile, je vous serre sur mon coeur, à une triste distance, comme vous dites si bien, de douze lieues. Vous êtes une douce et sainte femme, priez pour moi et que Dieu veille sur vous[25].» Wenn Conrad auf Céciles Worte «à une triste distance» anspielt, dann könnte in dieser Formel ein zartes Gegengeständnis Céciles enthalten sein.

Jedenfalls weiß sie nach den vielfältigen Beichtgesprächen so genau Auskunft über Conrad wie kein anderer Mensch. Von hier aus kann sie die Rolle einer Vermittlerin zwischen Charles Godet, der mit Holzhacker-Psychologie gegen ihn hatte vorgehen wollen und Elisabeth Meyer spielen. Aus begreiflichen Gründen hatte Godet die Mutter mit seinem Rat, den Sohn eine zeitlang materiell und geistig auf freien Fuß zu setzen, in Schrekken versetzt. Sie wollte und konnte doch ihren armen Conrad jetzt nicht einfach seinem Schicksal überlassen. Dagegen sträubten sich ihre mütterlichen Gefühle, und sie hatte – vielleicht nicht zu Unrecht – den Eindruck, man wolle sie aus ihrer mütterlichen Erzieherrolle verstoßen. «Chassez, je vous supplie, d'aussi horribles pensées», schreibt ihr hierauf[26] Cécile. «Votre enfant n'est plus là! et dans ses plus mauvais jours la main qui l'a sauvé c'est la vôtre.» Für Cécile hat Conrad tatsächlich den Wandel vollzogen. Er ist nicht mehr dort, wo er war bei seiner Kälte und Abwehr der Mutter gegenüber. Sie darf so reden, weil Conrad eines Abends auf seine Vergangenheit zu sprechen kam und ihr mit einem schmerzlichen Aufschrei (avec un cri de douleur[27]) Geständnisse machte, die sie über alle Leiden seiner Mutter aufklärten. Conrad hatte ihr zweifellos von seinen Zornausbrüchen und sogar von Schlägen gebeichtet, die er nach seiner Mutter getan hatte. Cécile berichtet der Wahrheit gemäß, daß sie bereits zwei Briefe von Conrad erhalten und daß man ihn zu seinem Ortswechsel nur zu beglückwünschen habe. Wohl begreift sie die Verängstigungen der Mutter nach dem enttäuschenden Wiedersehen in Bern, doch weiß sie, daß Conrad, wäre sie acht Tage mit ihm zusammen gewesen, in ihm einen liebenswürdigen und ruhigen Sohn gefunden hätte. Aus ihrer liebenden Erfahrung heraus durfte sie ohne Bedenken zu einer so klaren Diagnose und Prognose ausholen.

Es scheint aber, daß sich bei Frau Meyer bereits um diese Zeit depressive Zustände einstellten, weshalb Céciles beruhigende Töne nur ein beschränktes Echo gefunden haben.

Für Conrad dagegen blieb der Briefwechsel mit Cécile ein lebenserhaltendes Prinzip. – Was war oder was wurde er für Cécile? Der Brief Conrads vom 20. April lüftet eine Strecke weit dieses Geheimnis. Zwei Gründe sind es, die ihn zum Schreiben veranlassen: Er möchte ihr damit ein kleines Vergnügen in ihrem langen Sonntag in Préfargier bereiten und gleichzeitig seinen früheren Brief ein wenig korrigieren, der für sie offenbar einen scharfen Nachgeschmack (saveur haute[28]) hatte. Und jetzt das entscheidende Wort: «Weil Sie sich beklagt haben über Ihre Vereinsamung und weil Sie sich angeklagt haben, mit der tiefsten Bescheidenheit, viel zu wenig zu leisten.»

Offenbar verglich sie sich dabei mit einer sehr frommen Mitschwester. Es regt ihn auf, daß er ihr nicht helfen kann und daß es ihm lediglich übrig bleibt, sich aufzuregen (aigrir) «contre votre bête de sort (humainement parlant) qui vous contraignit de vous mettre dans les soeurs grises, vous, qui étiez destinée à faire le bonheur d'un honnête homme[29]». Das ist ohne Umschweife gesagt, ein freimütiges und kühnes Wort, welches das Schicksal und die Problematik ihres Schwesternloses direkt angeht.

Offenbar wünschte Cécile, daß er ihr seine kleinen Erlebnisse erzähle (raconter mes histoires), sozusagen als Ersatz für ihr ungelebtes Liebeserleben. Sie möchte einen kleinen Anteil an seinem Glück, in der Welt draußen sein zu dürfen, während sie nicht ganz zu Unrecht ein Engel der Ärmsten der Armen genannt wird. Darauf erschließt ihr Conrad seine Lebensstimmung «da draußen»: «Sans être le moins du monde heureux, je suis du moins libre, je suis passablement bien; maintenant voulez-vous que j'aille vous raconter mes histoires, mon bien-être, si ce n'est d'une heure, du moins d'une minute; à vous la malheureuse, à mon bon camarade. Je veux être pendu si je le puis. Se fâcher vaut mieux[30].»

Versuchen wir hier, um tiefere Schichten aufzudecken, die Rückübersetzung ins Deutsche: «Ohne im geringsten glücklich zu sein, bin ich wenigstens frei, es geht mir erträglich; nun wollen Sie, daß ich Ihnen meine Geschichte erzähle, mein Wohlergehen von der Dauer wenn nicht einer Stunde, so doch von einer Minute, Ihnen, der Unglücklichen, meinem guten Kameraden. Ich will gehängt werden, wenn ich das kann. Besser ist es, darüber zu zürnen.»

Und doch erzählt er ihr darauf von seinen kleinen gesellschaftlichen Erlebnissen, vom lebhaften Interesse, das die Mädchen, denen er begegnet, in ihm erwecken. All dies, meint er, mache ein wenig den Eindruck einer Absurdität; aber «man muß sich ein wenig amüsieren, da alle Dinge monoton und im Grunde ein wenig traurig sind außer den ewigen» [31]. Das ist die Grundtrauer, Conrad Ferdinand Meyers vorherrschende, durch alle Jahre sich durchhaltende Lebensstimmung, die Grundtrauer und die Monotonie, die allem in-der-Welt-sein anhaftet.

Der Brief läßt erkennen, daß die Directrice Cécile Borrel in gleichen Stimmungen schwingt. Conrad ist sich, durch die Briefe belehrt, darüber klar geworden. Sein Zorn gilt daher wohl nicht seiner eigenen Unfähigkeit, ihrem vordergründigen Wunsche entgegenzukommen, als den gesellschaftlichen und tief menschlichen Barrieren, die zwischen ihnen aufgerichtet sind.

Vielleicht spürte er auch ein wenig Eifersucht in Céciles Worten auf, und um sie aufzuheben, verweist er auf das, was ihm wichtiger scheint als die kleinen gesellschaftlichen amusements, auf seine neu begonnene Übersetzertätigkeit, die bereits die Anerkennung Vuillemins gefunden, und auf seine künstlerischen Pläne: «Ich werde die Frage der Kunst nach allen Seiten hin prüfen, indem ich drei Wörter entwerfe und zwei davon wieder streiche, eine Arbeit, die für zehn Jahre ausreicht.» Er sei bereit, fährt er fort, eine gute Idee gegen alle Herzen der Welt, außer dem ihren, zu tauschen. Die Fragen der Kunst, heißt das, gehen ihm über alles und alle, außer über sie, Cécile. Die beiden stehen, so scheint es nach der Lektüre dieses Briefes, auf einem Kulminationspunkt ihrer kameradschaftlichen und mehr als kameradschaftlichen Harmonie.

Die folgenden Briefe (vom 28. April, 7. und 13. Mai) bestätigen das warme seelische Einvernehmen, ja lassen erkennen, daß die Briefe auch für Cécile ein Bedürfnis geworden. Ihr Los, «soeur grise» zu sein und zu bleiben, wurde ihr angesichts des Gesundungsprozesses, den ihr Freund durchlebte, besonders deutlich bewußt: Sie beneidet ihn in seiner gesellschaftlichen Geborgenheit, in der er sich wohl fühlt, und in seiner Freiheit, und bei aller Zurückhaltung erschließt sie ihm ihre Traurigkeiten so sehr, daß der ehemalige Patient mit seiner Psychiatrie-Schwester die Rolle tauscht und sie zu trösten und ihr Mut zu machen sucht. Dabei spricht aus den Worten Conrads echte Teilnahme, keinesfalls bloße Verliebtheit: «Non que vous n'ayez très raison de me dire tout votre coeur – fût-il encore plus souffrant que vous n'avouez – car vous savez, je suis et serai à jamais votre fidèle compagnon d'armes et ne lâcherai point – quoi qu'il advienne et tant que nous serons à terre – jamais je n'abandonnerai votre main ... [32]»

Treuer Waffengefährte will er ihr sein. Aber, so fährt er fort, er möchte sie wenn nicht glücklich, so doch heiter und in leichtem Schritt durch diese arge Welt ziehend wissen. Welchen Grad von heiterer Beschwingtheit er inzwischen selbst erlangt hat, zeigt die Nachschrift, wo ihm ein glückliches bonmot gelingt: «Ich möchte ihnen mein Leben schulden (devoir), indessen schulde ich ihnen 20 fr. [33]». Jetzt wird das ein Vorwand sein, sich wieder zu sehen. Nicht nur daß er sie jetzt mit chère amie anzureden pflegt, er gesteht ihr sogar, daß ihn ihr Brief – Botschaft eines Engels – so entzückte, daß er ihr gerne das Ende ihrer (Engels-)Flügel geküßt hätte, ja, wenn sie jetzt bei ihm wäre, er würde sie in seinen Armen erdrücken. Man gewinnt überdies den Eindruck, daß, je melancholischer die Briefe Céciles tönen, er selbst um so mehr eine überlegene Heiterkeit erlangt. Jetzt wagt er auch, sie bei ihrem Kosenamen Cendrillon (Aschenbrödel) zu nennen. Er hofft, bald einen langen Abend bei ihr verbringen zu dürfen, bei Cendrillon, «qui ne s'imagine pas combien elle est adorée et aimée à jamais par son fidèle C(onrad)».

Folgt noch als Postscriptum eine geistvolle Stilkritik an Céciles Briefen. Die zarten, ihre Liebe verratenden Partien, lese er bis zehnmal, die erbaulichen Sachen zweimal, auf alles, was sich auf sie beziehe, komme er immer wieder zurück, was die andern betreffe, das zöge er vor zu überspringen. Er wundert sich, daß sie es fertig bringe, ihm vier Seiten interessante, aber unpersönliche Dinge zu schreiben, während sie ihn doch immer wieder glücklich machen könnte, wenn darin nur Worte der Liebe vorkämen.

Cécile zwischen zwei Feuern

Um diese Zeit bemühen sich die Mutter Meyer und Conrad, eine Zusammenkunft mit Cécile zu erwirken. Es zeichnet sich die Möglichkeit ab, eine Kur mit Frau Meyer in Baden (Aargau) zu verabreden. Conrad tut alles, der Freundin eine solche Begegnung schmackhaft zu machen, vor allem als Erholungszeit in ihrem mühe- und entbehrungsreichen Dasein. Dabei könnte die Mutter auf bescheidene Weise vergelten, was Cécile an ihm getan hat.

Überlegte er es sich richtig, was eine derartige Zusammenkunft für seine eigene Freundschaft mit Cécile für Folgen haben könnte? Und warum zögerte diese so lange mit der Ausführung des Planes? [34]

Der hier herangezogene Brief vom 13. Mai erschließt Wesen und Erleben Conrads und ist in so offenem und freimütigem Ton gehalten, wie er ihn später kaum mehr findet, außer in den Briefen an die Schwester. Er läßt erkennen, daß er an der Zeit der Internierung schwerer gelitten hat, als man es im allgemeinen für wahr haben will: «C'est en vérité une triste chose que Préfargier, vu à distance; même cette longue file de montagnes et ce lac morne [trüb] me paraît comme un coup d'oeil dans un autre monde, seule espérance qui reste à quelques-uns de vos malheureux[35].» Er erinnert sich nachträglich nur an zwei Dinge in Préfargier, an das Unglück der Kranken und an ihre, Céciles, Güte. Das ist nach allem, was wir heute wissen, so wörtlich wie möglich zu nehmen. Auch sein Glück über die wiedergewonnene Freiheit können wir verstehen, das höchste seiner Güter, das er mit allen den unglücklichen Kranken teilen möchte. Jetzt erkennt er, was ihn allein geheilt hat: «Avec de la tenue [mit guter Haltung] j'aurais sans doute évité beaucoup de désagréments, mais à mon malheur, je résiste à tout, excepté à la bonté comme bien vous savez[36].» Das ist das Geständnis seiner Trotz- und Abwehrhaltung, seines orgueil excessif, der sich allein durch die Güte bezwingen ließ. Céciles einzigartige Rolle in seinem Heilungsprozeß wird ihm damit noch einmal völlig klar: «Toutefois, j'ai tant de souvenirs agréables de ma captivité [!], et c'est surtout vous qui m'apparaissez souvent, toujous dans mes meilleurs instants, bonne, amicale et m'aimant beaucoup.» Es bestätigt sich in diesen Worten: Es war einzig und allein die Liebe und Freundschaft dieser Frau, die ihn aus der räumlichen und seelischen Gefangenschaft befreite. Wenn er in der Nachschrift bemerkt, daß er einen Brief an seinen Jugendfreund Conrad Nüscheler gewagt habe, dann ist auch dies ein Zeichen seiner Gesundung: Nun, in der Lausanner Freiheit, hat er den Mut zurückzublicken, seiner Vergangenheit wieder ins Auge zu schauen und die abgebrochenen Brücken zu seiner früheren Umwelt wieder aufzubauen.

Aber auch die Lausanner Freiheit hält ihn durchaus nicht in einer dauernden Hochstimmung. Im Brief vom 22. Mai[37] klagt er seiner Freundin über die Mühen seiner Übersetzer-Tätigkeit, die ihn acht Stunden am Tage am Schreibtisch festhalte, Gliederschmerzen und Krämpfe verursache und ihm als Zuchthäuslerarbeit vorkomme. Gerade deshalb wünschte er, daß seine Briefpartnerin einen etwas weniger ernsten Ton anschlüge, wie er im Nachsatz bemerkt.

Cécile hatte ihr Zögern mit einem Besuch bei Frau Meyer gegen Ende Mai[38] negativ entschieden, und Conrad äußert darüber ein vorwurfsvolles Bedauern. («J'ai un vif déplaisir d'apprendre le refus dont vous avez attristé ma mère.») Es ist ihm unmöglich, Céciles abschlägige Antwort an die Mutter zu erklären.

Hatte sie Bedenken, ja Skrupel jetzt, nachdem sich Conrad so sehr an sie gebunden und sie sich selbst so sehr seelisch engagiert hatte, der Mutter unter die Augen zu treten? Oder fürchtete sie, nachdem sie das Mutter-Sohn-Verhältnis durchschaut, eine peinliche Auseinandersetzung, oder war sie sich selbst über das, was die vergangenen zwei Monate in ihr vorgegangen und was ihre Gefühlswelt aufgewühlt hatte, nicht im klaren?

Jedenfalls bleibt ihm, Conrad, ihre Wärme und Freundschaft erhalten, und Céciles freie Natürlichkeit wirkt fort als Katalisator. Und zu was für schönen Bekenntnissen findet er sich durch: «Quiconque a connu combien la douleur fait mal, et ce que c'est qu'une blessure d'âme, n'offensera certes jamais à dessein un être vivant, ne fût-ce que pour dormir en repos, ici et plus tard sous terre[39].»

Der undatierte Brief, dem dieser Satz entnommen wurde, ist zweifellos das aufschlußreichste Dokument für Conrads seelisch-geistige Verfassung dieser Zeit. Der liebenswürdige Brief, der wie er schreibt, jenen Frohsinn andeute, der Ihr so gut stehe[40], und die Überzeugung, daß Cécile seiner so gut bedarf wie er ihrer, legt seine geheimsten Leiden frei. Den Kümmernissen, welche Menschen von ihrer Art (madones et diaconesses) haben, ihren Opfern (sacrifices) wagt er nun in zwei Anläufen das seine gegenüberzustellen, auch er ein Beispiel von Opfer und Verzicht: «J'ai dû renoncer à ce qui m'est le plus cher: à *l'art,* ce plaisir enivrant, cette douce folie, parce que j'ai d'autres devoirs à remplir.» Die Freuden, welche die letzteren vermitteln, persönliche Tugendhaftigkeit und häusliche Zufriedenheit, das sind seiner Ansicht nach Werte, die schon etwas gelten, aber nicht das, was er, hätte er freie Hand, gewählt hätte[41]. Dazu müsse er sich täglich sagen, daß er eine über die Maßen günstige Stellung in verletzender Weise mißbrauchte und für immer verpaßt habe. Das ist die Andeutung eines schweren Schuldgefühles, eine Last, die er mutig auf sich zu nehmen gewillt ist im Vertrauen auf die gnädige Güte Gottes.

Nach einem Exkurs über das religieuse Leben in Préfargier und Lausanne kommt er noch einmal auf sein tiefstes Anliegen zurück. Offenbar hatte Cécile in ihrem Brief darauf angespielt, daß einst sein Name (als der des Übersetzers) auf dem Buche stehen werde. Aber Conrad versichert ihr – was er tatsächlich auch eingehalten hat – daß dies nicht geschehen werde. «Sie kennen mich noch nicht, Liebe, wenn sie mich für hochmütig halten. Ich bin es und ich bin es nicht[42].»

Diese contradictio ist wohl so zu verstehen: Er ist stolz, was seine eigene Person angeht; er wird sich nicht mehr gehen lassen, aber er ist es nicht in Beziehung auf seinen Namen und seine Reputation. An der öffentlichen Geltung seiner Person ist ihm nicht gelegen. In diesem Sinne sind Fortsetzung und Schluß des Briefes zu verstehen: Er ist nicht bereit, den Glauben an seine Berufung aufzugeben: «Il faut souvent que je me tienne à quatre, surtout par ces belles soirées d'été, pour ne pas barbouiller du papier. La poésie me surprend souvent comme un brigand. Ma soeur, le mâle amour de mon ami, enfin le coeur, me fait souvent délicieusement mal. Tenez, pour poête, je le suis, mais c'est précisément à cela que je renonce, surtout par amour pour ma mère[43].» Solche Entsagung wagt er dem hingebungsvollen Beruf der selbstlosen Schwestern gleichzustellen. Die Stelle läßt erkennen, daß die von der Mutter, James Borrel und Charles Godet geforderte vollständige Abdikation jeglicher künstlerischer Neigung und Betätigung nicht erfüllt wird, daß Conrad vielmehr, sobald er ein Stück persönlicher Unabhängigkeit wieder erlangt hat, von seinem Künstlerwahn – wir wissen es, daß es ein echter Künstlerglaube war – besessen wird. Und es scheint – welch glückliche Inkonsequenz der menschlichen Haltung! – daß ihn Cécile in diesem Glauben nicht nur gelassen, sondern ihn dazu aufgemuntert hat!

Ein anderer Tatbestand, der für diese Zeit gilt: Die leibliche Schwester, so meint er, sei jetzt glücklich und bedürfe seiner nicht. «Sie sind es nicht», schließt er den Brief. «Das entscheidet die Frage» (die Frage, an wen er seine Briefe zu richten habe).

Im nächsten Brief (vom 4. Juni) muntert Conrad seine Freundin auf, sich doch einige bescheidene Vergnügungen zu leisten, welche sie, die fromme Schwester, als sündhaft betrachtete. Der Mensch, meint er[44], habe ein Anrecht darauf, sich selbst etwas Gutes zu gönnen, und dazu müsse alles Exzessive, also auch in der Richtung der Askese, vermieden werden. Nach einer Schilderung seines privaten und gesellschaftlichen Alltages, wie er im Hause seines Beschützers Vuillemin sozusagen als Mitglied der Familie aus- und eingehen dürfe, entwirft er wie zuvor der Mutter nun auch der Freundin seine Pläne, sich, nach einem Jahr vielleicht, in einem deutschen Gymnasium eine Stelle als Sprachlehrer zu suchen und ein Leben «strictement comme il faut» zu führen, sich also in die bürgerliche Lebens- und Arbeitsweise einzupassen. Aber der Schluß des Briefes läßt nach dem Zeugnis der wiedergewonnenen Lebenssicherheit wieder die Nähe des Dunkels ahnen: «S'il plaît à Dieu de me rappeler quand que ce soit, j'y applaudirai, car il me semble quelquefois que nous payons un peu cher et de beaucoup d'ennuis les quelques instants de joie, qui colorent un peu la vie et qui passent si vite[45].» Wohl fügt er ironisch wegwerfend bei: «Pourtant cela ne presse pas.» Aber das täuscht nicht über diesen dunklen Grund der Todessehnsucht hinweg, und daß diese Äußerung unmittelbar auf die Andeutung der praktischen Lebenspläne folgt, sagt genug: Ein bürgerliches Leben im angedeuteten Sinne gilt ihm nicht mehr als ein früher Tod.

Inzwischen hat Cécile den fallengelassenen Plan, die Mutter Meyer zu besuchen, wieder aufgegriffen. Nicht eine gemeinsame Kur in Baden, sondern ein kurzer Besuch wird jetzt ins Auge gefaßt.

Aber das Schweigen während einer ganzen Woche läßt in Conrad schon die Befürchtung wach werden, Cécile habe ihm seine Bemerkungen über seinen Umgang mit Mädchen in Lausanne – er hatte ihr von den drei Töchtern Vuillemins berichtet, übel genommen. Von seiner Verehrung für das Fräulein Constance von Roth hatte er allerdings nur der Mutter Andeutungen gemacht. Doch sind ihm die Briefinhalte nun durcheinander gekommen. So sieht er sich im Brief vom 10. Juni gezwungen, hier Klarheit zu schaffen: An eine ernsthafte Verbindung mit irgend einem Mädchen ist nicht zu denken. Nur Betsy, die ihn in den letzten Tagen von Genf aus besuchte, bleibt ihm verbunden. Sie hat nicht nur ihn, sondern auch die Umgebung mit ihrem Charme bezaubert, und er nennt die zwei Tage, die sie bei ihm war, «die schönsten meines Lebens»[46].

Aber auch in diesem Brief (vom 10. Juni) schimmert die Tragik seines Daseins durch. Das Los eines ehemaligen «Irrenhäuslers» ist ihm gewiß: «La dite demoiselle [er meint wohl das Fräulein Roth, das ins Baselland verreist ist], *sachant sans doute mon histoire,* a été bonne pour moi par un sentiment de bien-veillante piété; cela passé, elle n'y songe plus[47].» Diese Stelle ist wohl ernster zu nehmen als seine Anspielungen der Mutter gegenüber[48], die er damit, wie er es vor Cécile andeutet, nur ein wenig necken, schockieren will. Die Sorge darum, er könnte seine Freundin mit irgend einer Rücksichtslosigkeit verletzt haben, wiegt ihm schwerer als alles. Darum endet er den Brief mit der Formel comptez sur mon affection éternelle. Wagte er diesen Liebesschwur, weil er wußte, daß Cécile ihn nötig hatte? «Que Dieu vous donne le même calme», fügt er in einem postscriptum noch bei, in dem er die Freundin versichert, er sei wohlauf und zufrieden bei Arbeit und Schwimmvergnügen im Genfersee.

Céciles nächster Brief bestätigte Conrads Vermutung. Sie hatte den Verdacht, daß er sich in amouröse Beziehungen verloren und daß er ihrer nicht mehr bedürfe. Indes muß er zugestehen, daß er für einige Augenblicke sich habe gehen lassen und seine durstige und ausgetrocknete Seele an einer reinen Quelle[49] gestillt habe. Aber eine ernsthafte Bindung, bekräftigt er bereits Gesagtes, hätte ihn eher erschreckt als erfreut. Und noch einmal erinnert er sich, Céciles Brief vor Augen, seines Weggangs von Neuenburg: «humilié, blessé, l'esprit plus injuste que jamais. Seule vous m'avez fait du bien[50].»

So stellt Conrad in diesem Brief von vollkommener Offenheit die Dinge wieder richtig: Céciles Freundschaft und die Tatsache, daß er ihr schreiben und auf ihre Briefe warten darf, geht ihm über alles. Eine Beziehung anderer Art wäre Zeichen einer unglaublichen Aufgeblasenheit (incroyable fatuité).

Der Brief vom 24. Juni läßt erkennen, daß Cécile tatsächlich nicht ganz frei war von Eifersucht (dem «weiblichen Kraut», wie sie Gotthelf nannte). Conrad muß ein genaues Bild der «marquise de C» entwerfen, um Céciles Bedenken zu zerstreuen, Conrad könnte sich in sie verlieben. Dieses Bild zeigt schon den künftigen Meister der knappen und plastischen Charakteristik: «Ce sont des traits grossiers et renversés comme à plaisir [wie willkürlich durcheinander gebracht], un nez retroussé [Stubsnase], une distance enorme entre le nez et la bouche, et celle-ci grande au possible. Tenez, sans comparaison, ce sont les traits d'un barbet fidèle[51].» Auch ihr Reichtum und ihre Zuneigung zur Eglise libre vermögen seine Begehrlichkeit nicht zu reizen. So werden wir Conrads abermalige Zusicherung ernst nehmen: «Gardez-moi votre affection et jamais je ne m'en rendrai indigne.»

Und da Cécile auf Ende Juni ihre Reise nach Baden angesagt hat, gibt er ihr in einem kurzen Billet, seinem kürzesten an sie, seine Grüße mit: «Embrassez ma mère en mon nom, ce sera là toutes mes commissions![52]» Und sie soll ihr sagen, daß er gradeaus auf sein Ziel, seine Karriere marschiere, dank seiner Arbeit.

Zweimal, nämlich in den Briefen vom 1. und vom 4. Juli, verrät er seine Gefühle für Cécile sogar seiner Mutter gegenüber: «Daß Frl. Borrel bei Dir ist, freut mich mehr, als ich schreiben kann. Sie tat mir so viel und hat eine so hohe Verehrung für Dich. Grüße sie tausend Mal von mir. Sie ist so unsäglich gut![53]» Drei Tage später: «Wie unbeschreiblich freut mich, daß Dir Cendrillon gefiel. [...] Und wie viele Seiten ihres liebenswürdigen Charakters blieben Dir notwendig noch unbekannt.» Und wie um die Mutter von gleichen Gedankengängen abzulenken – er sagt es auch ausdrücklich – berichtet er ihr von dem Fräulein Constance Roth, nämlich, daß er sie gemäß Abmachung mit ihrem *Onkel* in vier bis fünf Jahren heiraten werde.

Erste Störungen

Aber nach dem Besuch Céciles in Baden erlahmt bei dieser plötzlich das leidenschaftlich geführte briefliche Zwiegespräch. «Depuis votre séjour à Baden vous avez interrompu notre correspondance sans que j'aie pu deviner la cause de votre silence», schreibt Conrad am 15. August[54]. Er kann nicht glauben, daß sie von der Begegnung mit der Mutter enttäuscht sei, weil er sie ihr zu günstig geschildert hatte. Eher noch könnte jene früher schon geäußerte Vermutung Wirklichkeit sein, daß er es selbst war, der sie verletzt hatte, daß sie ihn der Undankbarkeit verdächtige, und dies in einer Zeit, da er sozusagen den Jahrestag ihrer Freundschaft, oder vielmehr ihres Erbarmens mit dem armen Kranken feierte. Conrads Befürchtungen sollten sich, wie sein folgender Brief zeigt, nochmals verflüchtigen. Cécile war durch Krankheit am Schreiben gehindert worden[55]. Wieder drückt er seine Freude darüber aus, daß nicht er es war, der die Beziehungen gestört hatte und wieder versichert er seine Briefpartnerin seines unwandelbaren Zutrauens, und wieder gibt er ein geradezu verblüffend klares Bild seiner selbst: «Il y a du triste et du sauvage au fond, mais ni vanité, ni légèreté, ni même fierté, et, si de temps en temps j'aime à rire, c'est comme les enfants qui chantent à tue-tête quand ils ont peur d'être seuls[56].»

Die Angst vor jener Isolation, die ihn nach Préfargier getrieben, ist noch immer im Untergrunde da. Was uns aber nachdenklicher stimmt, ist der zweite Teil des Briefes: Conrad hatte von langer Hand den Plan gefaßt, Cécile in Neuenburg zu besuchen, aber im letzten Moment erhielt er einen Brief der Mutter, in dem sie ihm unter anderem vorwarf, er hätte sie, Cécile, und Herrn Marval beleidigt. Conrad wußte zwar nicht, wie das möglich gewesen und fand in seiner Erinnerung nicht die geringste Spur, aber der Vorwurf genügte, um auf den Plan zu verzichten, weil er fürchten müßte, daß außer Céciles Bruder, – er meint wohl James Borrel – in Neuenburg nichts mehr mit ihm zufrieden sei (qu'il n'y eût plus de content de moi à Neuchâtel que Monsieur votre frère)[57].

Der Hieb der Mutter war stärker, als er dies im nachhinein wahr haben will. Statt nach Neuenburg wandte er nun seine Schritte nach dem Kanton Freiburg, den er in allen Richtungen zu Fuß durchzog, und das Ziel dieser Wanderung: «marcher modérément, manger bien, boire autant, le soir fumer une manille couché sur le mur d'un cimetière ou dans le créneau d'un vieux château, surtout oublier les trois temps de la grammaire: le présent, le passé et le futur; voilà le seul but qu'il se proposait et qu'il a parfaitement atteint.»

Was hatte die Mutter dazu veranlaßt, in solcher Weise Zwietracht zwischen die beiden zu sähen? Hatte sie aus dem Gespräch mit Cécile die wahren oder falschen Schlüsse gezogen? Mußte sie hier, ihrem Wesen gemäß, ihren Sohn erneut schulmeistern, weil sie das eben nicht lassen konnte, oder war es untergründige Angst und Eifersucht angesichts einer so engen Verbundenheit, die sie erkannte?

Das Unglück, das sie anrichtete, liegt auf der Hand. Wenn Conrad Siesta hielt auf Friedhofmauern und auf den Mauerzinnen der Burgruinen, dann war das Spiel mit dem Tode wieder da. Daß es dies war, zeigt das Gedicht «Gespenster»[58], dem diese Ruinenerlebnisse zugrunde liegen.

Ein Glück, daß Conrad um diese Zeit jene Kraft zur Selbstkontrolle erreicht hatte, die ihm erlaubte, der erneut drohenden Isolation auf diese Weise, mit einer Wander-Therapie, zu entfliehen. Welche Tiefen seines Wesen dabei wieder in Bewegung gerieten, zeigt die Fortsetzung des Briefes: «Le vieux bouge de Gruyères est très romantique, et, si je n'avais attaché une pierre au cou du poète qui de temps en temps remue encore au fond de moi, et que je l'eusse jeté où le lac est le plus profond, je me serais peut-être laissé aller, non à faire des vers – pour cela j'étais trop sage et surtout trop paresseux – mais à rêvasser[59].» Dunkle Dichterträume wären also beinahe aus meertiefer Versenkung aufgestiegen. Die Poesie – und zwar eine dunkle – hätte ihn, so tief er sie auch versenkt hatte, beinahe wieder überfallen.

Aus dem anschließenden Satz läßt sich schließen, daß Conrad seine Schwester Betsy auf ihrer Rückreise von Genf ab Lausanne nach Bern begleitet hatte und daß er somit auch diesen Plan, sie mit Cécile zusammenzubringen wegen des Briefes der Mutter hatte fallen lassen. Daß die Verwirrung, welche die Mutter angerichtet, auch das Verhältnis von Bruder und Schwester gestört und daß Betsys Betragen ihn mißmutig gemacht, läßt sich unschwer erkennen.

Nachher hatte er dem Ertrinkungstod eines jungen Menschen (du jeune Bréting) zusehen müssen (vgl. das Gedicht «Der schöne Tag»)[60]. Daß er seiner Freundin auch davon berichtet, zeigt die fortdauernde Nähe dunkler Klänge.

Er glaube, fügt er in der anschließenden Nachschrift noch bei, wie die arme Frau aus dem Kanton Freiburg, die trotz ihrer Armut ein Kind adoptierte, an die himmlische Belohnung guter Werke und an den Sinn des Martyriums; auch, so deutet er es wohl an, an Céciles Martyrium, das sich nicht vergleichen lasse mit seiner Übersetzerarbeit. Von Anspielungen auf sein eigenes Martyrium will er nichts mehr hören. «Ma chère sainte!» So schließt er den Brief.

Aber es vergehen drei Wochen, ohne daß Cécile darauf antwortet. Der Anfang von Conrads Brief vom 20. September ist in vorwurfsvollem Ton gehalten, der in die Bemerkung gipfelt: «vous contrevenez à tous les statuts de l'amitié.» Er fragt sie, ob sie einen Rückfall in ihrer Krankheit erlitten und sucht nach Gründen ihres Schweigens bei ihr und bei sich. Daß ihm da auch wieder seine «armselige» Geschichte und sein Aufenthalt in Préfargier Mühe macht, daß er sich ferner fragt, wie er ihr mit seinen Briefen mehr Freude bereiten könnte, das alles ist Ausdruck seiner Ängste um diese Freundschaft, die ihm über das Schwerste hinweggeholfen.

Céciles folgender Brief scheint ihn wieder beruhigt zu haben. Sie muß ihn des allgemeinen Vertrauens versichert haben, das er noch immer in der Anstalt am Neuenburgersee genoß. Daher geht er auf die erneute Einladung ein, nach Neuenburg zu kommen, bittet sie aber vor allem, den Briefwechsel nicht einschlafen zu lassen. «Nous nous écrirons de temps en temps brièvement sans phrase, mais comme il faut en amis fidèles[61].» Er hält aber daran fest, daß im Brief der Mutter, der sein Vertrauen auf Céciles Freundschaft erschüttert hatte, der Ausdruck gravement offensé gestanden und daß die Mutter das Schweigen Céciles ihm angelastet habe.

Am 21. oder 22. Oktober[62] ließ Cécile ihren Freund wissen, daß sie krank sei, und da er wußte, daß sie nicht wehleidig war, mußte er annehmen, daß es eine ernsthafte, nachhaltige Krankheit war, die sie plagte. War es die Folge zu großer Anforderungen, die an die Oberschwester gestellt wurden, wie Conrad vermutete, oder hatten ihr Conrads stürmische Werbungen um ihre Freundschaft und die Spannungen zwischen ihm und seiner Mutter zugesetzt?

Dieser aber, verängstigt durch Céciles Krankheit, geht nun, in seinem Brief vom 22. Oktober, gegen Céciles Stellung in Préfargier massiv vor: «Je n'ai qu'un mot à vous dire; si vous tenez à guérir, quittez Préfargier. Vous n'êtes pas forte – tant s'en faut – et la tâche qui vous incombe est de beaucoup au-dessus de vos forces. Qu'au nom de Dieu M. James [ihr Bruder] se marie, s'il veut rester à Préfargier. Vous vous retirerez alors à Colombier et vivrez encore longtemps, aimée de nous tous ...[63]»

Seine Gefühle darüber mag er nicht äußern; doch kommt er auf sein eigenes Los zurück. Er hat über nichts zu klagen, ist gesund, und seine Lausanner Freunde tun alles für ihn. Zwar hat er wenig Vertrauen auf die Zukunft. Er spürt es erst jetzt, «que Préfargier m'a brisé le coeur. Je ne l'eusse pas cru». Wenn er darauf wiederholt, daß er sich ein Leben in Zurückgezogenheit, tätig ohne Lärm und vor allem ohne Aufregungen wünscht, so wird klar, was briser le coeur heißt: Sein Traum vom Dichtertum ist zusammengebrochen. Ohne dieses aber ist sein Leben nur noch ein Schattendasein: «Je vivrai probablement encore longtemps, mais plutôt, pour les autres que pour moi, qui m'ennuie et m'attriste de mon moi[64].» Daß er sich selbst lästig ist, dürfte nur die Folge seiner Frustration sein. Das Ich, das seiner Berufung nicht mehr Folge leisten darf, das nur noch eine soziale Funktion erfüllt – er mag dabei etwa an seinen damaligen Geschichtsunterricht am Blindeninstitut in Lausanne denken – ist ein Leben ohne Reiz, ein trauriges Dasein. Wenn er seine Freundin dazu auffordert, es ihm nachzutun, d. h. sich mit dem Verzicht abzufinden, dann kommt darin sein naives subjektivistisches Mißverständnis zum Ausdruck: Céciles Beruf war identisch mit ihrer Berufung, der seine nicht.

Ende Oktober besuchte ihn Céciles Bruder Fritz, der «Kaplan» d.h. der Anstaltgeistliche, in Lausanne. Kam er als ihr Abgesandter, um irgendwelche Dinge klarzustellen oder einfach als Freund zum Freund? Conrad faßte den Besuch jedenfalls in diesem letzteren Sinne auf, unterhielt sich mit ihm aufs beste. Fritz Borrel machte ihm bewußt, daß er in Neuenburg noch immer Bürgerrecht genieße (j'ai droit de bourgeoisie à Neuchâtel[65]), und noch einmal schwört er Cécile im nächsten Brief: «quant à notre amitié, nous la garderons jusqu'au bout.» Im Grunde genommen und vernünftigerweise sollte er zwar, fährt er fort, nie mehr in Préfargier einkehren (so dunkel sind seine Erinnerungen, so sehr hat es ihm das Herz gebrochen), aber er weiß, daß ihn das Wiedersehen mit Cécile, auf die Tage vor Weihnachten geplant, glücklich machen wird. Die Freundschaft, so spürt man es aus dem geistreichen und neckischen Brief vom 31. Oktober, scheint gefestigt wie je.

Aber am 1. November schreibt Frau Meyer an Cécile[66] einen Brief, in dem sich bereits die schweren religiösen Skrupel anmelden, die drei Jahre später in die tödliche Depression ausarteten. Daraus nur ein Satz: «Seigneur, daigne avoir pitié de moi, car je suis la plus misérable de tes servantes[67].» Sie glaubt Cécile durch das Zitat aus einem Brief von Vuillemin über Conrads erfreulichen Zustand aufklären zu müssen, weiß demnach nicht Bescheid über die fortdauernden engen Beziehungen zwischen ihm und Cécile.

Ob diese auffälligen depressiven Anwandlungen der Mutter auch Gegenstand des brieflichen Zwiegesprächs zwischen Conrad und Cécile waren, läßt sich nicht klar erkennen, doch müht sich Conrad in drei aufeinanderfolgenden Episteln an die Mutter darum, ihre Selbstvorwürfe zu beseitigen. Er geht in der Entlastung der Mutter sogar weiter als es die Wahrheit der Tatbestände verträgt, wenn er seiner Schwester schreibt: «Ich weiß nicht, was immer sich die l. Mutter vorwerfen kann. Alles Unglück war die Folge meiner Konstitution[68].» Eine solche Verschleierung der Wahrheit – er weiß, daß Betsy seine Beteuerungen an die Mutter weitergeben wird – kann bei Conrad nicht ein Vergessen der Tatbestände oder ein Umdenken bedeuten, sondern hat einfach das therapeutische Ziel vor Augen, der Mutter ihre schweren Selbstvorwürfe abzunehmen.

Damit hatte sich eine Wendung vollzogen, welche die nächsten Jahre bestimmen sollte: Der Rollentausch zwischen Mutter und Sohn. Conrad tat alles, um die Mutter vor weiterem Absinken in den Trübsinn zu bewahren. Daß aus dem Monat, den er nach Neujahr 1854 in seiner Heimatstadt zu verbringen gedachte, die verhältnismäßig lange Zeit bis zum Tode der Mutter im Neuenburgersee, also 2¾ Jahre wurden, war wohl nicht zuletzt durch dieses therapeutische Verhalten Conrads bestimmt. Sie wurde wichtiger als die Suche nach einer bürgerlichen Existenz.

Während der letzten Wochen, die Conrad noch in Lausanne verbringt, scheint sich Cécile abermals in Schweigen zu hüllen. Damit in Zusammenhang steht eine engere Anlehnung Conrads an Betsy. Die an die Schwester gerichteten Briefe gewinnen in dieser Zeit wieder an Wärme und freundlicher Vertrautheit. Die Heiratspläne mit der jungen Constance von Roth und Marquise, von Anfang nichts als ein mehr oder weniger ernsthaft gespieltes Spiel, werden von Conrad aus dem tröstlichen Bewußtsein heraus aufgegeben, daß er sich erneut ein Leben an Betsys Seite besser vorstellen kann als seine Rolle als Ehemann. Damit unterhält er Mutter und Schwester, wohl nicht zuletzt, um ihnen eine wiedergewonnene Selbstsicherheit vorzuspielen.

Hatte Elisabeth Meyer schon mit ihrem Störbrief das Verhältnis Conrads zu Cécile beinahe zerschlagen, so nimmt ihr Brief an Cécile vom 15. Dezember geradezu diabolische Formen an. Sie mißbraucht das Zutrauen Conrads, der ihr gemeldet, daß er über Neuenburg nach Hause reisen werde, dazu, daß sie ihm das dringend auszureden sucht. Nicht genug damit, rät sie ihm laut Brief an Cécile[69], den Besuch überhaupt auf seine Rückkehr nach Lausanne, die sie auf Mitte Januar vorplant, hinauszuschieben.

Cécile ihrerseits hatte ihr offensichtlich einen Teil der an sie gerichteten Briefe Conrads übermittelt, ein verhängnisvoller Vertrauensbruch dem Freunde gegenüber! Natürlich hatte sie dies einzig aus der Absicht heraus getan, der Mutter die liebenswürdige neue Wesensart ihres Sohnes vertraut zu machen, sie von seiner Heilung und von seinem guten Wesen zu überzeugen.

Was Elisabeth Meyer in ihrem Antwortbrief an Cécile daran zu rühmen findet, Anhänglichkeit, Natürlichkeit und Schwung, entwertet sie im nächsten Augenblick mit dem ärgerlichen Hinweis auf seine schlechte Schrift: In dem Maße, als sie ihren Tiefpunkt für einmal überwunden zu haben scheint, verbreitet sich erneut ihr bösartig herrisches Wesen dem Sohne gegenüber.

Natürlich weiß Conrad von diesen Indiskretionen und Intrigen nichts, da er Cécile am 16. Dezember für den eben erhaltenen Brief dankt. Weder er noch die Freundin scheinen sich indes an die Weisung der Mutter zu halten, doch ja die Festtage für einen Besuch zu meiden. Der Plan, wenigstens die Nacht vom 29. zum 30. Dezember in Préfargier zu verbringen, wird fest ins Auge gefaßt. Und auf alle Fälle bleibt Conrads Wille zur Freundschaft und die Hoffnung, daß er sie, Cécile, nie verlieren werde: «Tenons-nous,

Mademoiselle, à une forte et bonne amitié, nous donnant de temps en temps de nos nouvelles, nous donnant la main toujours[70].»

Groß ist die Vorfreude, die Freundin wiederzusehen: «Mon coeur bat de joie à la seule pensée de vous revoir[71].» Diese Vorfreude durchzittert auch den Brief vom Stefanstag 1853, in dem er Cécile gesteht, daß wohl keiner je mit mehr Freude den Weg nach Préfargier unter seine Füße genommen habe. Von allen seinen Erinnerungen blieben ihm einzig die tiefe Freundschaft für ihren Bruder und sie. Das bestätigt noch einmal eindeutig, daß es eben diese Freundschaft und nicht die Therapie war, die ihn in Préfargier heilte.

Mit seinem etwas labilen Gesundheitszustand hat er sich abgefunden. Aber eine Andeutung läßt tiefer blicken: Er müsse sich einrichten, bemerkt er. «Quelque chagrin ne m'a pas précisément fait du bien; à présent, j'ai pris mes résolutions et j'espère entrer bientôt dans une carrière pratique[72].» Was kann dieser chagrin anders sein, als der mit äußerster Willensanstrengung geleistete Verzicht auf die Poesie, die ihm unendlich hart vorkommende Kehrtwendung hin zur carrière pratique. Dieser schwere Zwiespalt läßt seinen Brief eher melancholisch ausklingen: «Si cette vie est quelquefois bien cassante, et même quelque peu dégoûtante, l'amitié compense beaucoup[73].» Es sind diese menschlichen Bindungen, die ihm das zerstörerische, sogar ekelhafte Leben erträglich machen. Das Leben bleibt somit für diesen Menschen eine gefährliche Gratwanderung. Sie gelingt, solange Freunde in der Nähe sind.

Der Besuch in Préfargier wurde wie geplant in die Heimreise nach Zürich eingeschaltet. Elisabeth Meyer ist in ihrem ersten (allerdings undatierten) Brief nach Conrads Rückkehr des Lobes voll über den Rettungsanker, den ihm diese Anstalt nach Conrads Zeugnis geboten, und nennt den Sohn heiter und von der Hoffnung erfüllt, bald ein nützliches Glied der Gesellschaft zu sein.

Das Ende

Bis zum nächsten Dokument, das uns die Entwicklung dieser Freundschaftsbeziehung erhellt, dauert es fast ein halbes Jahr, und dieses Dokument ist ein Brief der Mutter Meyer an Cécile[74], dessen Beweggrund zwar nicht klar zu fassen, dessen Inhalt aber noch einmal die verhängnisvolle Rolle dieser Frau im Werden unseres Dichters an den Tag legt. Cécile hatte sich für den Sommer zu einem Besuch in Zürich angemeldet, hatte ihr dabei auch ihre Freude an einem Wiedersehen mit Conrad angedeutet; oder war der Mutter Conrads Verhältnis zu ihr aus den zur Verfügung gestellten

Briefen und aus Conrads mündlichen Äußerungen klarer geworden? Jedenfalls versteht sie ihr weiszumachen, daß Conrad selbst nicht in der Lage wäre, ihr den Aufenthalt angenehm zu machen[75]. Er sei nämlich in einem Geisteszustand, «où tout ce qui lui rappelle le passé le fait frissonner». Ob diesem Verhalten wirft sie ihm sogar mangelnde Christlichkeit vor, d. h. mangelnde Bescheidenheit, die ihn daran hindere, zu seiner Vergangenheit ja zu sagen.

Kein Zweifel, daß Frau Meyer Conrads mögliche Reaktion auf Céciles Besuch falsch sieht, falsch sehen will. Conrad hatte, wie hier oft genug gezeigt wurde, zwischen Cécile und der Anstalt Préfargier stets deutlich unterschieden und sie immer wieder als einen Lichtpunkt in diesem Dunkel seiner Internierung bezeichnet. Es ist ganz klar, daß sich jetzt, eineinhalb Jahre nach seinem Austritt aus der Anstalt und nachdem sich die Freundschaft in so vielen Briefen gefestigt hatte, in dieser Beziehung nichts geändert hätte. Frau Meyers Argumentation war nichts anderes als ein Vorwand, Cécile von Conrad fernzuhalten. Sie war in ihre alten Vorurteile zurückgefallen: «Son ennemi, c'est l'imagination ... qui l'a fait vivre jusqu'à présent dans un monde chimérique[76].» Im Grunde müssen die Gedanken, die Frau Meyer übermittelt, der Adressatin längst bekannt sein, und sie dürften Céciles Urteil über Conrads geistige und menschliche Qualitäten kaum verändert haben. Sie bezeugen nur, daß Elisabeth Meyer nicht bereit war, ihres Sohnes Leistungen anzuerkennen. Selbst am Erfolg der Übersetzung der Récits des temps Mérovingiens, an der ihr Sohn anderthalb Jahre gearbeitet hatte, zweifelt sie und nennt seine literarischen Arbeiten generell «bescheiden»[77]. Von den abschätzig bewerteten Leistungen ihres Sohnes geht sie auf Betsys Pastellmalerei über und auf ihre große Bedeutung für den Bruder, der sie sein Gewissen nenne.

Die Folge dieses Briefes: Cécile verzichtet auf die Reise. Frau Meyers gewaltsamer Eingriff zeitigte seine Früchte, und sie gab sich Mühe, den Keil noch tiefer in dieses Freundschaftsbündnis hineinzutreiben. Einen Monat später schreibt nämlich Frau Meyer an James Borrel, hebt in diesem Schreiben das enge Bündnis zwischen Sohn und Tochter hervor und betont, daß Conrad «bon enfant» sei und versuche, sich nützlich und angenehm zu machen. Aber nach wenigen Zeilen geht sie wieder zum Angriff auf ihn über: «Conrad n'a pas encore acquis assez d'humilité pour parler avec simplicité de ce qui s'est passé avec lui[78].» Weil er diesen pietistischen Bekennereifer nicht zeigte, war er für sie nicht reif, hatte sie ihn wieder abgeschrieben. Indes räumt sie ein: «Son coeur n'est toutefois pas ingrat et il souffre de ce qu'il n'a plus su écrire a Mlle Borrel qui a bien voulu entrer en correspondance avec lui[79].» Diese Stelle ist von einer unheimlichen

Zwielichtigkeit. Frau Meyer muß zugeben, was sie in ihrem Brief an Cécile nicht für wahr haben wollte: Daß Conrad sehr wohl zwischen Préfargier und dieser zu unterscheiden weiß, daß somit das Hausverbot auf einer falschen, verlogenen Prämisse beruhte. Was heißt nun aber: Il n'a plus su écrire à Mlle Borrel? Er war es ja gewesen, der die Fortführung des Briefwechsels gewünscht hatte! Wenn er keine Briefe mehr schreiben konnte (zu schreiben wußte?), dann war hier ein gewaltsamer Eingriff erfolgt. Der wahrscheinlichste Grund dafür mag die Indiskretion Céciles gewesen sein oder das Bewußtsein ständiger Beaufsichtigung durch die Mutter. Wenn diese indes von entrer en correspondance spricht, dann war sie der irrigen Auffassung, diese Korrespondenz beginne erst jetzt, da Conrad in Zürich sei, was jedoch in Widerspruch steht zur Tatsache, daß sie ja von Cécile Briefe Conrads aus der Lausanner Zeit ausgehändigt bekommen hatte. War das Vergeßlichkeit? Wohl kaum; schon eher bewußte Verschleierung vor James Borrel. Jedenfalls kann kein anderer Grund für den Abbruch der Korrespondenz gefunden werden als der gewaltsame Eingriff der Mutter, wie er auch immer geartet war. Daß er unter diesem Eingriff litt, das stellte sie immerhin fest, um aber unverzüglich und ohne große Bedenken zu der Bemerkung überzugehen: «J'ai l'idée que cela changera et que mon pauvre enfant [!] finirà par devenir tout à fait *naturel*[80].» Was darauf schließen läßt, daß sie den Briefwechsel mit Cécile als widernatürlich erklärt hat.

Noch zwei Briefe Conrads an Cécile, der vom 5. August 1854 und der vom 24. November 1855 haben sich erhalten. Sie sind beide förmlicher und distanzierter als alle früheren, so als ob sie sozusagen unter einem Zensurdruck entstanden wären, vor allem der erste. Daß er wegen Arbeitsüberlastung nicht zum Schreiben kam, wirkt eher wie eine Ausrede. Dahinter verrät sich ein depressiv gesteuertes Nicht-mehr-Können, das unter einem fast unerträglichen psychischen Druck und einer gewaltigen Willensanstrengung erzwungen wurde. Geplagt von Verlegerbriefen (die Übersetzung Thierrys stand kurz vor der Veröffentlichung), sei er, schreibt er im zweiten Brief, von Überdruß und Kummer befallen, führe alles in allem ein ermüdendes und monotones Leben, was ihn gleichzeitig von allen überflüssigen – will sagen von seiner Umwelt unterdrückten – Ideen «heile». Daß Conrads Brief in dieser Richtung zu paraphrasieren ist, beweist die Fortsetzung. «Je néglige et je *dois négliger* tout ce qui ne se rattache pas à mes occupations qui tout en me fatigant bien ne me mènent pas à grand' chose.» Frustriert, von seinem wahren Weg der Berufung abgelenkt, ein Leben ohne innere Erfüllung, so deutet er sein Dasein, und sieht richtig. Noch findet er, wie wir schon aus den zitierten Stellen sehen, trotz größerer Förmlichkeit, Cécile gegenüber seine frühere Offenheit, ja er entwirft im Brief vom 24. November 1855 ein erschreckend düsteres Bild seiner Situation in Zürich: «Il est vrai qu'il serait difficile de s'imaginer une position plus impatiente que la mienne. Entouré de jeunes hommes, jadis mes camarades, qui tous sont arrivés ou arrivent à quelque chose, cherchant à me rattacher partout et n'y réussissant que rarement, regardé de haut en bas par des hommes qui peut-être ne me valent pas, soupçonné par qui ne m'aime pas, de n'être point encore entièrement guéri, contraint de m'humilier incessamment, ce qui n'est pas naturel du tout [wie es die Mutter meint!], je suis souvent très malheureux, mais, je puis le dire, je ne désespère nullement [...]. Il est vrai de dire qu'une foi très vive, très fervente, mais que je cache plutôt que je ne l'affiche, me soutient et me fortifie malgré de nombreuses rechutes qui m'affligent sans me décourager[81].»

Angesichts der düsteren Atmosphäre in Zürich, wo ihm nur mitleidiges Achselzucken begegnet und wo er seine wahren Absichten vor der Mutter verstecken muß, ist der Zukunftsglaube, von dem er am Schlusse redet – und es kann sich einzig und allein um seinen Glauben an die dichterische Berufung handeln – geradezu ein Wunder von durchhaltender Kraft zu nennen, besonders, wenn wir bedenken, daß er auch noch in diesem Zeitpunkt sechs Jahre vor seinem ersten bescheidenen Erfolg und dreizehn Jahre vor seinem eigentlichen Durchbruch zum Dichter steht.

Das Wunder dieses Glaubens an seine Berufung beeindruckte sogar seine Mutter, die am 11. Dezember 1855[82] – wohl ein letztes Mal – über Conrad an Cécile berichtet, daß seine moralischen Kräfte in erfreulicher Weise zunähmen, «comme s'il avait des chances de réussir». Bezeichnend genug, daß sie dies im Irrealis ausdrückt!

Die Meyer-Biographen und Interpreten haben bis jetzt mit Ausnahme Robert d'Harcourts von diesem umfangreichen und so ungemein aufschlußreichen Briefwechsel nur wenig Notiz genommen. War die Tatsache, daß sie französisch geschrieben sind ein Hindernis? Ich habe die Überzeugung gewonnen, daß sie über ihren informativen Wert in Beziehung auf die Geschichte von Conrad Ferdinand Meyers innerer Entwicklung hinaus als Dichterbriefe ihren bedeutenden Eigenwert besitzen, auch dann besitzen würden, wenn sein Französisch des letzten Schliffes und der letzten stilistischen Sicherheit entbehrt.

Darüber hinaus aber muß, nachdem feststeht, welche entscheidende Rolle die Freundschaft Conrads mit Cécile in seinem Heilungsprozeß gespielt hat, neu überprüft werden, welche Spuren dieses Erleben im Werk des Dichters hinterlassen hat. Es ist völlig unmöglich, daß Cécile, wie man bis jetzt glaubte, als Anregerin völlig ausgefallen ist. Es war David A. Jackson, der 1975 erstmals[83] auf die Figur Angelas und ihre Beziehungen zu Cécile

Borrel hingewiesen hat. Wenn aber Angela Borgia, die einem Geblendeten das Leben erhellt, die Erinnerung an die selbstlos wirkende Oberschwester von Préfargier bewahrt, dann sicher auch die andere viel frühere Figur gleichen Namens, Engel, in der Versdichtung «Engelberg», die in Leid und Schmerz und schuldlosem tätigem Opfersinn ihren Erdenweg durchwandert. Ihre fraglose, von jeglicher frommer Bußübung freie Hingabe an den Menschen: Darin gleichen sie beide der liebenden Helferin von Préfargier, welche, für eine zeitlang wenigstens, ein Stück ihres eigenen Wesens an ihren Schützling verloren hatte.

Die menschliche Beziehung, sagen wir es zugleich schlichter und wahrer, ihre Liebe zueinander, ist neben dem Schwester-Bruder Verhältnis die schönste Frucht mitmenschlicher Kommunikation, die der von Isolation ständig bedrohte Dichter erleben durfte. Der Wortlaut der Briefe Conrads bekundet es (und er läßt die Tonart der Briefe Céciles erahnen): Die Liebesbeziehung war, auch wenn ihre sexuell-erotische Komponente gering war oder gar nicht vorhanden, stark und nachhaltig und – man darf die Behauptung wagen – echter und unmittelbarer als die Beziehung zu Luise Ziegler, die zum Ehestand hinführte. Es war eine tief menschliche Beziehung, bei der Fragen des Standes und der Gesellschaft, im Gegensatz zur Ehe mit Luise Ziegler, überhaupt keine Rolle spielten. Es war die spontanste Begegnung für beide, die unmittelbarste Begegnung mit dem menschlichen Du.

Engelberg

Viermal hielt sich Conrad Ferdinand Meyer in Engelberg und seiner näheren Umgebung auf, nämlich im Sommer 1857, nach der Rückkehr aus Paris, dann regelmäßig in den darauf folgenden drei Sommern. Nur einmal, nämlich im Spätsommer 1858, nach der so ertragreichen Reise nach Rom und in die Toscana, begab er sich allein in die Berge, die andern Male begleitete ihn die Schwester. 1858 hinderte sie ihr längerer Aufenthalt in Genf am Mitgehen. Nur die zwei ersten Male war das Dorf Engelberg selbst, und zwar ein einfacher Gasthof, der Ausgangspunkt ausgedehnter Wanderungen. Schon während des zweiten Aufenthaltes hatte Meyer ein neues Quartier ausfindig gemacht, nämlich die Pension Titlis auf der Engstlenalp, jenseits des Jochpasses, am Wege nach Melchsee-Frutt. Dorthin zog das Geschwisterpaar die nächsten zwei Sommer (1859/1860). Die größere Nähe von Eis und Schnee, die «leichtere Luft», der liebliche Engstlensee und die gute Unterkunft in so großer Höhe drängten das Paar aus dem Talgrund von Engelberg weg. Conrads Bergbegeisterung aus den Jünglingsjahren war wieder erwacht. Schon von Engelberg aus bestieg er mit Betsy unter der Obhut eines Führers den Titlis, damals sicher eine ansehnliche bergsteigerische Leistung, und zwei Jahre später wiederholten sie die Tour von der Engstlenalp aus.

Es bleibt aber ein ungeklärter Rest: Weshalb hat Meyer eine so große Vorliebe für das Tal von Engelberg und die Landschaft Obwaldens gehegt? Ein persönliches und ein psychisches Moment scheinen dabei mitbeteiligt gewesen zu sein. Das persönliche: Seit den Kinderjahren waren die Geschwister mit der Familie des Malers Melchior Paul Deschwanden freundschaftlich verbunden; sie hatten bei ihr in der Kindheit Sommerferientage verbracht, und später war Paul Deschwanden im Hause Meyer öfters zu Gaste gewesen und hatte die Kinder porträtiert. Sein Strich und seine Malweise, vor allem aber seine tiefe Religiosität, die ihn in die Gefolgschaft der Nazarener einreihen läßt, waren schon der Mutter Meyer zugänglich und vertrauenerweckend gewesen. Kein Wunder, daß das Geschwisterpaar auf seiner Fahrt nach Engelberg in Stans bei dem Künstler einkehrte, und daß dieser, als er im Kloster Engelberg Aufträge zu erledigen hatte, gerne am Tisch der Zürcher Feriengäste erschien. Deschwandens Beziehung zu den Engelberger Benediktinern war offenbar schon um diese Zeit sehr eng. Dies hatte zur Folge, daß das zwinglianisch-puritanisch erzogene Geschwister-Paar auch zur Kirche und der Mönchsgemeinschaft in Engelberg in eine gute, verständnisvolle Beziehung trat, was auf die Engelberg-Dichtung von nachhaltiger Wirkung sein sollte. Möglicherweise erwachte hier schon vor der Romreise das Verständnis für die katholische Konfession und öffnete dem Geschwisterpaar den Weg zur römischen Kirchlichkeit und Weltlichkeit. Jedenfalls ließen sich die Geschwister die Kunstschätze des Klosters zeigen[1].

Aber das Engelberg-Erlebnis hat noch seine seelischen Gründe. Man weiß, wie tief Conrad in Venedig von der «Assunta» Tizians beeindruckt war. Aber die Begegnung mit Tizians Himmelfahrt Mariä war nicht nur ein Kunsterlebnis, sondern verband sich mit dem Wunschbild der verstorbenen und nunmehr selig verklärten Mutter. Diese Verbindung von verklärtem Mutter- und dem Muttergottes-Bild hat sich nicht erst in Venedig vollzogen. Schon längst hatte sich das schreckliche Erlebnis des mütterlichen Suizids, das ja für Conrad auch eine Lösung von schweren Spannungen bedeutete, im Geschwisterpaar in den Glauben an die erlöste und selige, in die Sterne entrückte Mutter verwandelt. Der Vorgang der Verklärung muß sich schon bald nach dem Tode im Herbst 1856 vollzogen haben.

Nun ist zu bedenken, daß Engelberg eine Marienkirche ist, daß sich schon damals auf ihrem barocken Hochaltar die 1733 entstandene Himmelfahrt Mariä von Jos. Ant. Feuchtmayer befand[2], und daß auch die Kapelle im Grund des Horbis-Tälchens am Fuße des Hahnen, am «Ende der Welt» ein Marienbild auf dem Hauptaltar trägt[3]. Dazu hatte der Freund des Geschwisterpaars, Melchior Paul Deschwanden, damals den Ruf des bedeutendsten Madonnen-Malers der katholischen Schweiz gewonnen. Wie man seine Kunst auch einschätzen mag, die Faszination auf seine Zeitgenossen war übermächtig und hatte schon seit den Kinderjahren auf die beiden Geschwister eingewirkt, auf Betsy vor allem, da sie ja selbst Begabung und Drang zur Malerei empfand. So ist nicht erst die Assunta Tizians als Anregerin zu «Engelberg» anzunehmen[4]; Maria war vielmehr die künstlerische Erfüllung, die höchste künstlerische Offenbarung des verklärten und sublimierten Mutterbildes, das sich im Laufe der anderthalb Jahrzehnte in ihnen fortentwickelt hatte.

Mit dem verklärten Mutterbild vereinigte sich in «Engelberg» das Traumspiel um den Mons Angelorum, den Berg der Engel, wie der 2610 Meter hohe Hahnen auch genannt wurde. Sicher war dieser Name erst nach der Klostergründung (1120) aufgekommen, und eine Legende hat sich kaum je um den steilen und wilden Vorgipfel des Rotstock-Massivs entwickelt. Diese, die Legende, war erst im schöpferischen Traumspiel des Dichters lebendig geworden. Wie er in seinem Brief an Adolf Calmberg vom 22. November 1886[5] feststellt, war für die Engelberg-Dichtung «nirgends in Geschichte, Sage noch Legende ein Anhalt vorhanden, den bloßen Namen Engelberg ausgenommen». Er durfte also mit Recht darauf hinweisen, daß «die ganze Geschichte meines Wissens rein meine Erfindung ist, mit der ich umspringen kann, wie ich will»[6]. Mit diesen Worten wehrte er sich damals – beim Erscheinen der zweiten Auflage – gegen die Kritik Adolf Freys, der ihm die Aufhebung des reinen Legendencharakters in dieser Auflage zum Vorwurf gemacht hatte, dadurch daß er die Vision von der himmlischen Herkunft Engels als die pia frans eines barmherzigen Mönchs entlarvte. Frey meinte, in seiner Besprechung in der Neuen Zürcher Zeitung[7], Meyer habe damit dem ursprünglichen reinen Legendenstil Schaden zugefügt. Meyer verteidigte seine Umwandlung in eine reale Historie mit dem Hinweis auf seine dichterische Gestaltungsfreiheit.

Zu untersuchen ist daher, ob diese Veränderung eine wirkliche Verschlechterung und nicht vielmehr ein Fortwachsen des Engelberg-Stoffes bekundet, ein Fortwachsen, dessen Zielrichtung schon in der früheren Konzeption vorgebildet war.

Nehmen wir nun an, die klärende und reinigende Atmosphäre des Engelberger Hochtales habe das verklärte Bild der Mutter zur Folge; ihre Verewigung und Sternwerdung, wie sie später in «Hesperos»[8] Gestalt gewonnen hat, sei ein poetisches Traumgeschehen geworden und knappe zwei Jahre nach ihrem Tode sei dieser Sublimationsvorgang in den beiden jenseitsgläubigen Geschwistern bereits vollzogen gewesen. Dann dürften auch die übrigen Motive der Engelberg-Dichtung demselben Quell entstammen, ja sogar Variationen desselben Motivs sein. Dann ist Engel, das Kind, selbst die wiederkehrende Gestalt der Mutter, und ihr Lebensbild, so wie es zunächst in der Phantasie des Dichters Gestalt gewann, wäre in neuplatonischem Sinne die Emanation des ewigen Mutterbildes und zugleich die wiedererstandene verklärte Mutter der beiden Geschwister. Als Re-inkarnation des Mütterlichen schlechthin muß Angela durch das Erdental wandern, muß das Leben der Mutter erleben und erleiden, um als reines Mutterbild wieder einzugehen in den Quell und Ursprung, aus dem sie – nach dem christlich-neuplatonischen Glauben – gekommen. So verstanden, wäre die Engelberg-Legende eine Variation zum Gedicht «Die tote Liebe» (s. S. 91 f.).

Hier ist – kühner noch als in «Engelberg» – die Gestalt der Mutter sogar mit der Gestalt Jesu, der seinen Jüngern auf dem Weg nach Emmaus begegnet, verquickt. Die Verbindung der Gottesmutter Maria mit der eigenen Mutter in der früher vollendeten Dichtung, wirkt im Vergleich zum Gedicht «Die tote Liebe» näher, natürlicher.

Meyer hat selbst lange an der Bezeichnung Idylle für die Engelberg-

Dichtung festgehalten, um schließlich den Entscheid darüber ob «eine Idylle» oder «eine Dichtung» gesetzt werden sollte, dem Verleger Haessel zu überlassen. Er hat sich ohne weiteres mit dessen Entscheid für die zweite Variante einverstanden erklärt[9], offenbar, weil auch für ihn selbst die idyllisch-traumhafte, irreale Vision des Anfangs längst mit dem Realismus leidbeschwerten Erdenlebens durchtränkt war. Wenn schließlich die liebliche Legende von Engels Herkunft aus der himmlischen Heerschar ganz eingeschränkt und zum frommen Betrug degradiert wird, dann kann dies als eine Regression in den nüchternen zwinglianischen Protestantismus gedeutet werden. Aber Regression wäre unschöpferische Beschränkung. Sprechen wir vielmehr von Gestalt-Wandel, von einer zündenden schöpferischen Idee, die immer plastischere, greifbarere Formen annimmt. Die Figur Engels wird mit der Zeit immer stärker in die Welt eingebaut. Sie muß ein ganzes schuldbeschwertes, leidvolles Erdenleben von ihrer Geburt bis zum Tode durchlaufen. Sie verliert damit ihre Nähe zum Göttlichen, ihre Engelhaftigkeit in keiner Weise; sie wird nur viel härter und tiefer geprüft. Im Laufe ihrer Entwicklung wird die Legende entromantisiert, säkularisiert; das Traumspiel nimmt die irdische Wirklichkeit in sich auf und verliert sich selbst an die Ränder des Ganzen, an den Anfang und das Ende.

Wie weit dabei Gottfried Kellers «Sieben Legenden» eingewirkt haben, ist schwer nachzuweisen. Festgestellt sei lediglich, daß die «Sieben Legenden» 1871 erschienen sind, daß sie somit bei der Überarbeitung «Engelbergs» im Frühling und Frühsommer 1872 dem Dichter gegenwärtig sein mußten. Vorausgesetzt, daß wir den legendären Grund anerkennen, erweist sich die Fortentwicklung in einem geradezu erstaunlichen Maße dem Geiste Gottfried Kellers angenähert. Aber während für Gottfried Keller der naive Legendenstil bei Kosegarten den Anreiz zu plastischerer Gestaltung bot und ihn das seit Ludwig Feuerbach entfaltete diesseitsfreudige Weltbild zur Säkularisation der frommen Legende anregte, stehen für C. F. Meyer ganz andere innere, seelische Bedrängnisse im Hintergrund. Bei Keller tritt das Persönliche ganz hinter den legendären epischen Stoff zurück. Bei Meyer drängt sich in das zarte legendäre Traumspiel immer mehr das Persönliche ein. Das übermächtige Muttererlebnis ergreift und verwandelt wie wir gesehen haben zunächst die Gestalt Engels.

Aber auch die Figur Juttas, so knapp sie gefaßt ist, wird durch das Muttererlebnis bestimmt. Das unerhört grausame, blutige Suizid eines Weibes, das nach dem Verlust seiner Liebe um keinen Preis mehr leben will – möglich, daß Conrad von einem solchen oder ähnlichen Fall gehört hatte – wird erst möglich nach dem Tode Elisabeth Meyers, die ja in ähnlicher

Weise um keinen Preis mehr leben wollte. Natürlich sind die Motive anderer Art, aber gerade diese andersartige Motivierung ermöglichte dem Dichter, in getarnter Form, ein Stück seines Mutter-Erlebnisses einzuflechten. Beachten wir die Parallelen: Auch Elisabeth Meyer hat wie Jutta ein um sie waltendes Vertrauen ausgenützt, um aus dem Leben zu entfliehen.

Engel hat sich von der seelisch Bedrohten auf deren Bitte hin wegbegeben, um für sie das «Röslein an der Klostermauer» zu pflücken. In der Zwischenzeit hat sich Jutta gegen die Mauer geworfen und ihren Kopf eingerannt. So ist Engel in ihrer Vertrauensseligkeit unschuldig schuldig geworden. Sie fürchtet ob ihrer Pflichtvernachlässigung den härtesten Verweis der Mutter Priorin und flüchtet in die Wildnis. Als Schuldbeladene begegnet sie dort einem Schuldbeladenen, als Ausgestoßene einem Ausgestoßenen (S. 34, V 43 ff). Der wilde Jäger, der, aus seiner Heimat Graubünden verbannt, in den Obwaldner Bergen haust, ist zugleich Selbstprojektion und Gegenpol des Dichters. Selbstprojektion als Ausgestoßener, aus der Gemeinschaft, der er entstammt, Verbannter und Schuldbeladener! Das Gefühl des Mitschuldig-Seins am Tode der Mutter hat ihn durch Jahre hin verfolgt. Ferner als Erbe eines Geschlechtes, das die Schuld seiner Ahnen zu tragen hat. Als Polarisation seines Wesens ist lediglich das Heldische, Kühne, das seinem Wesen eignet, dazugekommen. Auch dies ist aber, – wir können es an ungezählten poetischen Figuren Meyers ablesen, – vor allem eine Wunsch-Projektion. Und als mutiger Bergsteiger hatte er wenigstens die befreienden Kräfte des Bergerlebnisses selber gespürt, er, der so lange «in einem schweren Bann gebunden» war, war in Engelberg als ein der Städte «Staub» Entflohener zu einem ersten echten Selbstbewußtsein erwacht.

Es liegt im Wesen der Legende, daß ihre Gestalten nicht eigentliche Charaktere, sondern Figuren sind, Figuren in einem Spiel. Ihre Symbolik ist wichtiger als ihr persönlicher Eigenwert. Von hier aus ist der Vorwurf zu entkräften, der schon frühe gegen die Engelberg-Dichtung erhoben wurde, daß die Gestalten nicht über eine gewisse Schemenhaftigkeit hinauskämen. Denn wenn der Dichter wirklich eine Legenden-Dichtung gestalten wollte, dann ging es ihm mehr um das symbolische Zusammenspiel der Figuren als um die persönliche Erlebniswelt der einzelnen Gestalten. Nicht Individualitäten, sondern Typen traten zu einem Spiel zusammen, Typen, welche typische Schicksale durchwandern, typisch nach der Art wie sie ihr Schöpfer als gläubiger und zweifelnder Mensch des neunzehnten Jahrhunderts sah, eines Jahrhunderts, das es langsam verlernt hatte, frommen asketischen Träumen Glauben zu schenken.

Darum wird aus dem überzarten Idyll des Keimgedichtes vom 26. August 1862[10] ein mit Liebe und Leid gefülltes Geschehen, und kein historischer Stoff hinderte den Dichter daran, die Schicksalsabläufe frei zu gestalten.

Bedenken wir nun dieses Figurenspiel: Ein Findelkind, in Unschuld aufwachsend, belädt sich ungewollt mit einer schweren Lebensschuld; sie begegnet als Schuldige und Flüchtige einem schuldbeladenen Menschen. Eine Ehe wird geschlossen zwischen Verbannten, von der menschlichen Gemeinschaft Gemiedenen. Sie wird von einem eremitenähnlichen Mönch ohne Anteil an der menschlichen Gesellschaft in primitiv-sakraler Form geschlossen. Und die vier Kinder, die dieser natürlichen und primären Gemeinschaft entsprießen, sind wieder nicht Kinder so und so gearteter und veranlagter Eltern sondern typische Kinder mit typischen Schicksalen. Und ihre Entwicklungsrichtung? Pater Hilarius «testet» sie nach ihren beruflichen Möglichkeiten: Sie verraten sich in ihren kindlichen Gebärden: Der Älteste wird einst ein Krieger werden, der Zweite ein Handelsmann und Bürger, der Dritte ist für ein kirchlich-klösterliches Leben vorausbestimmt und der Jüngste, der schwächliche nachgeborene kleine Werner, hat eine geschickte Künstlerhand und ist für den Beruf des Bildschnitzers vorgesehen. Das sind die ursprünglichen Berufsstände, die dem Dichter vor Augen schweben: Der Wehrstand, der Geschäfts- und Handelsstand, der Klerus und der Stand der Künstler, der im Mittelalter nur im sakralen Bereich Entfaltungsmöglichkeit hatte. Der letztere ist zugleich der subtilste und der verletzlichste, aber der menschlichste.

Doch das menschliche Dasein wird nicht allein durch primäre, die Stände konstituierende Anlagen bestimmt; aus tieferen Gründen wirken die inneren Verhängnisse – in des Wortes ursprünglichster Bedeutung. Vererbte und eigene Schuld, sie stehen für den schicksalsgläubigen Dichter in geheimem Zusammenhang mit dem äußeren Verhängnis, das dem Menschen Strafe und Sühne, Leben, Glück und Tod bringt.

Über den Schicksalen aber waltet göttliche Gnade, insofern als ihr Leben und ihr Sterben nicht wie bei Jutta sinnwidrig und grausam, sondern Erfüllung und Vollendung bedeuten. Kurt, der Älteste, fällt nicht auf fernem blutigen Schlachtfeld sondern im rettenden Einsatz für das Müllerstöchterchen, das er liebt, und dessen Geschwister. Der Bergstrom reißt ihn zusammen mit der Braut, die ihm das Schicksal bestimmt hat, in den Abgrund; im gemeinsamen Opfer finden sie den gemeinsamen Tod. Benedikt steigt in den Bürgerstand der Stadt Luzern auf, verleugnet und vergißt seine Herkunft – ein satirischer Mißton auf das vornehme aber egoistische Bürgertum im reinen Legendenspiel –. Nicht viel anders der Priester Beat: ihn trennt fortan das Priestergewand von der Mutter. Überhöht und seine

Kindheit vergessend, reicht er der Mutter nur noch das Gnadenbrot der Eucharistie. Nur der Jüngste, Werner, der begnadete Künstler, beendet sein zartes Leben in den Armen der Mutter. Soldatentum führt ins wilde Leben und in den Tod, Bürgerstand und Priesterstand entfremden den Menschen seiner angestammten natürlichen Heimat; nur das Künstlertum bewahrt die natürlichen unverfälschten und unverfremdeten Liebesbeziehungen zwischen Mutter und Kind.

Daß unsere Deutungen der Figuren und ihrer Schicksale dem Geiste des Dichters entsprechen, zeigen die Kürzungen und Straffungen, die der Dichter am Texte vorgenommen hat. Da steht etwa die Gestalt des Pisaners, wie er sich im Entwurf nennt[11]. Der Dichter dachte wohl angeregt durch seinen Besuch Pisas, damals als er Gast des Barons Bettino Ricasoli war, an einen Architekten aus der Künstlerfamilie der Pisano. In der endgültigen Fassung ist dieser Hinweis auf den Pisaner verschwunden; es bleibt lediglich der Baumeister aus Italien, den der Abt des Klosters in die Alpen mitgebracht hat, damit er ihm eine neue Kirche baue. Für die einfache Gegenüberstellung des Holzschnitzers aus dem Hochtal, Engels jüngstem Kinde, mit der pathetischen Kunst und dem theatralischen Temperament südländischer Kunstauffassung genügt das Typische, die reine Antithese, wie sie der Baumeister, Abschied nehmend, zusammenfaßt:

Ich sehe, Jüngling, spricht der Fremde,
Du bleibst in deinem Hirtenhemde!
Wir haben beide gut gelost:
Ich gebe Ruhm, du bietest Trost.[12]

Wenn Vergegenständlichung und Individualisierung zum Grundwesen guten Erzählstils, ob nun in gebundener Sprache oder in freier Prosa, gehören, dann verfolgt Meyer in diesem Frühwerk das Gegenteil: Das allgemein Typisierende. Nur dort, wo die individuelle Gebärde zur Symbolik und Transparenz tieferer Bedeutung nötig wird, ist die Sprache konkret und sucht das Einmalige in den Griff zu bekommen. Dort wird die Legende welthaltig und nimmt die Form einer Alpenerzählung an, besonders eindrücklich in der Jutta-Szene und bei der Wassernot an der Mühle.

Diese Doppelnatur der Engelberg-Dichtung wird im «Engelgruß» am Schluß der Dichtung[13] nochmals ins Licht gestellt

Es ging ein Himmelskind verloren
Und blieb dem Himmel doch getreu,
Es ward von einem Weib geboren
Und wußte doch, woher es sei.

Das Heilige verwirklicht sich nicht in einem weltabgeschiedenen Reservat. Ein Leben in reiner aufopfernder Menschlichkeit, aber ohne asketische Weltflucht, das ist ein Heiligenleben im Sinne eingeschränkt materialistischen Denkens im neunzehnten Jahrhundert. Ein solches Leben, wie es Engel lebt, kann nicht profaniert werden, weil alles was sie tut, Dienst und Opfer war. Es ist geheiligtes Dasein.

Warum aber bleibt C. F. Meyer, er, der doch sonst immer wieder leicht dazu bereit war, Metrum und Rhythmus und die ganze Gestalt seiner Gedichte zu ändern, so hartnäckig bei dem Maß, das er nach eigenem Bekenntnis[14] von Gottfried Kinkels «Otto der Schütz» übernommen hat? Wollte er damit einfach einem wenig eindrücklichen Heldenlied romantischer Prägung den Rang ablaufen? Reizte ihn die kurzatmige, reimfreudige Strophenform und wollte er damit dem allgemeinen Trend nach volksläufigen Epen, der nach dem Siebzigerkrieg von der deutschen Nationalromantik her Auftrieb erhalten hatte, nachgeben? Wollte er selber einen Versuch zu einer volksnahen Dichtung unternehmen? Jedenfalls war der Wille, es mit andern Autoren aufzunehmen, mächtig geworden. Daß er schließlich im Brief Betsys an Haessel vom 5. Mai 1872 eigenhändig die allenfalls geplante Bezeichnung «Legende» mit einem Hinweis auf Gottfried Kellers «Sieben Legenden» entschieden ablehnt, und daß er Calmberg auffordert, Gottfried Kinkel ja nichts von seiner Entlehnung des Versmaßes verlauten zu lassen, zeigt sein hellwaches Streben nach einer eigenen freien Position zwischen bereits anerkannten Größen.

Aber die damalige Gegenwart, die anbrechende Gründerzeit und das zunehmende materialistische Streben des Bürgertums und der Massen waren einer säkularisierten Legende nach der Art von «Engelberg» nicht günstig. Eine heilige Angela ohne den ironisierenden Nebenton Gottfried Kellers entsprach nicht mehr dem Lesegeschmack der Zeit, einer Zeit, die dem viel handgreiflicheren, sozial engagierten Naturalismus zustrebte. Und das Spiel mit Reim und Rhythmus ohne nationalromantisches Pathos im Sinne J. Viktor v. Scheffels, fand bei der Jugend der Zeit kaum einen Widerhall. Man nahm «Engelberg» hin, aber man erwärmte und begeisterte sich nicht dafür wie für die Huttendichtung. Das darin bekundete Verständnis des Protestanten Meyer für die katholische Welt des Mittelalters befremdete jene, die dem antikatholischen Element in der Huttendichtung zugejubelt hatten.

Auf eine Stelle sei noch hingewiesen, da sie das Kunstverständnis Meyers sichtbar macht und gleichzeitig den Zwiespalt aufdeckt, der dieses Kunstverständnis kennzeichnet. Da der Meister aus Italien die Klosterkirche prüfend von einem Ende zum andern durchschreitet

Gewahrt der Gast in einer Blende
Ein Josephshaupt aus Holz geschnitten:
Der Schädel breit, die Runzeln hart,
Struppig die Brauen und der Bart,
Ein Haupt, in jedem Zuge wahr
Kurz, der leibhaftige Hilar.

Auf den entschuldigenden Hinweis, daß man das Werk eines Talkindes

... den Heil'gen eingereiht,
Die hier auf goldenem Grunde prangen.

antwortet der Meister:

Herr Abt, erlaubt mir, das ist Plunder!
Der alte Joseph ist ein Wunder![15]

Hier wird die ungeschminkte, naturalistische, porträtierende Kunst dem abstrahierenden Bilde byzantinisch angeregter Kunst des Mittelalters gegenübergestellt. Diese Wirklichkeit einer Josephsfigur bedarf des Goldgrundes nicht; in ihm wird die Wirklichkeit eines Menschen, eben des Pater Hilar, geheiligt. Das ist die neue Sicht der Kunst, das Michelangelo-Erlebnis in die alpine Wirklichkeit transponiert, die Überwindung des Asketischen durch das Vitale, wie es im Gedicht «Auf Goldgrund» eindrückliche Gestalt gewinnen wird.

Das Geschwisterpaar Conrad und Betsy Meyer

Bruder und Schwester

Conrad Ferdinand Meyer hatte, wie er von Julian Boufflers in «Das Leiden eines Knaben» sagt, Mühe zu leben. Er mußte ein halbes Jahrhundert alt werden, bis ihm gebührende Anerkennung zuteil wurde. Und nicht viel mehr als anderthalb Jahrzehnte waren ihm zu freiem Schaffen vergönnt. Dann verfiel er wieder Depressionen, aus denen er sich, wie wir noch sehen werden, nicht mehr zu lösen vermochte.

Wenn dennoch ein so eindrückliches Gesamtwerk – eindrücklich nicht durch seinen Umfang, sondern durch seine Qualität – entstanden ist, dann hat daran seine um fünf Jahre jüngere Schwester Betsy (Elisabeth) einen entscheidenden Anteil. Ohne sie, ihren Durchhaltewillen und ihr grenzenloses Verständnis für den künstlerisch begabten, aber leidenden Bruder wäre seine Schaffenskraft nie zum Durchbruch gekommen. Sie allein hat seinen Glauben an eine dichterische Berufung vorbehaltlos geteilt, noch mehr: sie hat in Zeiten mutlosen Zagens diesen Glauben allein durchgehalten. Und sie hat einen großen Teil ihres Lebens allein für ihren Bruder gelebt, hat auf große Entfaltungsmöglichkeiten, sogar auf eigenes Glück verzichtet.

Wir würden allerdings diese Bruder-Schwester-Beziehung falsch deuten, wenn wir darin nur eine einseitige Opfertat erkennen wollten. Die beiden Menschen fühlten sich vielmehr als zueinander gehörig, durch das Schicksal füreinander bestimmt, und sie liebten sich so sehr, daß sie diese Bindung zuzeiten jeder andern vorzogen, daß sie, als wären sie Mann und Frau, aneinander Genüge fanden.

Diese Geschwisterliebe war in frühen Jahren schon geschmiedet worden. Von früher Eifersucht, wie sie in älteren Geschwistern aufzusteigen pflegt, wenn jüngere nachkommen, wissen wir denn auch bei Conrad nichts, im Gegenteil: jedes kindliche Glücks- und Geborgenheitsempfinden des kleinen Conrad scheint mit der Vorstellung verbunden gewesen zu sein, daß das Schwesterchen mit dabei sein müsse.

Bald aber sollte diese natürliche Sympathie der beiden Kinder zu einer lebenserhaltenden Notwendigkeit werden. Der Tod des Vaters Ferdinand Meyer im Frühjahr 1840 schuf eine ganz neue familiäre Konstellation[1].

Denn mit dem Vater verloren die Kinder in gewissem Sinne auch einen Teil, und zwar den heiteren, frohen, ihrer Mutter; sie war, wie wir bereits gesehen haben, dem Witwenstand kaum gewachsen, obwohl keine materielle Not die Familie bedrängte. Sie lebte fortan fast nur noch in Erinnerungen an ihren verstorbenen Gatten und verlor sich dabei in eine übertriebene, von Selbstanklagen, moralischer Härte und Unduldsamkeit durchsetzte Frömmigkeit. Unter diese moralische Strenge und Härte stellte sie vornehmlich ihren Sohn, in dem sie ein Abbild ihres Gatten heranwachsen sehen wollte.

In dieser Phase der Entwicklung – es war die Pubertätszeit Conrads, Betsy aber kaum erst zehnjährig – übernahm diese die Mittlerrolle zwischen Bruder und Mutter, wenn sich – in zunehmendem Maße – Spannungen zwischen ihnen entwickelten. Und sie war dazu allein imstande, liebte sie doch beide in gleicher Liebe. Zwischen der Mutter, die den Sohn immer weniger verstand und alle seine Reaktionen als Trotz, Hochmut und Zügellosigkeit zu deuten begann, und dem Bruder, der sich mehr und mehr in die Einsamkeit zurückzog, stand Betsy. Glücklicherweise genoß sie das Vertrauen beider und wußte sich solches Vertrauen durch viele Jahre hindurch zu erhalten. Das war wohl in den Zeiten akuter Krisen schwieriger, als es sich in Worten sagen läßt.

Denn bald zeigte sich bei Mutter und Bruder – bei diesem wohl zuerst – jene verhängnisvolle seelisch-geistige Deformation, die schließlich zu den in den früheren Kapiteln dargestellten geistigen Störungen und zu eigentlich pathologisch bestimmbaren Zuständen führten. Betsy litt als die Zunächststehende unter diesen Entwicklungen und Spannungen und wurde frühe schon vertraut mit Irrungen und Wirrungen des Gemüts. Daß sie später durch lange Jahre hin, sogar bis ins höhere Alter, als eine Art Psychiatrieschwester und Betreuerin pflegebedürftiger Frauen – in der Zeller'schen Anstalt zu Männedorf – gewirkt hat, läßt sich verstehen als Folge dieser viele Jahre dauernden Lehrzeit in der eigenen Familie. In jener Zeit, da die Seelenheilkunde noch in den Kinderschuhen steckte und es die Psychiatrieschwester noch nicht gab, hatte sie sich eine Erfahrung im Umgang mit seelisch Bedrohten erworben, die weit über das hinausging, was man damals unter «Irrenpflege» verstand. Daneben reifte sie selbst, da sie in Beziehung auf Begabung ihrem Bruder wohl wenig nachstand[2], zu einer Künstlerperönlichkeit heran, der nur die gesellschaftliche Geltung der Frau in unserem Lande und in ihrer Zeit den Weg zu freierer Entfaltung verbaute. Sicher ist, daß die nähere Umgebung für sie zunächst günstigere Voraussetzungen bot als für ihren Bruder. Denn während Conrad, nach wenig erfolgversprechenden Versuchen, die bildende Kunst bald an den Nagel hängte, erwachte in ihr die Lust am Zeichnen und Malen. Sie hat sich in Zürich bei Paul Deschwanden, der mit der Familie freundschaftlich verbunden war[3], und bei Konrad Zeller im Zeichnen und Malen geübt[4], dann in Genf, wo sie sich die Kunst des Aquarellierens aneignete. Nach Conrads Verheiratung nahm sie zunächst mit Entschlossenheit die künstlerische Ausbildung wieder auf. Sie begab sich nach Florenz, wo sie im Atelier der Künstlerin Anna Fries[5], die dort eine Malschule für Damen eingerichtet hatte, arbeitete. Sie hat es in der Kunst des Porträtierens, wie die beiden bis heute entdeckten Porträts[6] überzeugend dartun, weit gebracht. Daß sie nicht wie ihr Bruder zu öffentlich anerkannter Kunstübung durchbrach, war nicht zuletzt die Folge ihrer angeborenen Bescheidenheit. Es fehlte ihr jeder Drang nach öffentlicher Geltung.

Aber auch im Bereiche sprachlicher Fähigkeiten stand sie durchaus nicht nur im Schatten ihres Bruders. Man hat ihrer urtümlichen Sprachbegabung und ihrer bedeutenden Gestaltungskraft bis heute zu wenig Aufmerksamkeit geschenkt.

Welche Fähigkeiten ihr zu Gebote standen, zeigt ihr einziges Buch, womit sie später an die Öffentlichkeit trat, um das Bild ihres Bruders vor Entstellungen zu retten: «Conrad Ferdinand Meyer. In der Erinnerung seiner Schwester Betsy Meyer». Abgesehen von Grund und Ziel – was hier noch genauer dargestellt werden soll – zeugt es von einer großzügig veranlagten Persönlichkeit, die nicht nur fähig war, Künstlertum und Menschentum des geliebten und verehrten Bruders sichtbar zu machen, sondern auch die geistige Situation der Zeit, sogar die politische Konstellation, mit klarem Verständnis, ja mit ironischer Überlegenheit zu erfassen.

«Nun aber entwickelten sich», so schreibt sie über die Zeitereignisse, in denen sich ihr Bruder zurechtzufinden hatte, «kurz nach dem Scheiden des Vaters die politischen Dinge in Zürich in raschem Verlaufe in stark demokratischem Sinne. Der Sonderbundskrieg und die Verwandlung des Staatenbundes unserer alten Eidgenossenschaft in den einheitlichen schweizerischen Bundesstaat bereitete sich vor. Die Gegensätze schärften sich. Energische Elemente traten an die Spitze. Wem die Achtung historischen Rechts das Gewissen und die Hände band, der zog sich aus öffentlichen Ämtern zurück und wurde zurückgesetzt. Manche Freunde und Gesinnungsgenossen unseres verstorbenen Vaters wandten sich, für ihre Fähigkeiten oder ihren Ehrgeiz ein weiteres Gebiet suchend, nach Deutschland. Andere, denen die Heimat teuer war, zogen sich in ein unabhängiges Privatleben zurück, widmeten sich gelehrten Studien und betraten später die akademische Laufbahn (...). Die Bauleute des Einheitsstaates zimmerten mit energischen Schlägen ohne ängstliche Rücksichten auf demokratischer Grundlage das Haus so praktisch und solid zusammen, als es ihnen nötig schien, damit es nach allen Seiten Widerstand leisten könne. Und sie taten wohl daran. Als Bindemittel verwandten sie die Interessen des industriellen

Verkehrs, als Baumeister erlasen sie sich keine gelehrten Historiker, sondern weitblickende Geschäftsleute. Eisenbahnbauten wurden projektiert und begonnen. Große Aktiengesellschaften entstanden. Das Eidgenössische Polytechnikum wurde in Zürich gegründet und nach dem Plan des genialen Semper in imposantem Stil gebaut[7].»

Das ist ein Text, der irgendwo bei einem bedeutenden Historiker, bei Ranke, Theodor Mommsen oder auch Jacob Burckhardt stehen könnte, ein souverän wertender Stil und Ausdruck einer vornehmen, keinesfalls parteigebundenen Objektivität. Ihre bürgerlich-aristokratische Herkunft hindert sie nicht daran, auch die positiven Seiten des Demokratisierungsprozesses und die wirtschaftlichen Veränderungen zu sehen und gelten zu lassen. Dabei ist die kräftige und sichere Formulierung in keiner Hinsicht vom Sprachstil des Bruders beeinflußt. Jedenfalls Ausdruck einer Persönlichkeit, die ihr Jahrhundert mit offenen Augen und wachem Verstande miterlebte.

Kein Wunder, daß Conrad, wo immer er sich von seiner geistvollen Schwester trennen mußte, sie wie niemanden sonst vermißte, und daß die schönsten, weil gemütvollsten und spontansten Briefe während solcher Zeiten des Getrenntseins entstanden. Betsy gegenüber blieb dieser scheue Mensch, der so große Mühe hatte, von seinen persönlichsten Nöten zu reden, offen und ohne Rückhalt. Ja die Tatsache, daß er auch in den Jahren der schwersten Krise den Weg zur geistigen Kommunikation mit der Schwester nicht verbaut sah, mag ihn wohl allein vor der Verzweiflung und vor letztem Versagen bewahrt haben. Und, aus Préfargier entlassen und nachdem ihm der Weg zu Cécile Borrel von der Mutter verbaut worden war, hielt er sich wieder an die Schwester. Der Vorsatz, sich von Mutter und Schwester für längere Jahre fernzuhalten, den er ganz am Anfang in Préfargier ins Auge gefaßt hatte, ließ sich nicht aufrechterhalten.

Ins heiratsfähige Alter gekommen, dachte er nur mit halbem Ernst an eine Verehelichung. Ihm schwebte vielmehr ein gemeinsames einfaches Leben mit der Schwester vor. «Und, liebe Schwester, Eines: wenn du ledig bleibst, so will ich mir ein ruhiges Leben an deiner Seite als die größte Seligkeit ausgebeten und bestellt haben; was mich betrifft, der bloße Gedanke daran ist meine Weide; gegenseitige Freundlichkeit, ein wenig Ruhe, kein Fanatismus und Bekehrungsversuch. Es wäre der Himmel.» So schreibt Conrad im Frühjahr 1853 aus Neuenburg, wobei der Schlußteil der zitierten Briefstelle eine deutliche Spitze gegen die Mutter enthält!

Dann kam die Zeit, da sich das Gemüt der Mutter zunehmend umdüsterte. Je mehr sich Conrad zum gesunden, freien und aktiven Menschen entfaltete, um so mehr verfiel sie ihren Schuldgefühlen, soweit, daß sie behauptete, nicht nur diesem, sondern auch Betsy gegenüber als Erzieherin versagt zu haben, für letztere Grund genug, die krankhaften seelischen Deformationen bei ihrer Mutter zu erkennen. Frau Meyers Verzweiflung an Gottes Barmherzigkeit und Gerechtigkeit und ihre Flucht in den Tod drängte die beiden Geschwister noch enger zu einer wahren Schicksalsgemeinschaft zusammen. Gemeinsam trugen sie von nun an die Erinnerung an die Schreckensnachricht, den Schmerz und das – eingestandene oder uneingestandene – gemeinsame Schuldgefühl der Entschwundenen gegenüber.

Diese gemeinsamen dunkleren Gründe schlossen das andere nicht aus: daß sie den Tod der Mutter auch als Erlösung von einem beinahe unerträglich gewordenen Druck erlebten. Denn damit erst wurde Conrad frei zur Entfaltung seiner Künstlerpersönlichkeit. Nun durfte er seinen langgehegten und von der Mutter unterdrückten Wünschen, ein Stück großer Welt zu sehen, nachgeben. Sollte dieser Freiheitsdrang auch die enge Bindung an Betsy lockern?

Der erste Plan schien dieser Vermutung Folge zu geben. Conrad reiste allein nach Paris, ins längst ersehnte Zentrum der französischen Kultur, der er so viel Befreiendes verdankte. Aber die Briefe des Bruders an die Schwester – jede Woche deren drei – lassen erkennen, wie sehr sich Conrad ohne die Schwester der Einsamkeit ausgeliefert sah. «Dieses Paris ist doch sehr merkwürdig; nur darf man nicht jung hinkommen. Aber, l. Schwesterchen, nur meine Augen und Ohren sind in Paris, mein Herz ist bei Dir.» So schreibt er ihr am 18. März 1857[8]. Und vier Tage später, am 22. März: «Wenn ich nicht in der festen Meinung, meine Kenntnisse zu mehren und so für das Leben und – womöglich – für einen von der Gesellschaft anerkannten Beruf tauglich zu werden, hierher gekommen wäre, wahrlich, ich ließe Paris Paris sein und käme eilig zu meinem guten Schwesterchen zurück.» Und am 26. April gesteht er ihr: «Du bist ja alles, was mir bleibt, meine ganze Habe in der Liebe (...)[9]»

Vorzeitig brach er seinen Pariser Aufenthalt, den er zunächst auf zwei Jahre veranschlagt hatte, ab, um wieder bei der Schwester zu Hause zu sein. Eine kurze Erkrankung in den folgenden Maitagen mag ihm seine gefährliche Isolation in der Großstadt stärker zum Bewußtsein gebracht haben. Die anerzogene Scheu und Zurückhaltung, ja eigentliche Kontakthemmungen hielten ihn gefangen und verhinderten wohl vor allem jeden Umgang mit den Französinnen, deren Lebens- und Wesensart ihm mißfielen.

So brach er im Hochsommer nach einem Vierteljahr seinen Pariser Bildungsaufenthalt ab und kehrte um den 1. Juli nach Zürich zurück. Noch einmal, im Oktober desselben Jahres, trennte er sich für kurze Wochen, um mit seinem Vetter Heinrich Meyer eine Kunstreise nach München zu unternehmen, aber auch diesmal gingen – sogar täglich – Briefe an die Schwester ab. Offenbar ging es selbst bei einem kurzen Reise- und Kunstgenuß ohne dieses partnerschaftliche Erleben mit der Schwester nicht mehr ab [10].

Tatsächlich blieben die beiden Geschwister während zwei Jahrzehnten unzertrennlich beisammen, einen gemeinsamen Haushalt führend und gemeinsam von Wohnung zu Wohnung weiterziehend. Dabei verläßt der Bruder leichten Herzens seine Geburts- und Heimatstadt, deren Gesellschaft ihm das Leben schwer gemacht, aber die Symbiose mit der Schwester bleibt lange unverändert fortbestehen.

Gemeinsam fuhren sie sommers in die Berge, nach Engelberg zuerst, dann auf die andere Seite des Jochpasses, der das Engelberger Tal mit dem Berner Oberland verbindet, auf die Engstlenalp mit dem gleichnamigen Bergsee. Dann folgten über eine lange Reihe von Jahren hinweg die Fahrten ins Bündnerland mit Aufenthalten in der Landschaft Davos, im Engadin und anderswo.

Bedeutsamer noch wurden die gemeinsamen Italienerlebnisse, die Reise nach Rom und Florenz im Frühjahr 1858, nach Rom, wo in Conrad der große Durchbruch zur klassischen Kunst und die Befreiung von engen moralisch-religiösen Vorstellungen, die Befreiung der lange verhaltenen kreativen Kräfte Wirklichkeit wurde. In ähnlichem Sinne wirkte die gemeinsame Reise nach München, über den Brenner nach Verona und der anschließenden Monate in Venedig in der kalten Jahreszeit von 1871 auf 1872. Und der bereits erwähnte Wohnungswechsel tat das seine zur Befreiung aus seelisch-geistigen Bedrängnissen. Erst zog man von Stadelhofen, auf dem die Erinnerung an die «dumpfe Zeit» zu schwer lastete, nach dem Hause Schabelitz in Oberstraß, dann in den altehrwürdigen Seehof nach Küsnacht, wieder in die unmittelbare Nähe des Sees, aber ohne die beengende Atmosphäre der Stadt, und schließlich in ein Haus gleichen Namens und gleicher Lage nach Meilen, näher an die Berge heran und in weithin offener Landschaft. Die Weitung der landschaftlichen Umgebung spiegelt die Weitung und Auflichtung der Lebensstimmung!

Diesem Prozeß der Aufhellung und Öffnung nach der Weite hin entspricht die Öffnung nach dem Mitmenschlichen und Gesellschaftlichen: Dem Geschwisterpaar, dem unzertrennlichen, das sich sozusagen stets gemeinsam in der Öffentlichkeit zeigte, öffneten sich neu die Häuser von Menschen, die vorurteilsloser an ihrem Leben und Wirken Anteil nahmen als der angestammte Kreis der Verwandten und Bekannten. Und sie öffneten das ihre den Freunden und Geistesverwandten. So fanden sie eine beinahe zu sorgliche und interessierte Betreuung und Bemutterung bei der Philanthropin Mathilde Escher (1808–1875), der Tochter des Gründers der Firma Escher-Wyß und Cie[11]. Sie war den durch den Selbstmord der Mutter Verscheuchten und in schiefes Licht Geratenen eine vorurteilslose Beschützerin und öffnete ihnen erneut den Weg in die großbürgerlichen Häuser.

Und gemeinsam fanden Conrad und Betsy den Zugang zu Mariafeld in Meilen, wo François und Elizabeth Wille (die Eltern des Generals Ulrich Wille) ihre geistvollen Tafelrunden zu versammeln pflegten[12].

Der Wiedergewinn des künstlerischen Selbstvertrauens, die Rehabilitierung in der bürgerlichen Gesellschaft, das tägliche Leben innerhalb und außerhalb der Wohnungen, dies alles vollzog sich in der friedlichen und freundlichen Lebensgemeinschaft mit der Schwester Betsy; ihr Anteil an allem war das wesentlichste Stück von Conrads Heilungsprozeß. Und sie förderte nach Kräften, was sich in ihrem Bruder anbahnte.

Und es war Betsy, die eines Tages, im Jahre 1863, das Bündel Gedichte, das ihr Bruder geschrieben hatte, an sich nahm und damit nach Stuttgart reiste, um es dort, koste es, was es wolle, an den Mann, das heißt bei einem Verleger unterzubringen. Und nachdem sie eine zeitlang den Verleger Meta Heußers, Albert Knapp, in Aussicht genommen, hatte sie sich sogar in die Höhle des Löwen, Gustav Pfizer, begeben, der Conrads Gedichte vor der Mutter so tief entwertet hatte. Sie war davon überzeugt, daß Pfizer die Fortschritte sehen und ihr eine Empfehlung mitgeben müßte. Sie täuschte sich nicht. Und jetzt ruhte sie nicht, bis sie mit der Zusicherung nach Hause zurückkehren konnte, daß seine Erstlinge, es waren die «Zwanzig Balladen von einem Schweizer», einen Betreuer gefunden hatten.

Freilich war der Verlagsvertrag alles andere als ehrenhaft. «A tes risques et périls», so berichtete ihm die Schwester, habe die Metzlersche Verlagsbuchhandlung auf Pfizers Empfehlung hin den Verlag übernommen. Mit einem Betrag von 380–400 Franken hatte Conrad die Druckkosten selber zu berappen. Und man kann es angesichts der Forderung des Autors, das Bändchen anonym, eben unter der Bezeichnung «von einem Schweizer», herauszubringen, dem Verleger nicht einmal zum Vorwurf machen; auf einen auch nur einigermaßen passablen Ertrag war unter solchen Umständen bei einem völlig unbekannten Autor nicht zu hoffen[13]. Es war eine Auftragsarbeit, die Metzler rund ein Jahr später lustlos und ohne Einsatz von Werbemitteln ausführte. Für Conrad aber war es eine erste, bedeutsame Stufe auf dem mühsamen Weg zum Dichtertum, und diese Stufe hatte ihm seine Schwester Betsy bereitet! Ohne diese Stufe hätte er die nächstfolgenden nicht erreicht!

In diesen Jahren war es auch, daß Betsy nicht nur aufmunternd und zukunftsgläubig dem Bruder an der Seite blieb, sondern anfing, was er seiner zähen Erfindungsgabe abrang, tagtäglich ins Reine zu schreiben; daß sie nach seinem Diktat das eben Entstandene festhielt, ja daß sie dabei dem Bruder mit Ratschlägen und Einfällen nachhalf, nicht zwar so, daß sie den eigenen Eingebungen freien Lauf ließ, sondern daß sie dem langsam und mühsam Arbeitenden in der Wortfindung auf seiner Spur weiterhalf. Wie weit dabei ihre eigene Initiative zu gehen wagte, ist äußerst schwer zu fassen. Doch war und blieb die Achtung und Ehrfurcht vor der Wesensart ihres Bruders stets unangetastet. Daß sie je willentlich oder gar eigenwillig eingriff und verbesserte, dafür gibt es keine überzeugenden Anhaltspunkte. Ihre Mitarbeit wird sich etwa folgendermaßen zusammenfassen lassen:

Jahrzehntelang hatte Betsy zusehen müssen, wie sich ihr Bruder mühselig zu seiner Berufung vortastete und wie er sich zuzeiten unter dem Gegendruck der Mutter in zweiflerischem Suchen selbst verlor. Jetzt, da ihn die dichterischen Motive verfolgten und bedrängten und sich erste konkretere Pläne klärten, wurde sie zur aufmunternden Helferin, die sich hinter das Amt einer Sekretärin verbarg, aber nicht in unterwürfiger Weise, sondern eben als liebende, teilnehmende Schwester, auch nicht kritiklos bewundernd, sondern freundlich ermunternd, so wie es ein mutloser, depressiver Mensch nötig hatte.

In solcher Gemeinschaftsarbeit entstanden «Huttens letzte Tage», jener großartig gemeißelte Gedichtzyklus, der ihm den ersten, sozusagen ungeteilten Dichterruhm einbrachte, und so entstand, in mühsamerer Entwicklung, die Engelberg-Dichtung. Und in solcher Weise erarbeiteten und erwanderten die beiden gemeinsam in einem halben Jahrzehnt den vielfältigen Stoff, der sich schließlich nach mehreren Zwischenstadien zum Roman um Jürg Jenatsch verdichtete. Und gemeinsam erlebten sie nach den Jahren der Mißkennung und Isolierung «des ersten Ruhmes zartes Morgenlicht», wie es im «Hutten» heißt, und schließlich den Aufstieg zum hochangesehenen, von Verlegern und Zeitschriften-Redaktoren umworbenen Dichter. Der Verkehr mit dem Verleger Hermann Haessel in Leipzig lag fortan zu einem Teil in ihrer Hand und führte zu einer freundschaftlichen Verbundenheit, die ihr sogar von der späteren Gattin Conrads als skandalös angekreidet wurde.

Freiwillige Trennung

Es kam der Tag, wo sich Betsy selber das schwerste Opfer auferlegte und dem Bruder den Weg zu einer späten Ehe bahnte. Sie war zur Überzeugung gelangt, daß er diese, wie sie beide meinten, letzte Erfüllung häuslichen Glücks bedürfe und daß nur so die letzten Mißstimmungen eines lange Verschmähten und Beiseitegestellten behoben und eine volle Rehabilitation möglich sei. Betsy selbst förderte die Annäherung an Luise aus dem alten, angesehenen und wohl begüterten Hause der zürcherischen Offiziersfamilie Ziegler vom Pelikan. Damit kam sie verschwiegenen Wünschen ihres Bruders zu Hilfe.

Wie weit Luise Ziegler diesen Vermittlungsversuchen Betsys entgegenkam, ist kaum mehr zu ermitteln, doch scheinen das Pfarrhaus in Herrliberg, wo ihr Schwager horstete, und die Schwester von Conrads Freund Nüscheler die Kontakte gefördert zu haben[14].

Conrad, vorsichtig, ängstlich und lange, nämlich mehr als ein halbes Jahrzehnt, zögernd, ließ seine Schwester in ihren Bemühungen gewähren. Aber er nahm nur unter der Bedingung an, daß sie weiterhin in ihrer Nähe bleiben würde. Ohne dies konnte er sich eine neue Bindung nicht ausdenken. In seinem Hause, das er sich ein Jahr nach Eheschluß auf der Höhe von Kilchberg erwarb – mit dem Beistand seines Schwiegervaters –, sollte ihr eine Wohnung ausgespart werden, und zwar mit Wunsch und Zustimmung seiner Gattin.

Doch Betsy spürte, daß sie hier, wenn sie zusagte, noch einmal, wie einst zwischen Mutter und Bruder, zwischen zwei Feuer gestellt würde und daß ihre Gegenwart einer in so späten Jahren erst entstandenen menschlichen Bindung eher abträglich werden könnte. Wann ihr die charakterlichen Schwächen und die geistigen Beschränktheiten ihrer Schwägerin bewußt wurden, dürfte schwer festzustellen sein; sicher ist, daß sie ihrer während ihrer selbstlosen Vermittlertätigkeit nicht gewahr wurde. Und jetzt bot sich eine Möglichkeit, lange Verhaltenes, im Dienst am Bruder Geleugnetes, zur Reife zu bringen: Sollte sie nun der eigenen künstlerischen Neigung nachgeben und sich, wozu sie die Pausen in ihrem Dienst ausgenützt hatte, endgültig zur Malerin ausbilden lassen? In den Zeiten der Daguerrotypien und der Anfänge der Photographie versprach die Betätigung als Porträtistin, wozu sie zweifellos Talent besaß, eine durchaus einträgliche Existenz. Daran hatte ja auch schon die Mutter gedacht! Lange folgte sie diesem Traum, ja sie unternahm energische Schritte, ihn in die Wirklichkeit umzusetzen. Ihre Reise nach Florenz und ihr Eintritt in die Malschule der Zürcherin Anna Fries im Spätjahr 1875, nach der Hochzeit ihres Bruders (am 5. Oktober) sollte ihr den Weg zur neuen Existenz öffnen[15].

War schon Betsys Entschluß, drüben in Meilen zu bleiben und das Angebot der Wohnung in Kilchberg auszuschlagen, schwer zu verwinden gewesen, so war die Abreise ins Ausland ein die Tiefen aufwühlendes Geschehen. Jetzt mußte ihm das Ende einer langen Lebensgemeinschaft bewußt werden, einer Lebensgemeinschaft, für die der neue Lebensbund keinen Ersatz bot.

Aus dem Schmerz des Abschieds von der geliebten Schwester ist ohne Zweifel jenes Gedicht angeregt worden, das unter den Lyrika Conrad Ferdinand Meyers das bewegteste, leidenschaftlichste genannt werden darf und ganz vom Weh des Abschieds erfüllt zu sein scheint. Man sagt ihm ja sonst nach, er sei zum Ausdruck spontaner Leidenschaft in der Lyrik nicht fähig, doch wüßte ich kein deutsches Gedicht, das den Trennungsschmerz unmittelbarer zum Ausdruck brächte als dieses:

Laß scharren deiner Rosse Huf!

Geh nicht, die Gott für mich erschuf!
Laß scharren deiner Rosse Huf
den Reiseruf!

Du willst von meinem Herde fliehn?
Und weißt ja nicht wohin, wohin
Dich deine Rosse ziehn!

Die Stunde rinnt! Das Leben jagt!
Wir haben uns noch nichts gesagt –
Bleib bis es tagt!

Du darfst aus meinen Armen fliehn?
Und weißt ja nicht, wohin, wohin
Dich deine Rosse ziehn ...[16]

Der an sich verwegen anmaßliche Ausdruck «... die Gott für mich erschuf» ist aus der in der ‹Deutschen Dichterhalle› im Januar 1877 erschienenen Erstfassung wörtlich übernommen und aus der zweiten in die erste Strophe vorverlegt. Auf die Schwester durfte er angewendet werden, ohne die Anrüchigkeit des In-Besitz-Nehmens mit göttlicher Zustimmung zu bekommen. Dort, in der ersten Fassung, ist die Szene auch noch auf den Abend verlegt:

Der Abend naht, die Stunde rinnt ...
Wie viele noch, die unser sind,
Mein theures Kind?

Die Anrede «Mein theures Kind» und die Frage nach den noch bleibenden gemeinsamen Stunden, dazu die Aufforderung

O scheide nicht – bedenk' wohin
Dich diese raschen Rosse ziehn ...,

alle diese Verszeilen weisen noch ganz unmittelbar auf den Abschied von der sechs Jahre jüngeren Schwester hin, die Conrad auch sonst, in Briefen, mit «liebes Kind» anzureden pflegt. Dies, die größere Nähe der erlebten Grundsituation, zeigt sich auch im Titel und in der ersten Strophe der früheren Fassung von «Einer Scheidenden»: «Die ersten Flocken gleiten sacht ...»

Betsy, die Scheidende, ist im November nach dem Süden abgereist. Schön ist dazu auch noch die symbolträchtige Aussage «Mein Feuer lodert hell entfacht» in das abendliche Abschiedsgeschehen eingebracht.

Die Endfassung ist, wie öfters bei Meyer, knapper, konziser und damit einprägsamer, hier vielleicht auch pathetischer geworden. Aber sie verwandelt das unmittelbar wirkende Erlebnisgedicht in ein traditionelles literarisches Kunstgebilde, in ein Morgenlied als Abschied des Liebenden von der Geliebten. Es erinnert an die berühmte Abschiedsszene aus Shakespeares «Romeo und Julia», die sich Meyer auch, wie wir noch sehen werden, im Frühlingsgedicht «Tag, schein herein und, Leben, flieh hinaus!» in eigenwilliger Weise anverwandelt hat. Diese Entpersönlichung von «Laß scharren deiner Rosse Huf!» für die Ausgabe der «Gedichte» des Jahres 1882 hat nun aber psychologische Hintergründe, die sich in eine Suggestivfrage umwandeln lassen: War sie ein Tarnungsvorgang, der im Hinblick auf die Reaktion der Gattin Luise vorgenommen wurde, und hat Meyer den Titel «Laß scharren deiner Rosse Huf!» als metaphorisches Grundmotiv anstelle von «Einer Scheidenden» gesetzt, um jeder Verdächtigung, es sei das Gedicht auf die über alles geliebte Schwester gemünzt, auszuweichen? Wie dem auch sei: der leidenschaftliche Grundton ist geblieben, ja, er durfte jetzt, ohne die persönliche Bezugnahme, ungehemmter zum Ausdruck kommen.

Zarter und verhaltener, aber ganz aus der Erinnerung an den gemeinsamen Alltag geschrieben ist das wohl kaum ein Jahr später entstandene Gedicht «Dämmergang», in welchem auch die Liebe zu den Haustieren, die ja beiden Geschwistern eigen war, zur Aussage kommt:

Dämmergang

Du lebst meerüber
In blauer Ferne
Und du besuchst mich
Beim ersten Sterne.

Ich mach im Felde
Die Dämmerrunde,
Umbellt, umsprungen
Von meinem Hunde.

Es rauscht im Dickicht,
Es webt im Düster,
Auf meine Wange
Haucht warm Geflüster.

Das Weggeleite
Wird trauter, trauter,
Du schmiegst dich näher,
Du plauderst lauter.

Da gibt's zu schelten,
Da gibt's zu fragen,
Und hell zu lachen
Und leis zu klagen.

Was wedelt Barry
So glückverloren?
Du kraust dem Liebling
Die weichen Ohren ...[17]

Natürlich kann dieses Abend-Stimmungsgedicht ohne große Schwierigkeiten – wie es auch Hans Zeller als möglich erachtet – auf die Gattin Luise bezogen werden. Conrads Lebensgewohnheiten dürften sich anfänglich im neuen Hausstand nicht sehr verändert haben. Allein die erste Fassung, die unter dem Titel «Die Abendstunde» im «Schweizerischen Miniatur-Almanach auf das Jahr 1878» (im Herbst 1877) erschienen ist, bringt die erste Strophe noch in einem ganz anderen Wortlaut:

Wir sind geschieden
Durch Raum und Ferne
Nur bis zum Frieden
Der ersten Sterne.

Dieser klare Satz sagt ganz eindeutig die Situation aus, in der sich Bruder und Schwester im Jahre nach der erwähnten Trennung befinden. Raum und Ferne artikulieren dabei wohl die weite räumliche Distanz Zürichsee-Toscana. Daß aber die Trennung beim Aufgang der Sterne aufgehoben und die Erinnerung so lebendig, die Gegenwart des geliebten Wesens so unmittelbar wird, daß Raum und Ferne aufgehoben werden, das schafft für die angetraute neue Lebenspartnerin eine unerträgliche Lage: Entweder sie, Luise, oder die Schwester!

Um dieses Ärgernis zu beheben, wird nun ein halbes Jahrzehnt später die klare Aussage der ersten Strophe dissimiliert, das verdächtige ‹Wir› beseitigt und der Ort des angerufenen ‹Du› verschleiert. Der Verdacht, es könnte damit die Schwester gemeint sein, muß beseitigt werden. Mit «Du lebst *meer*über in blauer Ferne» kann jetzt keine Person mehr angesprochen werden, die zwar auf der anderen Seite des Alpenkamms, aber immerhin noch auf dem gleichen Kontinent wohnt. Das ‹Du› hat sich verflüchtigt, ins Ungewisse verloren.

Für die kaum tiefer mitgehende Gattin Luise mochte diese äußere Verschleierung und Verunklärung genügen. Daß immer noch das Bild eines andern Du im Dämmergang evoziert wird, war für ihren eifersüchtig-mißtrauischen Blick nicht mehr erheblich.

Freilich brachte der Dichter nun ein neues Motiv, den Hund Barry, ins Spiel. Dessen Personengedächtnis scheint vom unmittelbar gegenwärtigen Traumgebilde aufgetaut zu werden, so daß er glückverloren wedelt. Noch mehr: das evozierte Traumwesen «kraust dem Liebling die weichen Ohren». Obschon gerade dies die Unmittelbarkeit des in der Dämmerung heraufbeschworenen Du so sinnfällig wie möglich zum Ausdruck bringt, wirkte das ganze Gebilde nun für die Gattin harmlos und unverfänglich. Der Stein des Anstoßes war für sie durch die grundlegende Veränderung der ersten Strophe beseitigt; das Spiel mit dem Hunde Barry – der ja wirklich existiert hat, konnte sie ohne große Mühe auch auf sich beziehen.

Betsy zum dritten Mal in Italien

Der Entschluß zu einer neuen, andersartigen Existenz fern vom Bruder sollte Betsy zu ganz anderen Zielen hinführen, als sie es sich vorgestellt. Zunächst freilich blieb ihr Entscheid klar und das Ziel ihrer Reise eindeutig. In der Mal- und Zeichenschule Anna Fries förderte sie die Fähigkeiten und Fertigkeiten, die sie bei den Malern Zeller und Deschwanden in Zürich und hernach in Genf angelegt hatte. Und es war kein Irrweg. Eine mit Kreide gehöhte Bleistiftzeichnung, ihre Florentiner Lehrerin und Freundin darstellend, datiert mit 4. April 1877, beweist eindeutig ihre Begabung zur Porträtkunst. Das Blatt fand sich im Nachlaß der Anna Fries, der 1912 in den Besitz der Zentralbibliothek Zürich überging[18]. Es zeigt, mit welch bedeutendem Gewinn Betsy ihre Fähigkeiten weiterentwickelt hat. Sie hatte das Ziel, eine Porträtistin zu werden, erreicht! Das Porträt ist, ob ähnlich oder nicht, auf jeden Fall ein sehr eindrückliches, klar zusammengefaßtes Frauenprofilbild. Offenbar ist es mit Künstleraugen geschaut und zeigt in seiner Ausführung auch nicht die geringste Spur dilettantischen Tastens. Viel eher kündet es von einem überlegenen, beinahe zu sicheren Können.

Zusammen mit zwei anderen Bildern von Betsys Hand, dem kleinen Ölgemälde «Jesus und die Samariterin», das im C. F. Meyer-Haus zu

Kilchberg hängt, und einer weiteren Porträtzeichnung, einen beinahe gleichaltrigen Verwandten darstellend und vor Florenz entstanden[19], beweist es unmißverständlich *eines:* Betsy wandelte als Kunstschaffende keinesfalls nur im Schatten ihres Bruders. Vielmehr war ihr die Gabe verliehen, ihre menschliche Umwelt und ihre eigene Persönlichkeit mit Stift, Pinsel und Farbe zur Aussage zu bringen. Daß sie vor und nach Florenz wenig von ihrer Kunst hielt, spricht nicht gegen dieses Urteil, sondern ist höchstens für ihre bescheiden zurücktretende menschliche Wesensart kennzeichnend.

Die Vermutung ist aber nicht ganz von der Hand zu weisen, daß Betsy unterschwellig noch von einem anderen Beweggrund nach Italien und in die Toscana gezogen wurde. Schon auf der ersten Reise durch die Toscana, auf dem Rückweg von Rom im Jahre 1858, hatten Conrad und Betsy eine alte Bekanntschaft erneuert und waren im Schloß Brolio in der Region von Siena Gäste des Barons Bettino Ricasoli (1809–1880) gewesen. Ricasoli hatte seinerzeit, zu Ende der Vierzigerjahre, in Zürich und Genf im Exil gelebt und war damals mit der Witwe Meyer-Ulrich und ihren Kindern bekannt geworden.

Wir müssen, weil sie auch auf die Persönlichkeit Betsys ein helles Licht wirft, auf diese Beziehung näher eingehen.

Vermittelt hatten die Bekanntschaft mit dem emigrierten Baron die Familien Mallet d'Hauteville und Naville in Genf, Vuillemin in Lausanne und von Wyß in Zürich.

In der Folge entwickelte sich eine bis gegen das Ende Ricasolis fortdauernde freundschaftliche Familienbeziehung. Sie wurde auf beiden Seiten mit Wärme gepflegt. Man weiß, daß Baron Bettino Ricasoli Frau Elisabeth Meyer auch nach der Mitte der Fünfzigerjahre noch einmal besucht hat. Religiöse Überzeugungen verbanden ihn und seine Tochter – Ricasoli war frühe Witwer geworden – mit der Mutter Meyer. Nach ihrem Tode, an dem der Baron sehr herzlichen Anteil nahm, scheint er seine Sympathien, wie es die Briefe beweisen[20], auf Tochter und Sohn übertragen zu haben. So war es den beiden vergönnt, das große Ereignis des Jahrhunderts, die Einigung Italiens, aus nächster persönlicher Nähe zu verfolgen. Und so war es eine Selbstverständlichkeit, daß die beiden Geschwister, als sie im Frühjahr 1858 nach Rom aufbrachen, den Baron von ihrer Anwesenheit in Italien in Kenntnis setzten.

Wie schon angedeutet, wurden sie auf der Rückreise, die zu Lande erfolgte, in Siena vom gräflichen Hausmeier abgeholt und verbrachten hierauf mehrere Tage auf dem feudalen Schloß. Der Baron folgte ihnen sogar nach Florenz, wo er sie in seinem Palazzo beherbergte.

Es besteht kein Zweifel, daß sich dabei der Baron um Betsy mehr als in den Formen feudaler Gastfreundschaft bemühte; so erlebten es wenigstens die Geschwister. Umarmung und Kuß bei einem Abschied, Ausdruck des südlichen Temperaments bei Ricasoli – Erlebnis gefolgt von Verwirrung und Bestürzung bei der herben, so puritanisch erzogenen Betsy. – Und der Bruder erkannte das Spiel, das hier gespielt wurde. Es scheint aber doch mehr als ein Spiel gewesen zu sein. Vielmehr war es auf seiten des Barons eine ernsthafte Werbung, und dies in einer Zeit, da Ricasoli, leidenschaftlicher Parteigänger des Hauses Savoyen-Piemont, bereits seinem politischen Zenith zustrebte.

Betsy floh aus Florenz, nicht aus Abscheu oder weil sie die Liebe nicht erwidern konnte, sondern weil sie, wie sie es dem Bruder bekannte, schwere konfessionelle Spannungen befürchtete. Die Ehe mit einer Nichtkatholikin würde, so war es ihre Überzeugung, in der streng katholischen Umgebung des Barons Anstoß erregen und für ihn politische Beeinträchtigungen zur Folge haben.

Wie ernst es dem künftigen Ministerpräsidenten des geeinigten Italien war, beweist die Tatsache, daß dieser den beiden Geschwistern nach Turin vorauseilte, um sie dort nochmals vor ihrer Ausreise in die Schweiz, abzufangen. Aber Conrad und Betsy mieden die Stadt, sei es zufällig, oder um neuen inneren Konflikten auszuweichen.

War es dieser *eine* Grund, der Unterschied der Konfessionen, der Betsy zur Absage veranlaßte? Oder spielte dabei doch die Rücksicht auf den Bruder, oder ganz einfach die Anhänglichkeit an ihn, oder die Angst vor einer im Grunde doch fremdartigen Welt eine unterschwellige Rolle? Und spürte sie, daß Conrad in jenem Zeitpunkt, anderthalb Jahre nach dem Tod der Mutter, ohne sie verloren gewesen wäre?

Doch wissen wir das *eine:* Die Beziehungen blieben fortbestehen, auch als Ricasoli nach dem Zusammenbruch des Kirchenstaates nach Rom übersiedelte und fortan von den Staatsgeschäften sozusagen vollständig absorbiert war. Betsy und Conrad nahmen mit beinahe leidenschaftlicher Zustimmung und nicht ohne persönliche Sorgen um das Ergehen des Grafen am politischen Geschehen in Italien teil.

Und dann kam jener Moment, da Betsy von ihren Verpflichtungen dem Bruder gegenüber frei wurde, ihn bewußt freigab. Was bewog sie da, das Wagnis einer Reise ohne Begleitung und besonderen Schutz nach Italien auf sich zu nehmen? War es – wir wiederholen die Frage – nur der eine Grund, sich bei Anna Fries in Florenz das Rüstzeug für den Beruf einer Porträtmalerin zu vervollständigen? Oder war dies der Vorwand über einem verschwiegenen tieferen Grunde? Denn diese Frage verbindet sich sogleich mit einer zweiten: Welche Gründe lagen vor für Betsy, eines Tages von Florenz nach Rom weiterzureisen und sich zu diesem Zweck deutschen Reisegefährten anzuschlißen? Und warum nahm sie dort auf dem Pincio, nicht eben weit vom Gianicolo entfernt, wo der Baron und königliche Minister residierte, Wohnung? Und was gab ihr den Mut, sich zu seinem Palazzo zu begeben, sich als Schweizerin vom Minister empfangen zu lassen? «Lei mi comprende!» oder, hatte sie richtig gehört: «Lei mi sola comprende!» So hatte er zu ihr gesprochen, und er hatte, nun ein Siebziger geworden, erfahren, daß sie ihre Aufgabe an der Seite ihres Bruders erfüllt und daß auch sie Anrecht auf Ehe und Geborgenheit habe, wie ihr Bruder. Und beim bewegten Abschied ließ sich Bettino Ricasoli über den Weg, den Betsy mit den deutschen Reisegenossen (Preller mit Namen) einzuschlagen gedachte, bis in die letzten Einzelheiten informieren. – Nur damit seine Sicherheitskräfte ihren Weg diskret überwachen konnten? Jedenfalls begab sich der Baron unmittelbar darauf nach Brolio. Und nochmals wartete in Siena Ricasolis Hofmarschall auf die reisenden Fremden mit dem Auftrag, Betsy einzuladen und sie, falls sie annähme, nach seinem Schloß zu führen. Aber sie nahm auch jetzt seine Einladung nicht an, obwohl der Baron vorhatte, sich von allen Staatsgeschäften zurückzuziehen. Nach dem Tode seiner Tochter hatte er sich wohl einen Lebensabend an der Seite Betsys ausgedacht.

Betsy reiste weiter, zurück nach Hause, in die Schweiz, und statt ihre Künstlerlaufbahn weiter zu verfolgen, übernahm sie in Männedorf in der Anstalt des frommen Philanthropen Samuel Zeller auf eigene Verantwortung eine Pflegestation. Nun nutzte sie die Erfahrung, die sie im Umgang mit seelisch Bedrohten, mit Bruder und Mutter, gesammelt hatte, um leidenden Mitmenschen zu helfen. Vielleicht mußte sie sich auch sagen, daß sie der Beruf einer Porträtistin, der um diese Zeit von den Photographen übernommen wurde, sie weder ernähren noch ganz erfüllen könnte.

Bedeutete die Wende zum Pflegeberuf für Betsy einen leichten, einen schmerzlichen, einen heroischen Verzicht? Hatte die unterschwellige Angst, der Aufgabe einer Gefährtin des Staatsmanns, Diplomaten und Politikers nicht gewachsen zu sein, auch jetzt noch, da ihr ein Leben in vornehmer Muße bevorstand, fortgewirkt? Wie dem auch sei, bewundernde Verehrung und Liebe starben bei beiden zu Askese und Entsagung neigenden Menschen nicht ab. Davon künden nicht nur die Briefe, sondern vor allem auch Betsys «Journal intime», ihre persönlichen Notizen. Dort legte sie mit vornehmer Behutsamkeit ihre Gedanken nieder, darunter auch jenen telepathischen Traum, der ihr (1880) die letzte Botschaft des Barons brachte[21]:

Ob ich las – oder schlummerte? – Plötzlich schrak ich auf. – Ricasoli stand vor mir – vor meinem Geiste. So nahe, so persönlich ausgeprägt, wie ich ihn nie im Leben gesehen hatte. Hoch und rasch im Reisehabit war er, so schien es, durch die neben mir sich öffnende Türe eingetreten. In den mich anblickenden Augen brannte ein Vorwurf.

Es war wie ein großes stilles Wetterleuchten und ging ebenso schnell vorüber. –

Ich sprang auf die Füße.

«Der Baron Bettino! ... Gott, was ist geschehn!»

Mit zwei Schritten war ich an der Türe. – Ich fand sie natürlich fest verschlossen, wie allnächtlich – und warf mich wieder auf die Kniee.

Ich hatte ihm nicht mehr geschrieben! ... Ich hatte seinen Besuch abgelehnt und dann geschwiegen. ... Erst hatte ich festen Fuß in der neuen Stellung fassen und dann ihn benachrichtigen wollen. Zu lange hatte ich gewartet ...

«Nun schreibst Du morgen!» nahm ich mir vor und schlief über diesem Vorsatze endlich ruhig ein.

Als ein heller kühler Morgen über der Seefläche aufging, war mir der nächtliche Eindruck schon in mildernde Ferne gerückt. Ja, ich wollte, ich mußte an ihn schreiben. – Doch was eigentlich sollte ich ihm schreiben?

«Es reut mich, daß ich aus vielleicht zu großer und falscher Rücksicht Sie davon abgehalten habe, Ihre alten Freunde in der deutschen Schweiz zu besuchen und Ihre lieben Erinnerungen an die alten glücklichen in Zürich verlebten Tage wieder aufzufrischen. Wohl ist vieles anders geworden, doch bin ich noch da und werde mit Ihnen die alten Stätten aufsuchen. Die goldenen Tage, da Ihre Lieben und unsere teure Mutter noch unter uns waren, sollten noch einmal für Sie aufgehen.»

Aber es war bei uns schon rauher Spätherbst und nach italienischem Gefühle frostig kalt. Wie sollte ich meine halb geleerte öde Wohnung und das für ihn verödete Zürich, wo er kaum noch einen Bekannten hatte, für den vergangenheitsdurstigen Siebziger beleben? ...

Das ging nicht!

Besser, ich schriebe: «Sollten Sie, verehrter Freund, erkranken und meine Pflege wünschen, so komme ich unverweilt zu Ihnen ...»

Doch er war ja immer gesund und aufrecht, hatte außer über die Anfälle des Maremmenfiebers, das er sich einst bei den für ihn und seine Leute verderblichen Entsumpfungsarbeiten in Grosseto geholt hatte, nie über Unwohlsein geklagt ...

Nein! an die Genferfreunde allein konnte ich schreiben, sie um schnelle Nachricht vom Baron Bettino Ricasoli bitten ...

Es kam nicht dazu. Ein morgen und ein übermorgen vergingen ... am dritten Tag kam ein Brief aus Genf mit der Todesnachricht.

Es meldete ein Zeitungsausschnitt: Der Baron Ricasoli habe sich auf seiner Villa nach dem Abendessen wie gewohnt in sein Arbeitszimmer zurückgezogen, um, was die letzte Post gebracht, seine Korrespondenzen und Zeitungen zu durchsehen. Nach Mitternacht, als der Kammerdiener bei ihm eingetreten sei, um sich ihm zu Diensten zu stellen, habe er ihn tot, in seinen Sessel zurückgelehnt, gefunden.

Diese Tagebuchblätter Betsys enthalten alle Daten, die das seelische Engagement und die tiefe Verbundenheit mit dem toscanischen Edelmann und Mitgestalter des jungen italienischen Nationalstaates anzeigen. Und im Traume fielen jene Hemmungen, welche die Erfüllung ihrer Wünsche in der Wirklichkeit verwehrten. Die Sätze sind aussagekräftig genug, um die guten, an sich wohlüberlegten und vernünftig motivierten Wünsche, die in Betsy lebendig blieben, kundzutun: Sie weiß, daß das Zürich der Gegenwart sich so sehr verändert hat, daß der Baron die alten Erinnerungen nur schwer aufzufrischen vermöchte; der Kreis der Freunde, wohl auch der politischen Gesinnungsgenossen, existiert nicht mehr. Sie müßte mit ihm allein die Stätten der Erinnerung aufsuchen. Daß ihr dabei auch der Bruder als Mitträger holder Vergangenheit nicht auftaucht, verweist wohl auch auf die Entfremdung, die zwischen ihr und dem Hause auf der Höhe von Kilchberg eingetreten ist.

Aber da taucht die andere, von der Hand gewiesene Möglichkeit auf: Sie weiß, daß der verehrte Mann älter, pflegebedürftiger geworden ist, daß er ihrer, die sich auf Pflege versteht, bedürfte. Im Traum wäre sie bereit, als liebende Pflegerin an seine Seite zu treten.

Aber nach dem Erwachen aus dem unmißverständlichen Zuruf stehen die Mauern ihrer Hemmungen wieder da, und selbst ein Brief, den sie sich in der ersten Erregung ihres liebenden Herzens vornimmt, unterbleibt; die Mauer bleibt unüberwindlich.

Es bestehen keine Gründe anzunehmen, Betsy habe ihren Traum nachträglich sentimental aufgehöht, was ihr Maria Nils gelegentlich zumutet. Vielmehr verkündet er die psychische Wirklichkeit einer verständnisvollen, mit natürlichen fraulichen Gaben ausgestatteten Persönlichkeit.

Und die Wahrscheinlichkeit ist groß, daß diese sublime menschliche Beziehung auch von der andern Seite her in ähnlicher Form erwidert wurde. Sonst hätte Ricasoli nicht immer wieder versucht, die Mauern der Hemmungen zu übersteigen und den Kontakt weiter zu pflegen.

Für uns aber sind diese Traumbekenntnisse einer alternden Frau wie die spärlichen Zeugnisse ihrer Zeichen- und Malkunst und der kräftige, klare Stil ihres Erinnerungsbuches an den Bruder Zeichen einer bedeutenden, wohl geordneten und reich begabten Persönlichkeit, einer Persönlichkeit, die in gleichen menschlichen Würden und mit ähnlichen Gaben neben ihrem Bruder steht, der ja nicht zuletzt dank ihr zu so bedeutenden Ehren gekommen ist.

Noch ging die Post nach der Rückkehr Betsys aus Italien und ihrer Übersiedlung nach Männedorf über den See hin und her. Und Betsy war im wohleingerichteten kleinen Herrschaftssitz auf der luftigen Höhe von Kilchberg häufiger Gast. Und noch stand sie, in den ersten Ehejahren wenigstens, wenn er ihrer bedurfte, dem Bruder als Mitarbeiterin zur Seite. Aber die Bande wurden, nicht zuletzt wegen Conrads neuen familiären und gesellschaftlichen Engagements, doch zusehends lockerer. Die Anlässe nahmen ihn, so wohl sie auch dem lange Verfemten taten, über Gebühr in Anspruch und behinderten ihn am dichterischen Schaffen. Dies führte zwar zunächst nicht zu Spannungen, aber zu einer leisen Entfremdung im Lebens-Rhythmus von Bruder und Schwester. Beide hatten sich zuvor in der Stille und in einem einfacheren Alltag wohlgefühlt. Jetzt spielte der Bruder, ob gedrängt oder freiwillig, den Grandseigneur, während die Schwester bei einem zurückgezogenen Leben verblieb.

Anderseits mußte die Gattin die Nachwirkung der jahrzehntelangen geistigen Verbundenheit zwischen Bruder und Schwester, die einer Künstlergemeinschaft gleichkam, spüren, einer Gemeinschaft, zu der sie bei aller fraulichen Fürsorge um den Mann nie Zugang haben würde. Mehr und mehr ging Betsy ihrerseit in ihrem Pflegeberuf auf, und die Kontakte wurden notwendigerweise seltener. Conrads Fahrten mit dem Dampfboot über den See zum Diktat des neu Gefundenen, eine liebe, allwöchentliche Gewohnheit, hörten auf, und ein eigentlicher Sekretär, Fritz Meyer, ein Verwandter zwar, nahm seinen Dienst auf[22]. Wer zu dieser Veränderung den Anstoß gegeben, dürfte schwer zu ermitteln sein, doch dürfte dafür wohl das Verhalten, wenn nicht das Drängen der Gattin ausschlaggebend gewesen sein. Und zeigen sich darin schon die Ansätze zur späteren Feindschaft?

Jedenfalls entstand nun eine Reihe von Werken ohne Betsys Mittun. Darunter allerdings auch eines, das mitten in die beseligende und zerstörerische Problematik des Bruder-Schwesterdaseins führte: «Die Richterin».

Denn die seelische Verbundenheit verlor sich nicht; sie sank nur in tiefere Gründe ab. Der Gattin mußte die Unzerstörbarkeit dieser Bruder-Schwester-Beziehung immer gewisser werden. Wer das törichte Geschwätz von der Geschwisterehe zwischen Conrad und Betsy Meyer in die Welt gesetzt hat, ist natürlich nicht zu fassen. Genug, daß es von einer klatschsüchtigen Gesellschaft aufgegriffen und weitergetratscht wurde. Die Tatsache gemeinsamen Haushaltens und gemeinsamen Auftretens in der Öffentlichkeit hatte der Angriffspunkte genug geboten, um dem Geschwätz immer wieder neue Nahrung zuzuführen. Möglich, ja sogar wahrscheinlich, daß den beiden Geschwistern Bemerkungen solcher Art zu Ohren kamen. Daß sie von der Gattin gierig aufgefangen und zur Bestätigung eigener Erfahrungen kassiert wurden, ist mehr als wahrscheinlich. Fehlte ihr doch bei aller gesellschaftlichen Sicherheit jene geistige Überlegenheit, die ihr ermöglicht hätte, sich aus kleinlichem und niederträchtigem Geschwätz herauszuhalten.

Conrad wurde – bei seiner Hellhörigkeit – von den kleinsten Andeutungen in dieser Richtung in den tiefsten Gründen aufgewühlt und verwundet. Er mußte sich selber Klarheit über das Mysterium der Liebe zu seiner Schwester verschaffen. So entstand, während er sich Gattin und Schwester gegenüber in völliges Schweigen hüllte, jene Novelle, welche zugleich die verwegenste, wildeste und geheimnisreichste genannt werden muß. In der Novelle «Die Richterin» wird die Geschwisterliebe nicht nur als eines der beiden Hauptthemen artikuliert, sie wird, wie noch zu zeigen sein wird, bis in ihre tiefsten Gründe aufgesucht und durchgekämpft. Seit die Zusammenhänge von Alfred Zäch[23] dokumentarisch greifbar geworden sind, ist eine gezielte Interpretation der «Richterin» unumgänglich geworden. Vorweggenommen sei nur das eine: Damit hatte sich der Dichter eine nachhaltige und tiefe Erschütterung vom Halse geschrieben. Was ihn aufgewühlt hatte, das projizierte er, um jede Bezugnahme auf ihn selbst zu verhindern, in ein wildes, fernes Zeitalter und in eine von abgründigen Schluchten durchfurchte Gebirgslandschaft. Und er bezeichnet den Hauptort der Handlung mit einem dunklen Wort: Malmort, Gerichtsstätte des Todes!

Ehe wir auf diese Novelle eingehen, seien weiterer Verlauf und Ende dieser Bruder-Schwester-Beziehung kurz skizziert.

Im Jahre 1889 wurde der Dichter, korpulent und schwerfälliger geworden, von einem schweren, hartnäckigen Halsleiden befallen, das von Erstickungsängsten begleitet war. Die Schaffenslust, die ihn durch zwei Jahrzehnte hindurch hochgetragen hatte, erlitt einen schweren Stoß, obschon ihn noch eine Reihe neuer Pläne bedrängte, so die Figur des Petrus Vinea und des Dynasten. Einer unter ihnen, Angela Borgia, mußte noch, so war es sein unumstößlicher Wille, zur Reife gebracht werden. Wohl um sich das Werk trotz abnehmenden Kräften und zunehmenden Beschwerden abzuzwingen, hatte er mit dem Leiter der «Deutschen Rundschau», Julius Rodenberg, nach dessen Besuch in Kilchberg Ende Mai 1890 vereinbart, daß «das Novellchen» für die Lieferungen des Jahres 1891 zur Verfügung stehen sollte. Und der Verleger Haessel erklärte gebieterisch, die Novelle noch gleichen Jahres in Buchform herausbringen zu müssen; der Unterbruch der Jahre 1889 und 90, der, wie er fürchtete, das Interesse an «seinem» Dichter erlahmen ließ, mußte wieder wettgemacht werden. Die Zeit drängte, und Fritz Meyer war ihm, wie er schreibt, «abhanden gekommen», d. h. er hatte sich während der Krankheit des Dichters nach einer anderen Betätigung umsehen müssen.

Jetzt rief er noch einmal, wohl mit der ausdrücklichen, aber an Bedingungen geknüpften Zustimmung seiner Gemahlin, die seinen Gesundheitszustand streng überwachte, Betsy zu Hilfe. Sie unterbrach für Wochen ihre Psychiatriepflege und kam herüber nach Kilchberg, setzte sich wieder wie einst mit dem Stift zurecht und schrieb, was er ihr in den Vormittagsstunden diktierte, in den Nachmittagsstunden, während Conrad der Ruhe pflegen mußte, ins Reine. In den Hochsommertagen begleitete sie sogar die Familie nach dem Schloß Steinegg ob Nußbaumen im Thurgau, dem neuerbauten Herrschaftssitz der Familie Ziegler. Dort brachte Conrad unter Aufbietung aller seiner Kräfte, aber ohne daß er sich dem strengen therapeutischen Regiment der Gattin entzogen hätte, das Werk – es war eine umfängliche Novelle geworden – zum Abschluß. Die Symbiose hatte sich noch einmal bewährt. Ehe diese Symbiose durch Frau Meyer-Ziegler gewaltsam zerrissen wurde, wie dies im Zusammenhang mit dem Charakterbild, das von ihr entworfen werden muß, darzustellen sein wird, gilt es, auf das bekenntnishafte und aus tiefer Dankbarkeit heraus entstandene Gedicht «Ohne Datum» einzugehen. Es war zu Anfang der Ehejahre entstanden, damals, als die erste Trennung dem Bruder den tiefen Wert dieser vitalen Lebensbeziehung bewußt gemacht hatte. Es war 1879 entstanden, als er sich daran machte, seine Erzeugnisse an gebundener Poesie zu einem Gedichtbande zusammenzufassen, zu verbessern und zu ergänzen. Das Gedicht wurde mit dem ausdrücklichen Untertitel «(An meine Schwester)» als fünftes in den Anfang des Zyklus «Liebe» eingereiht[24].

Es gehört übrigens in die trübselige Geschichte des Bandes «Gedichte», – und ist zugleich ein Zeichen mutigen Einstehens des Bruders für die Schwester, daß die Gattin Luise vergeblich versuchte, das Gedicht, oder wenigstens dessen dritte Strophe, die die Bedeutung der Schwester für den Bruder besonders deutlich ins Licht hob, aus der Sammlung auszumerzen. Ihre fadenscheinigen Begründungen scheinen weder beim Bruder noch beim Verleger, der um Betsys Rolle genauestens Bescheid wußte, eingeschlagen zu haben[25].

Ohne Datum
(An meine Schwester)

Du scherzest, daß ein Datum ich vergaß,
Und meinst, ich dürfte bei dem Stundenmaß
Mit einem Federstriche mich verweilen.
Du schreibst: «Datiere künftig deine Zeilen!»
Doch war das Zählen meine Sache nie,
Nach dem Wievielten such ich stets vergebens,
Auch diese Zeilen, wie datier' ich sie?
«Aus allen Augenblicken meines Lebens!»

Kurz ist, und eilig eines Menschen Tag,
Er drängt, er pulst, er flutet, Schlag um Schlag,
Wie eines Herzens ungestümes Klopfen ...
Wer teilt die Jagd des Bluts und seiner Tropfen?
Es ist der Sturm, der nie zur Rüste geht,
Die Wechselglut des Nehmens und des Gebens,
Und meine Haare flattern windverweht
In allen Augenblicken meines Lebens.

Zu ruhn ist mir versagt, es treibt mich fort,
Die Stunde rennt – doch hab ich einen Hort,
den keine mir entführt, in deiner Treue;
Sie ist die alte wie die ewig neue,
Sie ist die Rast in dieser Flucht und Flut,
Ein fromm Geleite leisen Flügelschwebens,
Sie ist der Segen, der beständig ruht
Auf allen Augenblicken meines Lebens.

Ich hemme die beschwingten Rosse nicht,
Ich freue mich, mit jedem neuen Licht
Das Feld gestreckten Laufes zu durchmessen,
Ein fernes, dunkles Gestern zu vergessen,
Ich fliege – hinter mir versinkt die Zeit –
Im Morgensonnenstrahl verjüngten Strebens! ...
Vorbei ... Nur du allein weißt noch Bescheid
Von allen Augenblicken meines Lebens.

«Ohne Datum» gehört zu jenen wenigen Gedichten Meyers, die ohne Tarnung auskommen, in denen sich der Dichter ohne jedes Verstecken hinter Bildern und Metaphern selber zur Aussage bringt. Nur in den refrainartigen Strophenschlüssen deckt sich der Dichter zunächst ab mit einem Fremdzitat. Der variierte Refrain erweist sich, wie dies von Hans Zeller überzeugend nachgewiesen wurde, als eine wörtliche Übersetzung einer bei Sainte Beuve zitierten Datenangabe der Julie de Lespinasse aus dem Jahre 1774. Meyer hat dabei von Anfang an, auch wenn er die Angabe nicht als Zitat heimwies, keinen Zweifel über die fremde Herkunft des Spruches gelassen; er hat dessen erste Formulierung «Aus allen Augenblikken meines Lebens» durch Anführungszeichen als Fremdzitat ausgewiesen. De tous les instants de ma vie – Aus allen Augenblicken meines Lebens: Warum das Wort aus den billets d'amour der amourösen Adelsdame des Ancien Régime? Um dem Bekenntnis Allgemeingültigkeit zu verleihen? Um vor der argwöhnischen Gattin das Bekenntnis zur Schwester etwas zu entschärfen? Seine Gültigkeit als «Poesie» zu entpersönlichen?

Durch die Variation des Refrains – Ersatz der Präposition ‹aus› durch ‹in›, ‹auf› und ‹von› – wird die Wertung des Bekenntnisses allerdings wieder verstärkt, verdichtet. Doch mochte dies nach dem beruhigenden Fremdzitat hingenommen worden sein.

Das Thema der ersten Strophe, die unterlassene Datierung einer brieflichen Mitteilung, mag durchaus eine tatsächliche Begebenheit zum Grunde haben. Möglich sogar, daß solche Unterlassungen, solches Nichtwissen um das jeweilige Datum, bei Meyer seine psychologischen Ursachen hat: Von der reißenden Zeit stetsfort bedrängt, suchte er dem unablässigen Fortgang der Datierung und dem Hinfall der Tage dadurch zu entkommen, daß er diesen Fortgang nicht zu Kenntnis nahm. Der Eingang der zweiten Strophe kann dafür als Beleg genommen werden, der Hinweis nämlich: Kurz ist und eilig eines Menschen Tag. Und im Fortgang dieser Strophe wird eben die Hinfälligkeit der Zeit in einem geradezu unheimlichen Maße akzentuiert: die ungeteilte, unablässige Jagd des Blutes durch des «Herzens ungestümes Klopfen». Das Unaufhaltsame des Zeitverlaufs tritt grell ins Licht. Auch im folgenden Vers (13) wird durch die neue Metapher vom «Sturm, der nie zur Rüste geht», die Geschwindigkeit der reißenden Zeit, das ruhelose Vorwärts noch einmal mit aller Intensität zur Aussage gebracht. Und hier bekennt sich der Dichter – der doch als ein solcher der Distanziertheit, der Zeitferne und der Vergangenheit gilt – zur leidenschaftlichen Auseinandersetzung mit der Gegenwart; er spricht, hiezu ein neues Wort erfindend, von der «Wechselglut des Nehmens und des Gebens». Er setzt sich den Stürmen der Zeit, woher sie auch kommen mögen, aus, so daß die Haare, ‹windverweht›, also stets gezaust und aus aller Ordnung gebracht werden.

Es entspricht offensichtlich der euphorischen Stimmung jener Zeit am Ende der Siebziger- und am Anfang der Achtziger Jahre, wenn er diese Stürme der Zeit bejaht und wenn er sich von ihnen nicht ungerne forttreiben läßt: «Zu ruhn ist mir versagt, es treibt mich fort.» Er darf sich so dahintreiben, er darf das Rennen der Zeit ruhig über sich ergehen lassen, weil er durch ein Bleibendes, durch die Treue der Schwester, gehalten wird und sich damit nicht verliert.

Diese Treue wird nun in mehrfacher Aussage und in mehrfachen Aspekten belegt als die unwandelbare und die ewig neue, als «die Rast in dieser Flucht und Flut», als «ein fromm Geleite leisen Flügelschwebens».

Mit dieser letzten variatio wird der Schwester eine göttliche Wirkkraft, wird ihr die Rolle eines Schutzengels übertragen, und weil ihr dieser göttliche Auftrag zukommt, ist sie ein Segen, der über allen Augenblicken seines Lebens schwebt. Höher als so kann wohl mitmenschliche Einwirkung nicht mehr gewertet werden!

Doch in der letzten Strophe gibt sich der Dichter noch einmal der Euphorie des Sturms durch die Tage hin. Sie hilft ihm auch, den Blick zurück nach dem fernen dunklen Gestern zu ertragen, es sogar zu vergessen. Es entspricht der vorbehaltlosen Euphorie, wenn er nun für seinen Sturm nach vorwärts das Verb ‹fliegen› verwendet, dessen Symbolik in der Sprache des Traumes so unmißverständlich ist. Und jetzt darf er – noch steht er ja am Anfang seiner neu gewonnenen poetischen und gesellschaftlichen Höhe – vom ‹Morgensonnenstrahl (ein besonders euphorisches Wort!) verjüngten Strebens› reden. In dieser hohen Zeit, auf dieser Stufe seiner Bahn wirken alle Kräfte noch zusammen: Geborgenheit in der jungen Ehe, das Töchterchen Camilla, der neue Wohnsitz, alles, was da auf ihn zugekommen war, hatte den Reiz des Neuen und wies in die Zukunft. Aber es hatte auch die Schwäche in sich, daß es vom Gewesenen nicht gefärbt, nicht aus ihm geworden war. Davon wußte allein die Schwester; sie allein weiß *noch* Bescheid von *allen* Augenblicken seines Lebens. Bescheid wissen aber heißt, über das ganze Wissen um seine Persönlichkeit verfügen, nicht freilich, um sie zu beherrschen und sie in Besitz zu nehmen. Aber sie bleibt sich des Ganzen seiner Persönlichkeit stärker bewußt als er selbst, der ja im Sturm nach vorn das ferne dunkle Gestern hinter sich läßt.

Das war viel, ein Bekenntnis, das dem Segens-Bekenntnis der dritten Strophe nicht nachstand. Die Schwester wurde hier in eine Höhe gehoben, die in dieser Weise von keinem anderen Mitmenschen erreicht werden konnte. Darin lag ein tragischer Tabestand, der zu Spannungen führen mußte, auch hätte führen müssen, wenn ein Mensch von größerer geistiger Flügelspannweite an des Dichters Seite getreten wäre. Und von einer Gattin vom Wesen und Schlage Luise Zieglers konnte solche Höhe und solche Verfügbarkeit auf die Dauer nicht hingenommen und kaum ertragen werden. Das Gefühl der Inferiorität und des Zurückstehen-Müssens war durch keine andere Qualitäten zu kompensieren.

Historische Fiktion und psychische Wirklichkeit in der Novelle «Die Richterin»

Für Conrad Ferdinand Meyer war die historische Absicherung seiner Erzählprosa eine unabdingbare Voraussetzung seines Darstellungsstils. Die Faszination, die historische Phänomene, mehr noch historische Persönlichkeiten, auf ihn ausübten, war notwendige Voraussetzung seiner dichterischen Leistungen. Ulrich von Hutten, die Gegenreformation in Frankreich (die in der Bartholomäusnacht kulminierte) in der Novelle «Das Amulett», der Bündner Condottiere Jürg Jenatsch, der heilige Thomas von Canterbury im «Heiligen», das waren historische Phänomene und Persönlichkeiten, die ihn nicht mehr losließen, bis er sich ihrer in freier poetischer Weise bemächtigt hatte.

Mit der Novelle «Die Richterin» (1885) [1] war es ganz anders bestellt. Hier war die innere Problematik zuerst und lange voraus da, und für diese innere, völlig unhistorische Problematik suchte er eine geeignete Kulisse, oder besser Kulissen, die ihm erlauben würden, tief bedrängende, unheimliche Dinge, von denen er nicht loskam, in einem in sich selber stimmigen Erzählraum zu objektivieren. Und weil diese Problematik mehr als irgendeine andere seine unmittelbare geistig-seelische, ja seine ganze menschliche Wirklichkeit betraf, mußte er, wenn er einigermaßen ungeschoren in seiner persönlichen und gesellschaftlichen Umgebung weiterexistieren wollte, alles verfremden, damit er um so mehr sein Eigenstes aussagen konnte. Was Wunder, daß er für diese innere Wirklichkeit einen möglichst fernen historischen Raum suchte!

Aber diese Bedrängnis und diese unergiebige Stoffsuche nahm ihn beinahe durch ein ganzes Jahrzehnt in Anspruch, erfuhr dabei auch ihre Modifikationen und veränderten Ausprägungen, und lange wollte sich ihm eine adäquate Lösung nicht einstellen. Sollte nämlich die Vermutung Adolf Freys stimmen, dann wäre das Thema ‹Richterin› zuerst in eine korsische Umgebung verlegt worden. Die lange und für die damalige Zeit höchst ungewöhnliche, beinahe extravagante Hochzeitsfahrt der Neuvermählten nach der Insel Korsika in den Wintermonaten 1875/76 und der darin eingeschlossene mehrere Monate dauernde Aufenthalt in Ajaccio hätten ihm die genügende geographische Anschauung vermittelt. Und jene Welt, in der einer seiner französischen Lieblingsautoren, Prosper Mérimée, seine «Colomba» angesiedelt hatte, wo das Christentum mehr nur gleich einer Tünche die alten Gesetze der Blutrache nur verhüllt und überdeckt, niemals aber ganz beseitigt hatte, sie wäre ein, wie ihm schien, höchst geeignetes Milieu gewesen.

Milieu wofür? – Es scheint, daß zuerst über Jahre hinweg das Motiv der Richterin, genauer gesagt, der Mörderin als Richterin, allein im Zentrum stand. Die Pläne kreisten um eben dieses Gegensatzpaar (magna) peccatrix – iudicatrix, die große Sünderin als Richterin. Die Rechtsbrecherin als Rechtsweiserin! Das war aber von Anfang an ein Thema, wofür jegliche Anhaltspunkte in der bekannten geschichtlichen Überlieferung, ja überhaupt alle gesellschaftliche Erfahrung fehlte; denn die Richterin gab es weder damals, noch hat es sie jemals im Raume genaueren historischen Wissens gegeben. Rechtspflege, Rechtsfindung, Rechtsweisung, Rechtsprechung, das war durch Jahrtausende hindurch ausgesprochenes Reservat der Männer gewesen, und der Dichter hätte weit in die Räume matriarchalischer Gesellschaftsordnungen zurückgreifen müssen, um dafür gültige Ansätze zu finden. Diese Räume waren ihm damals noch kaum zugänglich. Das Werk «Mutterrecht und Urreligion» Johann Jakob Bachofens, des Mystagogen unter den Basler Historikern, oder andere seiner Schriften waren ihm, soweit sich dies überblicken läßt, nicht zugänglich oder überhaupt nicht bekannt.

Wenn wir aber so argumentieren, dann ist damit gleichzeitig gesagt, daß für die Figur der ‹Sünderin als Richterin› nirgends ein historischer Faszinationspunkt bestanden hat, daß Meyer in der Fülle seiner ausgedehnten historischen Lektüre nirgends einer Gestalt begegnete, die ihm zu diesem Werk auch nur als Staffage hätte dienen können. Das läßt den zwingenden Schluß zu, daß die Richterin – um es mit unserem Stichwort zu sagen – eine psychische, eine innere, nicht aber eine äußere, eine historische Wirklichkeit war und blieb. Daher auch die mehrfachen Versuche, die Novelle in der Zeit und im geographisch bestimmbaren Raum anzusiedeln[2]. Einmal war Bellenz, Schloß und Städtchen Bellinzona im Tessin, als möglicher Ort der Handlung im Vordergrund. Dann aber trat, in mehreren Ansätzen, Sizilien ins Blickfeld, wohl zuerst Enna im Zentrum der Insel, wohin das Altertum einen der Eingänge in die Unterwelt verlegt hatte, dann, mit sehr viel deutlicheren Umrissen, der Normannenpalast zu Palermo zur Zeit Friedrichs II., des Staufers. Hier sollte zum mindesten der Anfang der Novelle lokalisiert werden.

Schließlich aber entschloß sich der Dichter zu einer radikalen Umstellung des örtlichen und zeitlichen Szenariums. Für den ersten Akt des – durchaus dramatisch konzipierten – Erzählgeschehens wählte er Rom, und zwar die Umgebung der Kirche Santa Maria d'Aracoeli beim Capitol. Für die übrigen Akte und Szenen schuf er die fiktive Burg Malmort mit ihrer näheren und ferneren Umgebung über schwindelerregenden Felswänden und tosenden Wassern. Es ist unschwer zu erkennen, daß Meyer dabei die Ruinen von Hohen Rhätien[3] ob Thusis, steil über dem Hinterrhein unmittelbar vor dem Eingang in die Viamala vor Augen hatte. Er hat dieses kühn angelegte Befestigungssystem auf dem steilen Felsklotz südöstlich von Thusis höchst wahrscheinlich in den letzten Septembertagen oder anfangs Oktober 1866 mit Betsy erstiegen.

Dies scheint zunächst der Tendenz Meyers zu widersprechen, das psychisch nahe Geschehen in möglichst entfernte Räume zu verlegen. Doch hat er diesem Bedürfnis in anderem Sinne nachgelebt: Anstelle der hochmittelalterlichen Staufenzeit (13. Jh.) wählte er nun als Zeitraum das Frühmittelalter, den Anfang des 9. Jahrhunderts, die Zeit der Krönung Karls des Großen in Rom (800).

Auf diese Weise war es ihm möglich, lauter von ihm selbst besuchte oder erwanderte Örtlichkeiten in seine Erzählfabel einzubeziehen, das Zentrum von Rom, das Domleschg, die Viamala und das Schams, kurz: das ihm tief vertraute Bündnerland. Die fiktiven Ortsbezeichnungen erlaubten ihm dabei, eigene Erinnerungsbilder einzubeziehen, ohne sich dafür viel zu vergeben. Dabei konnte er zugleich auch noch eine aus früher Jugend nachwirkende Lieblingsfigur seines historischen Bewußtseins, Karl den Großen, ins Spiel bringen, der ja vom einen der beiden Großmünstertürme zu Zürich als thronende Kaiserfigur herniedersah. Der Rückstieg in die frühere, der Völkerwanderungszeit angenäherte Epoche gestattete ihm sodann, eine wildere, stürmischere, gesetzlosere Welt und damit größere innere Spannungsfelder in die Historie hinauszuprojizieren.

Tatsache ist aber, daß das Ganze außer den Namen Karls des Großen und Alkuins, die ja beide letztlich Staffagen bleiben, einzig und allein von erfundenen Figuren lebt. Dies bedeutet, daß die inneren Figurationen des Dichters alles, das historische Ambiente in diesem Falle nichts bedeutet.

Sehen wir uns nun im biographischen Bereich um, so können wir im Falle der «Richterin» nicht nahe genug herantreten. – Und gerade diese Nähe hat das Aufdecken so lange verhindert. Und entstellende Vorurteile wie die beschönigenden Verzeichnungen des Familienbildes – wozu allerdings der Dichter und seine Schwester Wesentliches beigetragen – haben den vorurteilslosen Einblick über lange Zeit hin getrübt.

Um uns nun dem psychischen Phänomen anzunähern, müssen wir ein einzelnes Ereignis im familiären Geschehen des Hauses Meyer herausgreifen. Wir wissen von den Schicksalsschlägen, die in rascher Abfolge zum Ausbruch der schweren Depression bei der Mutter Elisabeth Meyer und zu ihrem Suizid geführt haben: das Leiden und Sterben eines langjährigen

Hausgenossen, Antonin Mallet, aus Genf. Er war von der reich begüterten, gesellschaftlich hochrangierten Familie als geistig leicht debiler Abkömmling bei der Familie Ulrich, dem Elternhaus Elisabeth Meyers, in Pflege gegeben worden. Hatte doch der Großvater des Dichters mütterlicherseits in Genf seine ersten bedeutenden Erfolge als Taubstummenerzieher gehabt. Wenn man also, wie man vermuten könnte, das geistig behinderte Mitglied der Familie nach Zürich abschob, so durfte man dies mit der Gewißheit tun, daß er dort, im Hause eines «sonderpädagogisch» Geschulten, gut aufgehoben war.

Antonin Mallet war denn auch als beschränkt bildungsfähiger Mensch in der Familie des Vaters Ulrich aufgenommen und als vollwertiges Familienglied behandelt worden, und nach dem Tode Johann Conrad Ulrichs (1828) war es eine Selbstverständlichkeit, daß er zusammen mit der verwitweten Großmutter Anna Cleopha Ulrich-Zeller im Hause Ferdinand Meyers Aufnahme fand und nun von Frau Elisabeth Meyer-Ulrich im Rang eines älteren Familiengliedes neben die Kinder Conrad und Betsy gestellt war.

Nach dem unerwartet frühen Tode Ferdinand Meyers fielen Pflege und Betreuung Antonin Mallets, des ‹Herrn›, wie er in der Familie geheißen wurde, ebensowohl wie die Erziehung der Kinder der Frau Elisabeth zu. Als daher ihre Depressivität, wie wir wissen, gegen die Mitte der Fünfzigerjahre zunahm, drückte diese Aufgabe nicht weniger schwer auf die Frau als das Bwußtsein, mit einem ungeratenen Sohn geschlagen zu sein.

Als die Symptome einer schweren, zum Tode führenden Krankheit bei dem Pflegebefohlenen sichtbar wurden, wich die Frau, so wird berichtet, nicht mehr von seinem Krankenlager und setzte zu seiner Betreuung alle ihre schwindenden Kräfte ein. Sie konnte sich darin nicht genug tun und bezichtigte sich, wenn er stöhnte, der Herzlosigkeit und warf sich frühere Nachlässigkeiten vor. Und als er schließlich in den Julitagen des Jahres 1856 starb, und zwar während sie sich ein wenig der Ruhe hingegeben hatte, da nannte sie sich eine Mörderin.

Natürlich war dies grundlos, noch grundloser als ihre Selbstvorwürfe wegen ihres Sohnes. Aber das ist ja eben das Kennzeichen der Depressiven, daß sich ihre Motivationen nicht mehr mit den Realitäten decken.

Damals, als dies im Hause Meyer geschah, hatte der Sohn die krankhafte seelische Deformation der Mutter längst erkannt, und zwar vom eigenen, nunmehr überwundenen Krisenzustand her, und sein Verhalten danach eingerichtet. Ein freundlich-vorsichtiger, ein eigentlich therapeutischer Umgang verhinderte neue ‹hitzige› Auftritte zwischen Mutter und Sohn, wie sie vor Préfargier stattgefunden hatten. Man darf sogar annehmen, daß dieser Burgfriede zwischen Mutter und Sohn der Grund war, weshalb bei ihr die Krise erst im Zusammenhang mit Krankheit und Tod Antonin Mallets durchbrach.

Das für unseren jetzigen Zusammenhang wichtige Stichwort ‹Mörderin› ist aber damit gefallen. Denn ein solches Wort gehörte durchaus in den Sprachgebrauch des Pietismus, wenn es um Selbstbezichtigungen ging, und von diesem Sprachgebrauch war Elisabeth Meyers Denken schon in gesunden Tagen bestimmt. Es liegt ja in der Art pietistischer Selbstbezichtigungen, daß man alles, was in der nächsten Nähe geschieht, im Sinne einer negativen Egozentrik gewissermaßen, auf sich bezieht, das heißt, daß man alles, was Schweres, Belastendes vorfällt, als Folge eigener Schuld deutet. Das Lamm Gottes, welches der Welt Sünde trägt, ist ja das große Leitbild des Pietismus. Das Thema Mörderin gehört somit, so merkwürdig dies klingen mag, zum Muttererlebnis.

Wie aber steht es nun mit der Gleichung magna peccatrix – magna iudicatrix? War dieses richterliche Element der gleichen Person, eben der Mutter eigen, oder hat hier Meyer eine verwegene personale Verkoppelung vollzogen? So merkwürdig dies auch scheinen mag, vom Sohn aus gesehen spielte das richterliche Element in Frau Meyer eine ganz entscheidende Rolle. Die Rolle der moralischen Richterin, das war es eben, worunter der Sohn durch Jahrzehnte gelitten hat.

Denn was heißt Erziehung in der Welt des zwinglianisch gefärbten Pietismus? Erziehen hieß böse Triebe und Aktionen ausmerzen, in seltenen Fällen auch den Guten belohnen. Erziehen hieß moralisch richten, moralisch urteilen und verurteilen. Schon ehe die Erweckungsbewegung in und außer ihr Fuß faßte, war die Kirche Zwinglis eine moralistische, dafür bildfeindliche Kirche, und Zürich eine Hochburg moralischer Strenge und das Alltagsleben bestimmender Sittenmandate. Es gab wohl wenige Städte mit härteren Bekleidungs- und Verhaltensvorschriften als Zürich. Strenge Beschränkung des Kleiderluxus, strenge Bestimmungen über die Schließung der Stadttore und der Gasthäuser, obligatorischer Besuch der Gottesdienste, dies alles gehörte zum Leben der Bürgerschaft und wirkte als ungeschriebener moralischer Untergrund auch noch weit in die Generationen des neunzehnten Jahrhunderts hinein. Die scharfe Trennung zwischen Gut und Böse, das unverträgliche, selbstsichere Urteil über die Grenzen des Guten und des Bösen, darunter litt auch der junge Gottfried Keller.

Moralisierende Erziehung aufgrund eines starren Sittenkodexes, danach war das bürgerliche Leben ausgerichtet. Kirchlich kodifizierte sittliche Beaufsichtigung und Bevormundung der Jugend färbte auch die häusliche Erziehung. Freiheitliche Ansprüche waren nur innerhalb strenger Ordnungsgesetze und Verhaltensnormen geduldet, und die gesellschaftlichen Sitten richteten sich danach.

Das war, kurz gesagt, die Welt, in der die Kinder Meyer, wohlbehütete Kinder einer angesehenen und nicht unbegüterten Familie, aufwuchsen. Man wußte es nicht anders. Der bekannte, bei Frey überlieferte Ausspruch des sechsjährigen Conrad: «Ich würde wünschen, daß nur ein Himmel und keine Erde mehr wäre, damit wir und alle Guten an einen Ort hinkämen, wo nicht mehr so viel Leid und Geschrei ist» [4], dieser Spruch, in erster Linie Spiegel mütterlicher Gedanken, läßt die besondere häusliche Atmosphäre erkennen: Von der Mutter wird als geistiger Daseinsraum ein frommes Refugium realer und moralischer Reinheit geschaffen, in das die Bosheit dieser Welt, die überall in nächster Nähe vorhandene, nicht eindringen darf. Anstelle lebhafter Auseinandersetzung mit dieser Welt wurde schon frühe eine Abkapselung nach außen, nach einem Außen, das grundsätzlich als böse Welt definiert wurde, angestrebt. Das spätere mönchisch-asketische Verhalten des Sohnes entsprach durchaus den erzieherischen Bemühungen der Mutter; die Angst vor den Gefahren, den moralischen vor allem, war dem Jungen schon frühe eingepflanzt worden. Die Welt als Sündenpfuhl, das stand der Weltfreude und dem allgemeinen Säkularisationsstreben entgegen, von dem das Abendland des 19. Jahrhunderts beherrscht wurde.

Wohl scheint es zwar, daß der Vater anderer Art war, nämlich ein von der Naturlehre Albrecht von Hallers, Rousseaus und Heinrich Pestalozzis beeinflußter Mann – weshalb er ja auch den Sohn auf kühnen langen Alpenwanderungen mit den Schönheiten der Berge vertraut machte. Aber wie wir wissen, verhinderte das starke politische, berufliche und wissenschaftliche Engagement die so notwendige Korrektur zur selektiven Isolationspädagogik der Mutter. Später steigerte sie sich zur seelischen Bevormundung des Jungen. Denn der frühe Tod des Vaters gab ihn vollends in die Hand dieser unheimlich zielsicher moralisierenden, einem überfrommen Gerechtigkeitskodex ausgelieferten Mutter preis.

Man muß die Briefe der Mutter an den in Préfargier internierten Sohn gelesen haben [5], diese demütigenden, bemutternden und beschulmeisternden Töne, die einem Siebenundzwanzigjährigen gegenüber angeschlagen werden, und man muß diese tränenselige Tonart mit all ihrer Tyrannis liebenswürdiger Formulierungen durchschauen, um die moralische Autorität der Mutter ganz zu ermessen. Man muß wissen, in welchem Maße der Sohn durch seine Mutterbindung mit dieser Frau verstrickt war, sogar noch lange über ihren Tod hinaus! Dann wird man verstehen, daß das Wort *Richterin* für den Sohn durch ein halbes Leben hindurch beinahe uneingeschränkte Geltung hatte. Sie hat als Richterin über seine persönliche Freiheit – und sein Freiheitsdrang war groß – verfügt, und sie hat ihn schließlich als Richterin in seiner dumpfen Zeit zu jahrelanger Isolation, zu einer Art Kerkerhaft verurteilt.

Ihre unbedingten kleinlichen Forderungen an den Sohn, ihre ausschließlich auf das Jenseits verlagerten Hoffnungen, ihre Selbstvorwürfe, von denen sich der Sohn mitbetroffen fühlte, dazu die steten Vergleiche ihres Sohnes mit den Altersgenossen ihrer Umgebung, die alle schon längst zu Ämtern und Ehren gekommen waren, ihr Mitleid mit ihm, ihre leichenbitterische Tonart, ihre jede unbeschwerte Fröhlichkeit verbietende Gesprächsführung, ihre Ablehnung jeglicher Form von Liebkosung, ihre nonnenhafte Kleidung und dazu ihre zweifellos hohe Intelligenz: All dies zusammengenommen ergibt ein Bild, das im Laufe der zwanzig Jahre vom Freitod bei Préfargier bis zu den ersten Spuren in der geplanten korsischen Novelle sich zur Gegenfigur der Richterin ausklärte.

Es war freilich nicht das ganze Muttererlebnis darin; die gütigen, mütterlichen, freundlicheren Züge haben sich, wie sich zeigen ließ, in mehreren Gedichten und schließlich im Bilde der zum Himmel auffahrenden Gottesmutter verdichtet. Aber das Richterliche war eine Seite ihres Wesens, und zwar jene, die dem ihr hörigen Sohne am meisten zu schaffen gemacht hatte. Im Gegenbild zum Wunsch- und Idealbild einer Mutter taucht in einer an sich nicht unsympathisch gezeichneten Frau der heroischen Vorzeit alles auf, worunter Conrad Ferdinand Meyer gelitten hat, mächtiger als im bereits interpretierten Gedicht «Hesperos», persönlicher und gestalthafter als in dem kleinen Erbaungsgedicht «Ein bißchen Freude», das an anderer Stelle[6] noch gewürdigt werden soll.

Hier sei nur das für unseren Zusammenhang Nötige herangeholt: Ungeduld und Büßerhast, das heißt hartnäckige Forderung nach Demütigung und Schuldbekenntnis, jede Art von moralistischer Intoleranz, das verwirft der Dichter aus der tiefsten persönlichen Erfahrung heraus. Daraus ergibt sich die Ambivalenz dieser dichterischen Figur der Richterin.

Vielleicht ist auch Meyers Vorliebe für gesetzlose, gewalttätige, rücksichtslose historische Gestalten wie Jürg Jenatsch, König Heinrich, Lukretia Borgia von hier aus besser einzustufen: Sie sind nicht nur Wunschprojektionen eines Schwachen, aktive Gegenbilder eines Untätigen, sondern Ausprägungen einer Gegenwelt, die sich der andersartigen Tyrannis sublimierter Verhärtung und Unduldsamkeit entzieht.

Das Richterliche zeigt bei Meyer auch noch andere Aspekte. Wie sein Vater mit einem hochdifferenzierten Gerechtigkeitssinn ausgestattet, hat er sich auch als Künstler dem richterlichen Urteil anderer unterworfen. Das vernichtende ästhetische Gerichtsurteil Gustav Pfizers hat ihn, wie wir wissen, auf Jahre hinaus in seinen poetischen Bemühungen zurückgeworfen; die nachträgliche Revision dieses Urteils dank Betsys Bemühungen bedeuteten eine Stufe zur Erringung des künstlerischen Selbstbewußtseins. Auch später hat er seine Werke, ehe er sie an die Öffentlichkeit gab oder in Buchform publizierte, stets dem Urteil mehr oder weniger kompetenter Zeitgenossen ausgesetzt. Die Kommentarbände, beziehungsweise Kommentaranhänge der Historisch-kritischen Ausgabe haben verworfene Frühfassungen ans Licht gebracht, die zeigen, daß diese Kompetenz nicht immer vorhanden war und daß sich Meyer nicht selten kleinlichen und schief gestellten Kunstrichtern gefügt hat. Einer unter ihnen ist der Famulus und Freund und spätere Biograph Adolf Frey[7].

Die vielleicht masochistisch zu nennende Fügsamkeit in richterliche Gewalten ist ein Ausdruck jener tiefen Unsicherheit, die Meyer später nur mühsam mit seinem grandseigneurialen Auftreten zu tarnen versuchte. Es gehört zur tragischen Struktur seines Wesens, daß er nicht nur seine künstlerischen Leistungen, sondern auch sich selbst von der Welt, die ihn umgab, immer wieder bestätigen lassen mußte.

Die tragischste Selbstbestätigung war die Ehe mit Luise Ziegler, eine Verbindung, welche die Struktur unserer Novelle und die Konzeption der Gestalt der Richterin entscheidend mitbestimmte.

Zur Identität der Richterin Stemma mit der Mutter sei nur noch beigefügt: Die Richterin, die sich selbst richtet und damit das System der Gerechtigkeit durch die eigene Sühnetat wieder herstellt: In solcher Sicht muß Meyer zuzeiten das Suizid seiner Mutter gedeutet haben, vor allem nachdem sich der erste Schock über diese Tat verflüchtigt hatte.

Der Name *Stemma* (aus griech. stephanoma = Bekränzung, Bekrönung) gehört, wie bereits angedeutet, zu den wenigen Daten der Novelle, die historisch verbürgt sind. Meyer fand ihn bei Raumer[8] in der Stammtafel der Hohenstaufen. Sie war eine «natürliche», d.h. außereheliche Tochter Friedrichs II. und stammte vielleicht von einer normannischen Mutter. Sie wäre das historische Spiegelbild geworden, wäre die Novelle, wie es der Entwurf vom Jahre 1883 zeigt, in die Staufenzeit nach Sizilien verlegt worden. Von diesem Entwurf her blieb die Faszination des Namens Stemma, seine Widersprüchlichkeit: Stemmas – der historischen – Existenz außerhalb der mittelalterlichen Gesellschaftsstruktur. Sie schafft die Voraussetzung für einen zur Mutter in Widerspruch stehenden Amoralismus. Und trotzdem mit ihrem Namen an die bekrönte Maria, erinnernd! Eine in die Welt verstrickte Mater Dolorosa und Gloriosa? Jedenfall von Anfang an eine Persönlichkeit, die sich dem Zugriff menschlicher Vernunft entzieht.

Allein das Motiv der Richterin ist ja nur der eine Brennpunkt dieser elliptisch, nicht auf eine Figur hin konzentrisch gestalteten Novelle. Der andere Brennpunkt ist das Paar Wulfrin – Palma Novella. Die beiden – angeblichen – Geschwister sind sehr viel mehr als nur die Spielbälle in der Hand der mächtigen, alles beherrschenden Richterin Stemma. Wohl sind sie zunächst die Menschen, in und mit denen sie ihre mörderische Gerechtigkeit durchsetzen und ihre Missetat sühnen will. Denn mit ihnen sollen in ihrem Hause Mord und Rache ein Ende nehmen. «Zwei junge Leute, in Liebe und Haß sich begegnend», so umschreibt Meyer schon in seinem Brief vom Ende 1881 an Julius Rodenberg seinen Plan[9], den er «gleichzeitig novellistisch und dramatisch auszuführen» gedenkt.

Aber 1881 war dieses in Liebe und Haß verbundene jugendliche Paar noch nicht genug durchsäuert mit Eigenem. Darum gedieh der Plan zunächst nicht weiter. Nicht daß die psychische Wirklichkeit, um die es ging, nicht schon dagewesen wäre, aber sie war noch zu wenig ins Bewußtsein gehoben. Auch litt er wohl um diese Zeit noch nicht darunter. Vorläufig war das Motiv der zwei jungen, in Liebe und Haß sich begegnenden Menschen einfach ein typisches Novellenmotiv, wohl noch nicht einmal auf das andere Motiv, das der Mörderin als Richterin, zugespitzt. Noch war es nicht persönlich gesehen, noch nicht mit ihm selbst und Betsy identifiziert, oder wenn gesehen, dann zunächst von der Hand gewiesen, verdrängt.

Aber die von Alfred Zäch 1961 zugänglich gemachten Notizen zu Betsys Erinnerungen lassen über die Fortentwicklung des Themas vom jugendlichen Paar und über die Herkunft der psychischen Erschütterungen, die zur endgültigen Konzeption führten, keine Zweifel mehr zu. Als erste Tatsache hält die Schwester fest[10]: «Die ‹Richterin› ist meines Erinnerns das einzige Gedicht meines Bruders, von dem er mir, während er es komponierte, niemals sprach, das einzige, das ich erst in Buchform zu Gesicht bekam.»

Die Novelle war wie keine andere ihre, der Schwester, und des Bruders Sache.

Um dies in der ganzen Tragweite zu verstehen, müssen wir wieder zurückgreifen auf den zwinglianisch gefärbten Pietismus Zürichs mit seinem strengen und engen Sittenkodex.

Das jahrzehntelange Zusammenleben und Zusammengehen der Geschwister Meyer – vom Tode der Mutter bis zur Verheiratung Conrads waren es immerhin zwanzig Jahre – war Gegenstand freundlich-spöttischer bis entrüstet moralistischer Bemerkungen. Ein solches Zusammenleben war in der bürgerlichen Gesellschaft Zürichs nicht üblich, war anstößig, war ein latenter und permanenter Skandal. Menschen in finanziell geordneten Verhältnissen hatten sich zu verheiraten; jeder andere Zivilstand wurde mit scheelen Augen angesehen.

Conrad und Betsy aber lebten zusammen in einem eigenen Hausstand, genauer gesagt, sie führten den Haushalt, den ihre Mutter besorgt hatte, nach einem kurzen Unterbruch weiter, zogen zusammen von Wohnung zu Wohnung; sie schafften sich eine Katze und einen Hund an, wie zu Mutters Zeiten, und zeigten sich, oft mit ihrem Getier zusammen, gemeinsam in der Öffentlichkeit und ließen sich gemeinsam einladen.

Noch mehr: Conrad hatte seinen auf lange Dauer geplanten Paris-Aufenthalt nach knappen drei Monaten abgebrochen und war zu seiner Schwester nach Zürich zurückgekehrt, weil er das Leben ohne ihre Gegenwart nicht mehr ertrug. Seine Briefe an sie – zwei bis drei in der Woche – sprechen darüber eine unmißverständliche Sprache. Nachher trennten sie sich jeweils nur noch für wenige Tage. Die großen Reisen und die Ferienaufenthalte, darunter jene Unternehmungen, die dazu geeignet waren, Conrads Verklemmungen aufzulösen und die poetisch-künstlerischen Kräfte aus ihrem Banne zu befreien, die Reise nach Rom und in die Toscana im Frühjahr 1858, der Winter in Verona und Venedig 1871/72, sie wurden gemeinsam durchlebt. Dazu kamen die zahlreichen Sommeraufenthalte, in Engelberg und auf der Engstlenalp zuerst, dann immer wieder in den Hochtälern Graubündens, auf den Spuren Jürg Jenatschs. Sie waren samt und sonders gemeinsame Unternehmungen. Daß sie von vielen Gastwirten und Dienstleuten als Mann und Frau angesprochen wurden, war nur natürlich!

Was aber das bösartige und skandalisierende Gerücht vom Geschwister-Ehepaar wohl am stärksten förderte und zu bestätigen schien: Bei Verwandten und Freunden, dort wo sich Conrad nach der langen Mißachtung und Demütigung Zugang zu verschaffen wußte, trat er sozusagen nur in Begleitung seiner Schwester auf; ohne ihre kräftige Förderung solcher Zusammenkünfte hätte er die Schritte gar nicht zu tun gewagt. Bei der resoluten Fabrikantentochter Mathilde Escher zum Beispiel pflegte das Geschwisterpaar jeden Montag zu speisen, und später, als für den angehenden Poeten das Gut Mariafeld bei Meilen und seine weltoffenen, vorurteilslosen Gastgeber, François und Eliza Wille, zugänglich wurden, war bei den wöchentlichen Begegnungen Betsy wohl fast immer mit von der Partie. Als Sekretärin ihres Bruders war sie, als sein Dichten und Trachten ernstere, bestimmtere Formen annahm, auch bei Verhandlungen mit dem Verleger nicht nur mit dabei, sie führte sogar einen Teil der Verhandlungen. So kam es auch, daß sie sich mit dem Verleger Hermann Haessel anfreundete.

Die Zusammengehörigkeit der beiden wurde so zu einem öffentlichen

Geheimnis. Wer sich an Conrad annähern wollte, benützte mit Vorteil die Vermittlung seiner Schwester.

Wieviele andere zwischenmenschliche, vor allem zwiegeschlechtliche Beziehungen durch dieses Bruder-Schwesterverhältnis vereitelt wurden oder wieder verlorengingen, ist schwer durchsichtig zu machen. Aber *eine* Tatsache ist nicht zu leugnen, daß auch Luise Ziegler, Conrads spätere Gattin, den Weg zu diesem durch Betsys Vermittlung gefunden hat. Und Luise wußte zweifellos, ehe sie auf die Werbung Conrads einging, von dieser Bruder-Schwester-Beziehung. Wenn, wie Frey berichtet[11], Betsy die Kontakte förderte und erleichterte, dann kann dies nur bedeuten, daß sie allfällige Bedenken in dieser Richtung von Anfang an zu zerstreuen suchte. Die Geschwisterliebe sollte einem Ehestand nicht im Wege stehen. Für die ersten Ehejahre zum mindesten waren die Bedenken beschwichtigt.

Aber ein unterschwelliges Mißtrauen scheint sich bei Luise früh eingeschlichen zu haben und sollte erste Folgen zeitigen. Doch damit berühren wir bereits das psychologische Problem, während unsere Überlegungen sich bis jetzt darauf beschränkten, die rein gesellschaftlichen Aspekte dieser geschwisterlichen Symbiose aufzuzeigen, die Beziehungen so zu sehen und zu schildern, wie sie sich aus der Sicht der zürcherischen bürgerlichen Gesellschaft ausnahmen.

Im Hinblick auf unsere Novelle gilt es nun, die Frage zu klären, ob und wie weit der gemeinsame Haushalt von Bruder und Schwester einfach eine Notlösung, eine Fortsetzung eingewurzelter Gewohnheiten, oder aber die Folge tieferer Bindungen gewesen ist. Und da stehen uns Äußerungen vonseiten Conrads zu Gebote, die uns deutlicher sehen lassen. In einem Brief an die Mutter, geschrieben etwa vier Monate nach dem Eintritt in die Anstalt Préfargier – und was er damals der Mutter unterbreitete, pflegte er äußerst sorgfältig abzuwägen – drückt er sich folgendermaßen aus: «Der lieben Betsy besonders sei für ihr Briefchen gedankt. Ich bin oft bei ihr, und liebe sie brüderlich und darüber hinaus[12].» Noch gewichtiger wirkt, was der Bruder der Schwester aus Neuenburg schrieb, wohin er ja aus Préfargier übergesiedelt war. Zwar fühlte er sich in Neuenburg bei dem frömmlerischen, knauserigen und unduldsamen Hausherrn wenig glücklich untergebracht, aber er hatte Mut gefaßt zum Weiterleben und hatte von der dunklen Vergangenheit Abschied genommen, ohne daß seine Vertrautheit mit Cécile Borrel schon greifbarere Formen gefunden hatte. Da schreibt er Betsy (der Brief trägt lediglich Orts-, aber keine Zeitangabe): «Nun, inmitten dieses Lärms um nichts, gedenke ich oft mit Reue an meine fliegenden Hitzen[13] von ehemals, und, liebe Schwester, Eines: Wenn du ledig bleibst, so will ich mir ein ruhiges Leben an Deiner Seite als die größte Seligkeit ausgebeten und bestellt haben; was mich betrifft, der bloße Gedanke daran ist meine Weide: Gegenseitige Freundlichkeit, ein wenig Ruhe, kein Fanatismus und Bekehrungsversuch. Es wäre der Himmel[14].»

Die Satzfolge könnte als unverbindliche Freundlichkeit und Kompliment des Bruders der fernen Schwester gegenüber abgetan werden, wenn sie nicht in optativer Form das enthielte, was später Wirklichkeit geworden ist. Sie läßt darüber hinaus die psychischen Hintergründe dieser Bindung erkennen: «Gegenseitige Freundlichkeit, ein wenig Ruhe, kein Fanatismus und Bekehrungsversuch.» Das deutet auf den fundamentalen Gegensatz zur Mutterbeziehung hin: Die Schwester hatte ihn in seiner Art gelten lassen; sie hatte ihn angenommen als Bruder und Mensch so wie er war, während er das Verhalten der Mutter, eben ihr moralistisches Richteramt, verbunden mit Kunstfeindlichkeit, und ihre hartnäckige Kleinlichkeit als Fanatismus erlebt hatte. Ihre fortwährenden Anstrengungen, den Sohn nach ihren Vorstellungen umzuformen, ihre verzweifelten Versuche, seinen religiösen Skeptizismus, von dem er sich in der zeitgenössischen Literatur hatte ergreifen lassen, zu durchbrechen und ihn in den Schoß ihres frommen Pietismus zurückzuführen, all dies war offensichtlich bei der Schwester nicht vorhanden. Sie wollte ihn weder verändern noch bekehren, sondern ließ ihn in seiner Art gelten. In dieser Haltung stand sie mit dem Bruder im Komplott gegen die Mutter, ohne daß sie je diesen Komplott aggressiv hätte wirken lassen. Sie strahlte, so jung sie war, vertrauenerweckende Ruhe auf ihre beiden Angehörigen aus.

Als Tochter war Betsy zwar der so leicht mit Machtstreben zu verwechselnden Liebe der Mutter ausgesetzt. Aber Frau Meyer verhielt sich, wie wir bereits wissen, der Tochter gegenüber bedeutend großzügiger als dem Sohn gegenüber. So hatte sie gegen ihre künstlerische Ausbildung gar nichts einzuwenden, während sie des Sohnes Streben mit Entschiedenheit und Hartnäckigkeit ablehnte.

Und nun zu den Parallelen und Gegenläufigkeiten – beides sind vom Dichter bewußt angewendete Darstellungsmittel zur Tarnung seiner seelischen Wirklichkeit – in der Novelle «Die Richterin». Palma nimmt im Verhältnis zur Richterin seine, die Stellung des Bruders zur Mutter ein: Palma novella ist bis zur äußersten Todesgefahr hin – sie verweigert schließlich Speise und Trank – ein persönliches und politisches Machtinstrument der Mutter. Betsy Meyer verstand es dagegen, sich der totalen Bevormundung, der der Bruder erlegen war, zu entziehen; es gelang ihr, sich ihr eigenes Reservat zu wahren und zu sichern. Ihr war es möglich, ihre eigene persönliche Welt einigermaßen ungeschmälert zu entfalten und, von der Mutter unbehelligt, ihre künstlerischen Pläne, sich zur Zeichnerin und Malerin ausbilden zu lassen, zu verwirklichen. Betsys Künstlertum, ja ihr ganzes Wesen war schmiegsamer, anpassungsfähiger, gewissermaßen «lyrischer», während die Mutter am «Hochmut» und an den künstlerischen Ambitionen ihres Sohnes Anstoß nahm. Man hat aus diesem Tatbestand etwas vorschnell abgeleitet, daß ihr Künstlertum eben minderen Ranges gewesen sei. Die jüngsten Funde aus ihrem künstlerischen Nachlaß[15] – er ist an sich äußerst spärlich – lassen aber so gut wie ihre «Erinnerungen», d.h. ihr Conrad Ferdinand Meyer-Bild, eine starke, klare, geistreiche Persönlichkeit erkennen. Nur diese ihre eigene, zwar fügsamere, schmiegsamere, aber nicht minder entschiedene Persönlichkeit erlaubte ihr das Eingehen auf die vielen und lange Zeit so diffusen Pläne ihres Bruders, und ermöglichten ihr, die seelischen Spannungen bei Mutter und Bruder zu überbrücken und selber auszuhalten.

Die Frage nun, ob diese Symbiose inzestuös-erotische Züge mit einschloß, wird damit zu einer Teil- und Nebenfrage, die nur von nach Skandalen schürfenden und auf billigen Leserfang bedachten Leuten an die Spitze gerückt werden kann, von Leuten auch, die sich der Totalität eines Lebensganzen nicht bewußt sind. Darüber hinaus ermöglichen liberalere Auffassungen, die sich in jüngster Zeit durchzusetzen beginnen, den ganzen Fragenkreis mit unbefangeneren Blicken anzugehen.

Nach Temperament, Erziehung und Lebensgewohnheiten und innerhalb der sittlichen Barrieren, die im bürgerlichen Zürich um und nach der Mitte des letzten Jahrhunderts aufgerichtet waren, haben, meiner Überzeugung nach, inzestuös-erotische Beziehungen zwischen den zwei Geschwisterpartnern nie bestanden. Der gemeinsame Alltag, die gemeinsamen menschlichen Beziehungen bis hin zur gemeinsamen Liebe zu den vierbeinigen Hausgenossen und die gemeinsamen schweren und schönen Erinnerungen reichten aus. Befriedigungen und Erfüllungen anderer Art waren nicht nötig. In einem Hause, wo von der Mutter her jegliche Liebkosung als sündig ferngehalten wurde, blieben gegenseitige Freundlichkeit und Verständnis, ein läßliches Sich-geltenlassen, die einzige Art gemeinsamen Seins.

Dies schließt nun aber in keiner Weise aus, ja es dürfte sich sogar als notwendige Folge körperlicher Distanziertheit ergeben, daß gewissermaßen ein peccatum mentale sive sensuale in der angedeuteten Richtung da war, daß Conrad mit andern Worten tatsächlich alle Ängste sündlichen, perversen Inzestes durchlebt und durchgekämpft hat. Dazu hatte er Zeit genug, alle Folgeerscheinungen seiner Geschwisterbeziehung durchzudenken. Ja noch mehr, das peccatum mentale war bei diesem so sensiblen Menschen Grund genug zu Angstvisionen, zu tödlichen Bedrohungen durch die Dämonien der Triebwelt. In diesem seelischen Bezirk war der Inzest Tatsache, eine psychische Wirklichkeit.

Und mit dieser Tatsache eines von Schuld und Skrupeln wegen verbotener Bindungen belasteten Gewissens trat Conrad in den Stand der Ehe ein, mit einer seelischen Wirklichkeit, die für beide, Bruder und Schwester, in gleicher Weise Geltung hatte. Denn auch die Schwester, diese eher herbe, zurückhaltende, aber geistig weit aufgeschlossene und reich begabte Frau, deren Bildungs- und Geisteswelt keineswegs nur der Abklatsch der Bildungswelt ihres Bruders war, fühlte sich an ihren Bruder in tiefstem Sinne, geistig und seelisch, gebunden. Auch sie mußte sich als verstandesklarer Mensch der gefährlichen Problematik bewußt sein.

Eben darum nahm sie den Vorschlag ihres Bruders, ihr im Hause von Kilchberg eine kleine Wohnung zur Verfügung zu halten, nicht an. Ob schon damals, in den ersten Monaten der Ehe, Eifersuchtsreaktionen der jungen Frau mitspielten, läßt sich bei der heutigen Quellenlage nicht durchschauen. Die Sensibilität der Geschwister war aber so hoch entwikkelt, daß Eindrücke solcher Art nicht lange ausbleiben konnten. Denn *eines* steht fest, nämlich daß der Frau Luise diese Sensibilität, dieser Sinn für differenzierte menschliche Beziehungen, die sich nicht mit zivilstandlich geregelten Ordnungen einfangen ließen, abging und daß sie nach Art eher stumpf veranlagter Menschen darauf nur mit grob-primitivem Moralismus antworten konnte.

Damit bahnt sich für den Dichter eine neue tragische Verflechtung an: Jetzt erstand dem Menschen Conrad Ferdinand Meyer eine zweite, nicht minder autoritative Richterin, eine Richterin mit einem nicht offeneren Sittenkodex. Und sie besaß nicht den religiösen Tiefgang der Mutter Meyer, der ihr Ergebenheit in das vom Schicksal Verhängte gebot. Von nun an übernahm sie das Richteramt aufgrund ihrer gesellschaftlichen und materiellen Stellung und ihrer wenig strukturierten Gesellschaftsmoral, kurz aufgrund ihrer Stellung als Herrin des Hauses. Es war eine besondere Seite dieses tieftragischen zwischenmenschlichen Geschehens, daß dieser Nachfolgerin im Richteramt jene hohe geistige Differenziertheit abging, die der Mutter Meyer bis zu ihrem Ende eigen geblieben war. Sie war, bei allem fürnehmen Schliff, eine Richterin mit dem Fausthammer, war blind für tiefere mitmenschliche Bezüge. Auch von einem wirklichen Anteil am Schaffen ihres Mannes konnte deshalb kaum je die Rede sein. Sie nahm, was er ihr schenkte, in ihren Besitz, ohne von den tieferen Bewegungen ergriffen zu sein.

Die Beichte des Bruders vor der Schwester, nachdem die Novelle «Die Richterin» in Buchform erschienen war, wird von dieser in der fragmentarischen Notiz beinahe übergenau protokolliert: «Armer, armer Bruder! Es ist dein innerstes Heiligtum, das angetastet wird. Das Verhältnis deiner Schwester zu dir, das gottgewollte, einfache, das zugleich ein kindliches und mütterliches ist. – Das ist der Punkt, von dem aus deine edel geschaffene, in ihrer Freiheit und Reizbarkeit zu gesundem Widerstande gegen rohe Angriffe unfähige Seele im Innersten vergiftet werden kann. An dieser Stelle kann dir, inmitten deines sichern Heimes von der, die du liebst und der du vertraust, ohne daß sie sich selber sich dessen klar bewußt wird, ein dein Leben im Grunde zerstörendes Gift beigebracht werden: Der Zweifel an der göttlichen Gerechtigkeit[16].»

Betsys Worte lassen klar erkennen, in welcher Richtung und in welcher Tonart Luise Meyer-Ziegler ihre Angriffe geführt hat. Offenbar warf sie ihrem Manne ohne jede Rücksicht auf seinen Seelenzustand und seine Verletzlichkeit alles ins Gesicht, was die Gerüchte ihr zugetragen hatten. Und gegen grobe Anwürfe war Conrad wehrlos!

Das Geständnis des Bruders und die gegenseitige Aussprache machte den beiden den Teufelskreis der Anschuldigungen durchsichtig und hob ein in vielen Jahren gewachsenes Verhältnis ins grelle Licht nagenden Zweifelns und Vernünftelns. Und der Vorwurf inzestuöser Bindungen kam diesmal nicht gerüchteweise und unverbindlich von irgendwoher, er kam von der Gattin Luise: «Von der, die du liebst und der du vertraust.» Sie war es, die sich ein sittenrichterliches Urteil anmaßte. Um die Schwägerin etwas zu entlasten, fügt Betsy bei, daß es ihr wohl kaum klar bewußt geworden sei, welches Unheil sie anzurichten im Begriffe war. Sollte das etwa ein Deckmäntelchen sein, um den Bruder an seiner Liebe zur Gattin nicht irre zu machen?

Die ausweglose Situation war jedenfalls da; Luise hatte mit ihrem undifferenziert bösartigen Ton das Verhältnis des Mannes zur Schwester ans Licht gezerrt. Und Betsy hatte auch schon die tödliche Gefahr erfaßt, nämlich das des Bruders Seelenleben zerstörende Gift: Zweifel an der göttlichen Gerechtigkeit, ein Zweifel, dessen Ansturm ja seinerzeit die Mutter erlegen war: die bis an den Rand der Verzweiflung führende Erschütterung und Zerstörung der Erlebnisstrukturen, die seine Existenz bestimmt und geformt hatten. Stärkste Komponenten seiner Persönlichkeit waren in Frage gestellt.

Und nun wieder zurück zur Novelle: Meyer hat mit unheimlich findigem Auge eine verhältnismäßig weit entlegene Stelle entdeckt, auf die er das Inzestproblem literarisch abstützen konnte, wenn er sein skandalumwittertes Erleben gestalten und sich davon befreien wollte: Die Geschichte der Byblis im 9. Buch der Metamorphosen von Ovid[17]. Schon diese Findigkeit zeigt, wie betroffen er war. Und daß er diese Stelle zum Ausgangspunkt für die unheimliche Entdeckung der beiden angeblichen Geschwister Wulfrin und Palma Novella nimmt und dort in den Gang der Handlung einbaut, wo die Novelle ihrem aktionsmäßigen Höhepunkt zustrebt, vor Wulfrins Gang in die Schlucht und dem Ausbruch der Dämonen, bezeugt das ganze Gewicht dieses Motivs. Übrigens wollte dem Dichter bei diesem Funde das Glück wohl: Ovid hatte in seiner Inzest-Geschichte anders als die Gattin, nämlich zugunsten des Bruders akzentuiert und in Byblis, nicht in ihrem Bruder Caunus die inzestuöse Leidenschaft ausbrechen lassen. Damit brauchte er die Schwester nicht zu belasten; das war vielmehr einfach das vorgegebene literarische Motiv, aus dem er die eigene Inzestfabel herausholen konnte.

Im künstlerischen Wechselspiel, als variatio zu Ovid, führt Meyer Wulfrin, den männlichen Partner, bis an den Rand eines mörderischen Wahnsinns und stellt ihm als moralistisch-kleinbürgerliche Gegenfigur Graciosus gegenüber, dem Palma gegen ihren Willen anverlobt werden soll. Palma hat zwar aus Liebe zu ihrem (vermeintlichen) Bruder eingewilligt. Das ist wie eine tarnende Umkehrung dessen, was um ihn selbst geschehen sein mag. Conrad Ferdinand Meyer bequemte sich als ein bald Fünfzigjähriger zum Ehestand, auf Anraten und aus Liebe zu seiner Schwester? Genau läßt sich dies nicht mehr abklären, doch weisen Andeutungen in dieser Richtung.

Es gilt nun, die Stellen ausfindig zu machen, die das Bruder-Schwester-Problem, oder sagen wir es jetzt literarisch: die das Byblis-Motiv ein- und durchführen, beziehungsweise variieren. Zuerst der Weg nach Pratum, den Palma und Wulfrin unter die Füße nehmen, um Gnadenreich/Graciosus aufzusuchen, dem ja Palma anverlobt werden soll. Zu diesem Zweck hat die Richterin die Tochter ihrem Bruder anvertraut, und dieser geht, wenn auch widerwillig, darauf ein.

«Herr», sagt der Hirtenbub, der den Namen des Erzengels Gabriel trägt, «es gibt zwei Wege nach Pratum. Der eine steigt durch die Schlucht, der andere über die Alp[18].» Die Symbolik dieser Alternativwege ist unverkennbar: Schon hier ist die Ambivalenz des Bruder-Schwester-Verhältnisses vorweggenommen; der eine Weg, der über die Alp, scheint licht und klar, der andere geht durch unheimliche Tiefen. Die beiden wählen den ersteren, weil Palma dort dem Bruder «ihren» Bergsee zeigen will. Dieser wird ihnen zum Spiegel, des Himmels, der Berge, der offenen Natur zuerst, dann aber auch zum Spiegel ihrer selbst, der ihnen zum ersten Male ihre Zweieinigkeit sichtbar und bewußt macht. Und wenn Palma, was sie an diesem Bergsee oft tut, ihre Zehe darein taucht, ist ihr als löse sie sich von sich selbst, gehe auf ins All. Und beide fühlen sich nun eins mit der Welt:

> Sie deutete auf ein majestätisches Schneegebirge, das ihnen gegenüber sich entwölkte. Seine verklärten Linien hoben sich auf dem lautern Himmel rein und zierlich, doch ohne Schärfe, als wollten sie ihn nicht ritzen und verwunden, und waren beides, Ernst und Reiz, Kraft und Lieblichkeit, als hätten sie sich gebildet, ehe die Schöpfung in Mann und Weib, in Jugend und Alter auseinanderging.[19]

Hier, in dieser Bergwelt, wird der beiden dunkles Drängen ins Licht gehoben, aber ohne daß ein zerstörendes Gift beigemischt wäre. Das Naturbild wird zur Vision, die den Blick in einen Raum ohne harte Konturen und Übergänge öffnet. Blick zurück in eine paradiesische Jugend? Ein Traumbild, der blauen Blume der Romantik vergleichbar, verweist in ein Märchenland:

> «Jetzt prangt und jubelt der Schneeberg», sagte Palma, «aber nachts, wenn es mondhell ist, zieht er bläulich Gewand an und redet heimlich und sehnlich. Da ich mich jüngst hier verspätete, machte sich der süße Schein mit mir zu schaffen, lockte mir Tränen und zog mir das Herz aus dem Leibe.»

Das sind Traumformen des Sehnens nach Vereinigung. Das Verlangen nach der Zweieinigkeit wird in der Begegnung mit dem im blauen Mondlicht prangenden Berg zur Aussage gebracht. Dann wird in der Naturvision bei Tageslicht, in einer Art Wolken-Test, offenbar:

> Eine Wolke schwebte über den weißen Gipfeln, ohne sie zu berühren, ein himmlisches Fest mit langsam sich wandelnden Gestalten. Hier hob sich ein Arm mit einem Becher, dort neigten Freunde und Liebende sich einander zu, und leise klang eine luftige Harfe. Palma legte den Finger an den Mund. «Still», flüsterte sie, «das sind Selige!» Schweigend betrachtete das Paar die hohe Fahrt, aber die von irdischen Blicken belauschte himmlische Freude löste sich auf und zerfloß. «Bleibet! oder gehet nur!» rief Palma mit jubelnder Gebärde, «wir sind Selige wie ihr! Nicht wahr, Bruder?» und sie blickte mit trunkenen Augen bis in den Grund der seinigen.[20]

Die Naturvision ist zu einer Vision der seligen Gemeinschaft geworden. Palmas Blick erschaut das Elysium, wo die Seligen wohnen in Frieden und Harmonie. Dieser seligen Gemeinschaft fühlen sich Palma und Wulfrin zugesellt:

> Es kam die schwüle Mittagsstunde mit ihrem bestrickenden Zauber. Palma umfing den Bruder in Liebe und Unschuld. Sie schmeichelte seinem Gelocke wie die Luft und küßte ihn traumhaft wie der See zu ihren Füßen das Gestade.

Und jetzt folgt ein rätselhaftes Wort, das die Frage in der Schwebe läßt, ob Wulfrin sich einfach eins fühlt mit der feierlich-festlichen Natur oder ob er in der Umarmung vom Eros ergriffen wird: «Wulfrin aber ging unter in der Natur und wurde eins mit dem Leben der Erde.» Die Fortsetzung läßt keine Zweifel mehr bestehen: die Triebwelt hat von ihm Besitz ergriffen: «Seine Brust schwoll. Sein Herz klopfte zum Zerspringen. Feuer loderte vor seinen Augen ...[21]»

Es liegt nun dem Dichter daran, das unterschiedliche Erleben von Bruder und Schwester deutlich sichtbar zu machen. Es ist freilich nur ein gradueller Unterschied; das erotische Element ist in beiden wirksam:

Da rief eine kindliche Stimme: «Sieh doch, Wulfrin, wie sie sich in der Tiefe umarmen!»

Sein Blick ging hinunter in die schattendunkle Flut, die Felsen und Ufer und das Geschwisterpaar verdoppelte. «Wer sind die zweie?» rief er.

Damit wird, fast zu grell, der Übergang aus dem unbewußten, triebhaften Erleben in die klare Einsicht ins Licht gestellt. Das Motiv der Spiegelung, im Gedicht «Möwenflug» zum Symbol einer Ambivalenz des Seins erhoben[22], dient hier dazu, den Inzest von Bruder und Schwester zur erschreckenden Erkenntnis werden zu lassen, erschreckend für den Bruder, harmlos beglückend für die Schwester, die erst durch die jähe Reaktion des Bruders stutzig gemacht wird:

«Wir, Bruder», sagte Palma schüchtern und Wulfrin erschrak, daß er die Schwester in den Armen hielt. Von einem Schauder geschüttelt sprang er empor, und ohne sich nach Palma umzusehen, die ihm auf dem Fuße folgte, eilte er in die Sonne und dem nahen Grate zu (...)[23]

Da die Novelle darauf angelegt ist, die Geschwisterliebe als einen Irrtum zu entlarven und die Liebe zwischen Palma und Wulfrin als eine natürliche, zwiegeschlechtliche nachzuweisen, können große Partien und Passagen übergangen werden; sie dienen eher der Verschleierung als der Entlarvung. Mit diesem Novellenthema – Aufhebung einer Inzest-Inkrimination – schuf sich der Dichter eine weitere Möglichkeit, sich selbst hinter dem literarischen, fiktiv-historischen Geschehen zu camouflieren. Doch gilt es nun, wie angedeutet, das Byblis-Motiv Ovids – er hat es natürlich aus älterer hellenistisch-griechischer Quelle übernommen – und die Art seiner Verwendung in der Novelle schärfer ins Auge zu fassen.

«Geh, Gnadenreich, hole uns das Buch, wo der Bruder abgebildet ist, das aus dem Stifte – weißt du – welches du bei deinem letzten Besuche der Mutter, der ich über die Schulter blickte, gezeigt hast.» Gnadenreich willfahrte ihr, aber sichtlich ungerne.

Palma war demnach bei der Mutter Stemma auf die antike Quelle aufmerksam geworden, und Graciosus hatte den Vermittler gespielt. Die «illuminierte», illustrierte Handschrift im Stile ihrer, der karolingischen Zeit, wie sie sich der Dichter vorstellen mochte, enthielt das Bild eines jungen behelmten Ritters. Dieses Bild identifiziert Palma unwillkürlich mit Wulfrin, ihrem brüderlich-ritterlichen Idol. Jetzt wünscht sie, weil ihr die Stimmung auf dem Turm nicht behagt – nicht nur die dargebotene Milch, sondern der Spender selbst, der weichliche Stubengelehrte Graciosus, stößt sie ab – zu ihrem Idol zurückzukehren und verlangt, das Buch mit der idealisierten Ritterfigur wiederzusehen.

Palma suchte und fand das Blatt. Über dem lateinischen Texte war mit saubern Strichen und hellen Farben abgebildet, wie ein Behelmter den Arm abwehrend gegen ein Mädchen ausstreckte, das ihn zu verfolgen schien. Mit dem Krieger deuchte er [Wulfrin] nichts gemein zu haben als den Helm, doch je länger er das gemalte Mädchen beschaute, desto mehr begann es mit seinen braunen Augen und goldenen Haaren Palma zu gleichen. Um die Figur aber stand geschrieben: ‹Byblis.›

Graciosus, der ihr das illuminierte Buch mit Widerwillen ausgehändigt hat, soll ihr nun das Bild deuten; aber der Ängstliche verstummt – aus Feigheit? Daher muß Palma selber deutend eingreifen: ‹Das hier ist der Bruder auf Malmort, wie er anfangs war und mich wegstößt›.

«Das ist nichts für dich, Palma!» wehrte Graciosus ängstlich, «laß!» und er entzog das Buch ihren Händen. [24]

Offenbar hat Graciosus, obwohl er es später in Abrede stellt, die Ovid-Stelle der Richterin Stemma absichtlich zugespielt. Um sie auf die skandalöse Geschwisterliebe ihrer Tochter Palma aufmerksam zu machen? Um Wulfrin bei ihr anzuschwärzen, um mit seiner Werbung um Palma um so besser anzukommen? Die Frage bleibt offen.

Palma, die der Mutter über die Schulter hinweg ins Buch schaut, hat das Motiv erkannt, aber es auf ihre Weise, einfach auf ihr Verhältnis zu Wulfrin bezogen, ohne moralische Skrupel, als natürliche Tatsache, a-moralisch! Das Schweigen Wulfrins und die ablehnende Haltung Gnadenreichs hat sie in ihrer Arglosigkeit betroffen und einen Widerwillen gegen das unerquickliche Zusammensein auf dem Turm wachgerufen. Sie flieht von den beiden jungen Männern weg, um sich einen Kranz wilder Rosen zu pflücken.

Durch ihre Entfernung schafft sich der Dichter die Gelegenheit, den für die Verlobung in Aussicht genommenen Gnadenreich und Wulfrin einander gegenüberzustellen. Und es ist Graciosus, der nun dem hellhörig gewordenen, leidenschaftlich erregten Jüngling den Inzest bewußt macht. Es ist der andere, der Dritte, der den Vorwurf der Sünde, der moralischen Verdammnis und des Verbrechens hereinbringt. Daß diese Szene im theatralischen Geschehen durch einen jähen Blitz eingeleitet wird, unterstreicht die Bedeutsamkeit, den dramatischen Höhepunkt, die Peripetie, die diesem Geschehen innewohnt:

Ein blendender Blitz fuhr über Pratum weg und dem Höfling [Wulfrin] durch die Adern. «Warum hast du ihr das Buch weggenommen?» fragte er gereizt.
«Weil es für Mädchen nicht taugt», rechtfertigte sich Gnadenreich.
«Warum nicht?»
«Die Schwester im Buche liebt den Bruder.»
«Natürlich liebt sie ihn. Was ist da zu suchen?»
Graciosus antwortete mit einer Miene des Abscheus: «Sie liebt ihn sündig! sie begehrt ihn.»
Wulfrin entfärbte sich und wurde totenbleich. «Schweig, Schurke!» schrie er mit entstellten Zügen, «oder ich schleudere dich über die Mauer!»[25]

Jetzt bekommt es Graciosus sichtlich mit der Angst zu tun; er flieht aus der Nähe. Aber mit seinem feigen Verhalten und mit seiner Unschuldbeteuerung verrät er sich selbst und schürt das Unheil bei Wulfrin:

«Um Gottes willen», stammelte Graciosus, «was ist dir? Bist du verhext? Wirst du wahnsinnig?» Er war von Wulfrin und dem Buche weggesprungen, in welches dieser mit entsetzten Blicken hineinstarrte. «Ich beschwöre dich, Wulfrin, nimm Vernunft an und laß dir sagen: das hat ein heidnischer Poet ersonnen, leichtfertig und lügnerisch hat er erfunden, was nicht sein darf, was nicht sein kann, was unter Christen und Heiden ein Greuel wäre!»[26]

Die anschließende Stelle entbehrt nicht einer untergründigen Komik, wegen ihres moralistischen Zwiespalts! Graciosus muß sich wider den Vorwurf, er ergötze sich an gemeinen Büchern und nähre sich am Bösen, zur Wehr setzen. Dabei sucht er sich mit einer durch die Jahrhunderte immer wieder vorgebrachten fadenscheinigen Begründung herauszuschwatzen: «... zu meiner Warnung und Bewahrung, daß ich den Versucher kenne und nicht unversehens in die Sünde gleite.»

Das ist der seit je verlogene Vorwand, unter dem sich die Lüsternen das Recht verschafft haben, sich der skandalösen und pornoähnlichen Literatur zu bedienen.

Wulfrin verabscheut derartige moralistische Ränkespiele. Jetzt, da ihm das Verwerfliche bewußt gemacht worden ist, reagiert er als natürlicher, unverbildeter Mensch. Wennschon etwas als Sündengreuel verdammt wird, dann muß das Ärgernis beseitigt werden.

«Ins Feuer mit ihm!» schrie der Höfling, und weil kein Herd da war als der lodernde des offenen Himmels, riß er das Blatt in Fetzen und warf es hoch auf in den wirbelnden Sturm.[27]

Er gibt damit dem Himmel und der Natur zurück, was da widernatürlich gezüchtet wurde – ein beinahe kulturrevolutionärer Akt! Und ein abgründiger Zwiespalt hat sich in ihm aufgetan. Das Beglückende, Heitere, Unschuldige hat sich in den Sündengreuel verwandelt, wurde durch Graciosus dahin umfunktioniert. Aber auch aus der Verbindung Palmas mit Gnadenreich wird nichts; der Spielverderber, der eine natürliche Bruder-Schwester-Beziehung in eine Perversion umfunktionierte, ist auch nicht dazu berufen, der Mann dieser Schwester zu werden. Wulfrin trennt zunächst einmal das zerstörte Idyll seiner Liebe und weist Palma energisch auf ihren Weg zurück, woher sie gekommen, zurück über die Alp, während er für sich selbst den andern durch die Schlucht vorbehält. Die Beziehung wird damit nicht endgültig zerrissen; denn Malmort bleibt der Ort neuer möglicher Begegnungen. Aber Graciosus, dieses archaische Spiegelbild einer spießigen Bürgerlichkeit, hat mit seinem Moralismus die tiefsten Gründe des natürlich und gesund im Leben stehenden Wulfrin in Aufruhr gebracht. Diesem Aufruhr begegnet er – die Symbolik des Erzählgeschehens ist unübertrefflich – auf seinem Höllengang durch die Schlucht. Die Tarnung ist dabei so vollständig, daß sich der Autor sozusagen hemmungslos seinen Imaginationen überlassen kann. Der Weg durch die Schlucht wird so zum reinen Spiegelbild eines durch Schuldgefühle verstörten und zerrissenen Menschen. In der Projektion der seelischen Figurationen wird auch sichtbar, wie sich das natürliche Menschenwesen wider Inkriminationen des Gewissens zur Wehr setzt.

Da er in den Schlund hinabstieg, wo der Strom wütete, und er im Gestrüpp den Pfad suchte, störte sein Fuß oder der ihm vorleuchtende Wetterstrahl häßliches Nachtgevögel auf und eine pfeifende Fledermaus verwirrte sich in seinem Haare. Er betrat eine Hölle. Über der rasenden Flut drehten und krümmten sich ungeheure Gestalten, die der flammende Himmel auseinanderriß und die sich in der Finsternis wieder umarmten.[28]

In diesem letztern Satz wird der unauflösbare Widerstreit offenbar: im grellen Lichte des rationalen Klügelns, im flammenden Himmel, werden die Triebhaften Mächte auseinandergerissen, aber in der Finsternis finden sie sich wieder zur Umarmung. Das allegorische Geschehen erfährt jetzt noch seine Ausdeutung:

Da war nichts mehr von den lichten Gesetzen und den schönen Maßen der Erde. Das war eine Welt der Willkür, des Trotzes, der Auflehnung.[29]

Wulfrin ist aus Maß und Ordnung, durch die er in seinen Grenzen gehalten wird, ausgebrochen. Jetzt ist er ganz und gar seiner Triebwelt ausgeliefert, Spielball einer ungeheuerlichen Willkür:

Gestreckte Arme schleuderten Felsstücke gegen den Himmel. Hier wuchs ein drohendes Haupt aus der Wand, dort hing ein gewaltiger Leib über dem Abgrund. Mitten im weißen Gischt lag ein Riese, ließ sich den ganzen Sturz und Stoß auf die Brust prallen und brüllte vor Wonne.[30]

Aus dem letzten Satz wird klar, daß der Ausbruch der Triebe lustvoll erfolgt, nicht Zwang und Qual, sondern rasende Erfüllung wird. Und wieder wird dieser allegorische Sinn des Geschehens noch explizit bestätigt:

Wulfrin aber schritt ohne Furcht, denn er fühlte sich wohl unter diesen Gesetzlosen. Auch ihn ergriff die Lust der Empörung, er glitt auf eine wilde Platte, ließ die Füße überhangen in die Tiefe, die nach ihm rief und spritzte, und sang und jauchzte mit dem Abgrund.

Hier wird die lockende Wassertiefe, ein Grunderlebnis Meyers, zum dionysischen Verlangen, Lust und Tod in einem zu erfahren.

Die Begegnung mit Faustine, die ihren Mann vergiftet hat – Parallele zur Mörderin Stemma – in der Tiefe der Schlucht, macht noch einmal die Abgründigkeit des Greuels sichtbar:

«Ich bin die Faustine und habe den Mann vergiftet. Und du, Herr, was ist deine Tat?»
Lachend antwortete er: «Ich begehre die Schwester!»
Da entsetzte sich die Mörderin, schlug ein Kreuz über das andere und lief, so geschwind sie konnte. Auch er erstaunte und erschrak vor dem lauten Worte seines Geheimnisses.[31]

Daß es sich hier um die genaue Wiedergabe der inneren Figurationen und Kämpfe des Dichters handelt, scheint mir außer allem Zweifel zu liegen. Das parallel gestellte Naturgeschehen unterstreicht noch einmal den Absturz in die Inzest-Schuld, Absturz, bewirkt durch Bewußtmachung, durch das Hereinreißen unbewußten Erlebens ins grelle Licht moralistischer Rationalismen:

Von senkrechter Wand herab schlug ein mächtiger Block vor ihm nieder und sprang mit einem zweiten Satz in die aufspritzende Flut.

Aber das Geschehen betrifft ihn nicht selber, es vollzieht sich nur im allegorischen Gleichnis in der Natur; er selbst, Wulfrin, und er selbst, der Dichter, läßt das Geschehen über sich hinweg – an ihm vorbei – gehen. Doch nun läßt er sich noch zur Tat hinreißen: Palma hat inzwischen den ihr gewiesenen Weg verlassen und ist Wulfrin in die Tiefe hinunter nachgestiegen – weil sie sich dem Aufgewühlten, Aufgebrachten, Gesetzlosen ganz verbunden fühlt.

Der Himmel schwieg eine Weile, und Wulfrin tappte in dunkler Nacht. Da erhellte sich wiederum die Schlucht, und auf einer über den Abgrund gestürzten Tanne sah er die Schwester auf nackten und sicheren Füßen gegen sich wandeln, und jetzt lag sie vor ihm und berührte seine Kniee.[32]

Jetzt aber ist der tödliche Schreck über den Inzest einen Augenblick lang mächtiger als die liebende Zuneigung: Er stieß einen Schrei aus, ergriff, schleuderte sie, sah sie im Gewitterlicht gegen den Felsen fahren, taumeln, tasten und ihre Kniee unter ihr weichen.

Wir erwarten, daß Palma nun tot in den Abgrund stürzt. Wulfrin hat sich durch den Schwestermord aus der unlösbaren Verstrickung befreit, ein beinahe tragisches Mordgeschehen! Aber es bleibt bei einer «frechen Mordgebärde», bei einem Mordversuch, den Wulfrin gleich zurücknimmt: «Er neigte sich über die Zusammengesunkene. Sie regte sich nicht und an der Stirn klebte Blut.» Er hat zwar nur ihrem, Palmas, Befehl Genüge getan: «Töte mich lieber! Ich kann nicht leben, wenn du mich hassest![33]» Das würde sein Tötungsdelikt weitgehend entlasten: Mord auf Befehl. Aber seine Tat in der Ekstase, eine Tat, die in der Trance und nicht aus freiem Willen vollzogen wird, hat als solche, gemäß einem höheren Willen, ihr Ziel verfehlt: «Da hob er sie auf mächtigen Armen an seine Brust und schritt, ohne zu wissen wohin, das Liebe umfangend, dem Tale zu.»

Beachten wir diese Formulierung genau! Er «schritt, ohne zu wissen wohin, das Liebe umfangend, dem Tale zu». Er nimmt also, unbekümmert um Ziel und Ende, weiterhin im Zustand der Ekstase, einem andern, höheren Willen gehorsam, die schwere moralische Last des Inzestes auf sich. Er sagt ja zu dieser natürlichen, aber in den Augen der Welt perversen, widernatürlichen Liebe.

Wir wissen es, die Erzählfabel der «Richterin» löst schließlich das Rätsel, indem sie den Inzest als Täuschung, als bewußten Betrug der Richterin Stemma erweist und Wulfrin und Palma in natürlicher zwiegeschlechtlicher Liebe zueinanderführt, eine Lösung, die dem Dichter den Vorwurf skandalöser, anstößiger Literatur erspart.

Für uns wichtiger ist die vorläufige Lösung: Wulfrins halbe Tat, sein

Tötungsversuch und sein Gang mit dem Opfer in den Armen hinunter ins friedliche Tal. Der Inzest, oder, viel allgemeiner und ohne moralische Inkriminierung gesagt, die Geschwisterliebe ist zuvor zu ihrem Recht gekommen. Conrad Ferdinand Meyer hat so unter sorgfältigster Tarnung die Beziehung zu seiner Schwester gegen die versteckten Angriffe aus der Gesellschaft rehabilitiert.

Das poetische Motiv der Geschwisterliebe sollte in der Wirklichkeit des Lebens noch einmal auf tieftragische und zugleich häßliche Weise zum Austrag kommen.

Aus den, wie schon öfters angedeutet, früh auftauchenden latenten Spannungen zwischen Luise Meyer-Ziegler und Betsy Meyer war auf seiten Luises unversöhnliche Feindschaft herausgewachsen. Conrad war inzwischen zu schwach geworden, um Vermittlungsversuche zu unternehmen, und Betsys Beschwichtigungsversuche blieben erfolglos. Schließlich schreckte sie vor keinen Mitteln mehr zurück, die dazu dienten, ihre Schwägerin auszuschalten. Deren Beziehungen zum Verleger Haessel und zu Adolf Frey, der noch von Conrad als Biograph in Aussicht genommen und dazu autorisiert worden, waren ihr ein Dorn im Auge. Aus Gründen des Familienprestiges suchte sie die seelische Erkrankung ihres Mannes auf jede mögliche Weise zu vertuschen, weshalb sie ja auch die Internierung in der Anstalt Königsfelden willkürlich und gegen den Willen des Arztes unter unzureichendem Vorwand aufhob. Und jetzt griff sie das alte Gerede wieder auf, um der verhaßten Schwägerin einen letzten Tiefschlag zu erteilen, und klagte sie bei Dr. Zuppinger[34] wegen Sittlichkeitsverbrechen, will sagen Verführung zum Inzest, und wegen Diebstahl ein. Es scheint, daß dieser selbst die formelle Anklage zu verhindern wußte. Tatsache ist aber, daß Frau Luise Meyer von einem primitiv strukturierten krankhaften Verfolgungswahn umgetrieben wurde. Der Reichtum und ihr bedeutendes Standesbewußtsein spielten ihr die Mittel in die Hand, eine beinahe unumschränkte Macht im Hause auszuüben. Aber sie war nicht fähig, ihre Machtmittel sinnvoll zu handhaben und verbrauchte sich in einem hemmungslosen Haß.

Es hat sich ein Schreiben Conrads an seine Schwester Betsy erhalten, in dem dieser schwerste Vorwürfe gegen sie erhebt und ihr förmlich das Betreten seines Hauses verbietet: Zwei von Luises Hand korrigierte Entwürfe, deren Endfassung doch wohl Betsy unter die Augen kam. Der Text wurde Ende Mai 1896 bearbeitet und enhält nichts weniger als eine Absage an all das, was Meyer je zugunsten seiner Schwester ausgesagt hat. Ihn hier nochmals zu zitieren erübrigt sich, weil er von den krankhaften Haßtiraden

Luises diktiert ist. Zwar gehen die Meinungen, ob die Gattin dem völlig willenlos gewordenen Mann die Hand geführt, oder ob dieser, unter ihrer Diktatur stehend, die Feder selbständig gehandhabt hat, auseinander. Aber ob corporaliter die Hand geführt oder unter maßlosem psychischem Druck hingesetzt, das ist auf dieser Stufe seiner seelischen Deformation nicht mehr relevant. Das war ja nicht mehr die Dichterpersönlichkeit, nicht mehr der volle Mensch Conrad Ferdinand Meyer.

Beide Unternehmungen, die Versuche zur Anklageerhebung Luises und die Briefentwürfe, die den Abfall Conrads von Betsy signalisieren, bestätigen ja nur die tieftraurige, ja tragische Tatsache, daß die Gattin ihrer menschlichen und fraulichen Aufgabe nicht gewachsen war und daher in eine unmenschliche Primitivität und Brutalität zurückfiel. Zum Bruder-Schwester-Verhältnis und seiner Bedeutung sagt dies nichts mehr aus. Ja, es läßt sich von den späten Dokumenten aus sogar die Diagnose präzisieren: Meyers zweite Krise, die der dichterisch-künstlerischen Kreativität ein Ende setzte, wurde wohl durch nichts anderes als durch diesen Dreieckskonflikt Conrad-Betsy-Luise ausgelöst. Die brutale, durch lange Jahre hindurch verfolgte Zerstörung der Geschwisterliebe, welche bei beiden die schöpferischen Kräfte freigesetzt hatte, traf den Kern der Persönlichkeit dieses so hochtangiblen Menschen.

Die bis hart an den Vollzug herangeführte Selbstzerstörung Wulfrins in der Novelle «Die Richterin» war damit tragische Wirklichkeit geworden.

Luise Meyer-Ziegler 1837–1915

Ein Charakterbild – Eine Ehetragödie

Die ersten Biographen, unter ihnen Adolf Frey[1] und August Langmesser[2], haben, den Informationen folgend, die ihnen als Schützlingen, respektive Gästen des Hauses Meyer in Kilchberg zugekommen waren, das Bild einer harmonischen, in allen Teilen glücklichen Ehe entworfen, wobei sich Frey allerdings nur aus Rücksicht auf die Schwester Betsy zu einer Verschleierung der Tatbestände hergegeben haben mag. Frau Luise Meyer-Ziegler erschien hier als verständnisvolle Gattin und kluge, liebenswürdige Hauswirtin, als würdige Partnerin des Dichters.

Dieses Bild wurde erstmals durch das Buch von Maria Nils[3] über Betsy Meyer schwer angeschlagen. Maria Nils zeigte, ohne daß ihr besonders daran gelegen war, Frau Luise Meyers fragliche Haltung der Dichterschwester gegenüber. Die zunehmenden Spannungen zwischen dem Hause auf Kilchbergs Höhen und der Pflegerin in der Zellerschen Anstalt Männedorf, die schließlich zu einem Zerwürfnis nicht nur zwischen Frau und Schwägerin sondern auch zwischen Bruder und Schwester führten, wurden im Buche von Maria Nils bereits unmißverständlich sichtbar gemacht. Besuchsverbot in der Anstalt Königsfelden, zeitweiliges Hausverbot in Kilchberg und schließlich die Absenz Betsys bei der Bestattungsfeier in Kilchberg, dies alles warf ein trübes Licht auf die Gattin des Dichters, durch die der lange Verfemte den Weg ins angesehenste Bürgertum Zürichs gefunden hatte. In dieselbe Kerbe, und mit noch schärfer schneidendem Messer, schnitt Lily Hohenstein in ihrer 1957 erschienenen Meyer-Biographie[4]. Sie wagte es, das Bild der verständnisvollen und liebenswürdigen Dichtergattin gründlich in Zweifel zu ziehen. Ihre profunden Kenntnisse der Quellen und des noch vorhandenen Briefmaterials berechtigten sie zu diesem Urteil. Es wurde bestätigt durch die Briefe der Frau Anna von Doss, welche 1960 von Hans Zeller veröffentlicht wurden. Das Urteil der Frau von Doss über die Dichtergattin, der sie bei mehreren Besuchen begegnete, lautete alles andere als schmeichelhaft.

Den Todesstoß erteilte der langlebigen Legende vom schönen idyllischen Heim in Kilchberg das 1975 auf den 150. Geburtstag des Dichters erschienene Werk: «Conrad Ferdinand Meyers Jahre in Kilchberg»[5]. Gerlinde Wellmann, welche das Werk des plötzlich verstorbenen Alfred Zäch zu Ende zu führen hatte, war es vorbehalten, die bisher spärlich herangezogenen Dokumente aus den späteren Lebensjahren des Dichters der Öffentlichkeit in größerem, wenn auch nicht in vollem Umfange, zugänglich zu machen. Der Eindruck, der aus den vielfältigen Zeugnissen spricht, ist zum Teil geradezu niederschmetternd: Eine Frau, deren brutale Entscheide und rücksichtslose Maßnahmen nicht weniger pathologisch erscheinen als das Verhalten des aus der Anstalt herausgeholten, aber willenlos gewordenen Dichters. Geistig beschränkt, moralisch minderwertig oder krankhaft deformiert? Diese Fragen dürfte erst eine gründlichere Untersuchung ihres Gesamtverhaltens abklären. Es gilt, aus den überlieferten Daten ein Charakterbild Frau Luise Meyers zu entwerfen. Daneben aber muß das Bild der Gesellschaft, des Milieus sichtbar gemacht werden, die ihr Rollenverhalten mitbestimmt hat. Möglicherweise ergaben sich Zwangssituationen, in denen auch diese Frau nicht die treibende sondern nur die Getriebene war. Es hat zwar keinen Sinn und es liegt mir auch ferne, nach den drei genannten Werken für Frau Luise Meyer eine «Rettung» vorzunehmen; es geht mir letzten Endes einzig darum, die Welt des Dichters und seine tragischen Lebensumstände noch etwas mehr aufzuhellen und damit das Verständnis für diesen zu vertiefen.

Conrad Ferdinand Meyer stand eine Woche vor seinem fünfzigsten Geburtstag und Luise Ziegler ging in ihr 38. Lebensjahr, als sie am 5. Oktober 1875 in der Kirche zu Kilchberg getraut wurden. Luise scheint, nach den Bildern, die von ihr überliefert sind, keine sehr attraktive Frau gewesen zu sein. Wir wissen auch nichts von besonderen Gaben und Fähigkeiten, außer daß sie eine Neigung zum Zeichnen und Aquarellieren hatte. Ihr Bildungsniveau war – wie bei Frauen zu jener Zeit ganz allgemein – gering, da ja die höheren Schulen dem weiblichen Geschlecht noch verschlossen waren.

Was sie dem Dichter, der eben damals seit ein paar Jahren zu Ehren gekommen war, empfahl: Sie stammte aus einem alten Zürcher Geschlecht wie er und war Tochter des ehemaligen Regierungsrats und Obersten Ziegler (wie er denn selbst Sohn eines Regierungsrates war). Zwar war ihre Familie, Ziegler im Haus zum Pelikan am Zeltweg zu Zürich, sehr wohlhabend – sie wurde zu den reichsten Zürichs gezählt – doch glaube ich nicht, daß für den Dichter das Vermögen ausschlaggebend war. Seit dem Legat Antonin Mallets waren die Geschwister Meyer mit Finanzen so wohl ausgestattet, daß Conrad, der selber einem einfachen Leben zuneigte, kaum ein besonderes Bedürfnis nach Vermehrung des Besitzes empfand.

Anders ist der gesellschaftliche Stand der Frau zu bewerten. Die Heirat bedeutete für ihn eindeutig die Aufhebung der jahrzehntelangen gesellschaftlichen Isolation, die Rehabilitation des ehemaligen Irrenhäuslers, das Ende einer achselzuckenden Bemitleidung, die ihm bis anhin die zürcherische Gesellschaft zum Gegenstand des Abscheus gemacht hatte.

Es scheint deshalb, daß Gottfried Kellers Bemerkung, sein Dichterkollege habe eine Million geheiratet, die wirklich boshafte Äußerung eines Junggesellen war und daß sie vor allem das fundamentale Bedürfnis des Fünfzigjährigen nach endlicher bürgerlicher Anerkennung und Festigung bleibender häuslicher Geborgenheit übersah.

Freilich ist nicht auszuschließen, daß Keller damit einen anderen wunden Punkt berühren wollte, nämlich, daß Meyer sich weniger einen nach seinen Begriffen wesentlichen Menschen als eine sehr vorteilhafte materielle Partie erheiratet habe, und in dieser Hinsicht sollte er in verhängnisvoller Weise recht bekommen.

Daß Meyer schon früher eine gewisse Schwäche für Töchter aus vornehmem Hause hatte, zeigt das kleine Intermezzo mit der sehr jungen Aristokratentochter Constance von Roth, die er in der Zeit seines zweiten Lausanne-Aufenthaltes (1853) mit seinen Phantasien und illusionären Heiratsplänen umkreiste.

Es mag daher durchaus der Wahrheit entsprechen, wenn er in seinem Brief vom 30. August 1875 Hermann Lingg gegenüber von einer alten (er meint wohl gegenseitigen) Neigung spricht.

Fräulein Ziegler mochte zu jenen wenigen Zürcherinnen gehören, die weder Abneigung noch Verachtung dem «Irrenhäusler» gegenüber gezeigt hatte, und da sie wohl wegen geringer Attraktivität trotz ihrem Reichtum, resp. ihrer Anwartschaft, bis jetzt wenig Aufsehen erregt und noch keines heiratslustigen Zürchers Aufmerksamkeit auf sich gezogen, war sie in ein Alter vorgerückt, in welchem unter die Haube zu kommen schon etwas wie ein Glücksfall war. Hält man sich die ersten Begegnungen vor Augen, wie sie von Adolf Frey in seiner Biographie dargestellt werden – es ist dort viel von «glücklichem Zufall», von «Winken des Schicksals» die Rede –, so wird man nicht um die Feststellung herumkommen, daß Luise Ziegler der weisen Vorsehung nicht ungern auf die Spur half. Zum Beispiel mit ihrem Besuch bei den Geschwistern Meyer, eben da Betsy bei ihrer Schwester, der Frau Pfarrer von Herrliberg, einen Sondierbesuch wagte; oder an der Bahre der Mathilde von Escher, die zu ihren Lebzeiten für Conrad so gerne die Heiratsvermittlerin gespielt hätte. Jedenfalls wurde die passive Rolle, die damals der Frau von den gesellschaftlichen Bräuchen zudiktiert war, reichlich von Aktivitäten unterwandert. Gegenseitige echte Neigung, Planung, Berechnung? Wer wagte hier die Wahrheit aufzuschlüsseln! Man darf dabei auch nicht übersehen, daß auf seiten des Dichters kaum die Sehnsucht nach einem eigenen Hausstand, nach einer «häuslich trauten Flamme Schein» eine primäre Rolle spielte. Das Geschwisterpaar hatte sich mit Haustieren und mit sorgfältig ausgesuchten Wohnungen bereits in

Küsnacht und vor allem in Meilen so häuslich wie nur möglich installiert. So blieb eben außer einem wenig artikulierten Verlangen nach erotischer Befriedigung und Erfüllung doch eher die gesellschaftliche Rehabilitation bei Conrad und die gesellschaftliche Selbstbestätigung bei Luise, die zum Eheschluß führte.

Meyers Gedichte an seine Braut, die 1940 von Constanze Speyer herausgegeben wurden[6], bestätigen denn auch dieses mehr gesellschaftliche Spielelement bei mangelndem künstlerischen Tiefgang. Keines ist zu letzter Reife gelangt. Das eine, das vielleicht ein Erlebnis der Brautzeit zum Hintergrund hat, «Die Ampel», kam erst, wie «Zwei Segel», in den Jahren zur Reife, da Meyer seine Gedichte für die Buch-Edition 1881/82 zurüstete. Gewiß ist zu sagen, daß ihm die Gabe, gute Gelegenheitsgedichte zu gestalten, allgemein abging, aber die Gedichte an die Braut verraten auch in keiner Weise eine urtümliche und tiefe Betroffenheit oder ein spontanes erotisches Erleben; sie reichen über die Klischees konventionellen oder sentimentalen Liebeserlebens kaum hinaus. Man müßte Mörikes «An Luise» oder seine Peregrinalieder zum Vergleich heranziehen, um zu erkennen, in welches poetische Neuland eine urtümliche erotische Begegnung einen ursprünglichen Dichter zu führen vermag. Wenn dem aber so ist, so stellt sich unmittelbar die Frage, ob die Partnerin mit Schuld trage an einem klischierten Erleben und Dichten. Es ist zu vermuten, daß die Gemeinschaft mit Luise Ziegler nicht tiefer reichen konnte, weil sie über die klischierte Figürlichkeit nicht herausreichte, weil ihre Person ganz durch ihre Umgebung und ihr Herkommen geformt, mit diesem Herkommen identisch war und ihr ein tief Persönliches und Einmaliges abging.

Wenn dem so sein sollte, dann müßte der seinem 50. Lebensjahr zustrebende Dichter zum mindesten einer partiellen Blindheit beschuldigt werden, daß er sich an einen Menschen solcher Art zu binden wagte. War das lange gehegte Bedürfnis eines «Irrenhäuslers» nach endlicher Rehabilitation und Anerkennung so mächtig, daß es, als sich dafür eine Möglichkeit anbot, alle Bedenken und Zweifelsfragen und jede ernsthafte Besinnung in den Hintergrund drängte? Wir lassen die Frage offen: ich meine aber, daß die Antworten in dieser Richtung gesucht werden müßten.

Dann würde der verhängnisvolle Schritt in die Ehe der Tragik nicht entbehren, dann hätte der späte Eheschluß eine Lösung gebracht, die tief bedenkliche Folgen für den Dichter mit sich ziehen mußte. Nämlich eine neue Isolation anderer Art, eine Isolation, die im Unvermögen und Versagen des Partners, in seiner Unfähigkeit, aus seinen engsten Grenzen herauszutreten, ihren Grund hätte. Der Frau Luise Ziegler war es nicht gegeben, an der ihr gestellten Aufgabe zu wachsen.

Mehr als vier Jahrzehnte hatte Conrad mit seiner Schwester zusammen gelebt, davon zwanzig Jahre ohne andere Hausgenossen in einer einzigartigen geistigen Symbiose. Diese Bruder-Schwester-Beziehung sollte nach Meinung Conrads unter dem neuen Zivilstand keine Beeinträchtigung erfahren. Ein eigenes Zimmer, später gar eine Wohnung innerhalb des eigenen Besitztums war ihr zugesichert, und zwar sogar auf Wunsch des Schwiegervaters[7] und mit ausdrücklicher Zustimmung Luises. Schon am Tage nach dem Kauf des Ottschen Gutes in Kilchberg schrieb ihr der Bruder: «Ich freue mich zum voraus auf unsere (des Bruders und der Schwester) Schriftstellerei auf eigenem Grund und Boden. Später wird (ins Ohr gesagt) wahrscheinlich ein bißchen gebaut, und Du beziehst das alte Haus. Ich habe, das traust Du mir zu, Dich stets vor Augen gehabt.» Schon für den Augenblick sichert er seiner Schwester zu: «Doch hast Du wenigstens schon jetzt einen Ort, wo Du, als Gast und mehr als Gast, jeden Augenblick Dein Zimmerchen beziehen und verlassen kannst, und einen Garten, wo Du Herrin bist. Daß Du in den späteren Jahren dort eine Wohnung erhältst, ist bei mir und Luisen eine ausgemachte Sache. Verlaß Dich darauf, daß Du, sobald als möglich, bleibend zu uns kommst.» So am 3. Februar, 17 Tage nach dem Hauskauf[8].

Knappe drei Wochen später meint er – und der Brief nimmt bereits einen beinahe beschwörenden Ton an: «Sobald Du zurück bist, mußt Du ... unser neues Heim einweihen. Denke Dir, wie ungestört wir in der Strohhütte (er meint das Gartenhäuschen) hausen und schreiben werden. Ich gebe Dir eines meiner zwei Zimmer.» Er sucht ihr die neue Heimstätte mit schönen Spazierwegen und mit ihrer Stadtnähe so schmackhaft wie möglich zu machen: Gemeinsames Hausen in der Strohhütte, Abtretung eines der beiden ihm reservierten Zimmer, gemeinsame Spaziergänge: beinahe gewinnt man den Eindruck, er vergesse bei solchen Aussichten (Betsy hielt sich um diese Zeit bei Anna Fries in Florenz auf), daß er Ehemann sei.

Betsy scheint früher als ihr Bruder ihren Spürsinn entwickelt und Zurückhaltung geübt zu haben. Zu dauernder Niederlassung in Kilchberg ist es nicht gekommen, im Gegenteil, Betsy war sogar bald entschlossen, auch das gemeinsame «Hausen und Schreiben», die geistige Symbiose mit ihrem Bruder aufzugeben, niemals aus Überdruß, führte sie doch die Verhandlungen mit dem Verleger Haessel wie zuvor weiter. Daß sie einmal während der Abwesenheit des jungen Ehepaares in Kilchberg frei über die eingetroffenen Frei-Exemplare des Verlegers verfügte, wurde ihr (sonst wäre der Schritt nicht überliefert worden) als willkürlicher Eingriff angekreidet – von wem? Doch höchst wahrscheinlich von Luise, die dies als Eingriff in ihre private Domäne empfand: Frei-Exemplare gehörten in ihre

Familie und Verwandtschaft. Sie bezeugten ihren neuen außergewöhnlichen und ehrenvollen Status einer Dichtergattin. Gewiß kann man all dies als kleinliche Eifersüchteleien abtun. Aber besitzen und Besitz ergreifen gehörte in dieser hablichen Familie zu den primärsten Vorstellungen und Denkvorgängen. Schon einen Monat vor der Hochzeit stellte sie eine Abschrift von Gedichten ihres Bräutigams her und überschrieb sie mit «Gedichte an *mich* von *meinem* Conrad»[9]. Man kann eine solche Sammlung in guten Treuen so betiteln, aber je naiver die Formulierung, um so verräterischer, verräterischer für den selbstverständlichen Besitzerstolz, den die Frau um sich zu verbreiten pflegte. Die Möglichkeit einer klugen Abgrenzung zwischen einer lang geliebten Schwester und Mitarbeiterin und der Gattin war zwar gegeben, sie setzte aber bei allen eine klare Einsicht in alle menschlichen Beziehungen voraus, und dieser Einsicht war Luise nicht fähig.

Dazu kam ein anderer verhängnisvoller Mangel. Wohl nahm sie mit Stolz die Gedichte, die ihr der Bräutigam schenkte, in ihren Besitz. Aber ihr genügte es, sie zu besitzen; sie sich geistig zu eigen zu machen, sie mitzuerleben, lag nicht im Bereich ihrer Möglichkeiten.

Daher konnte sie auch das wesentlichste Erbe ihrer Schwägerin, ihr «hermeneutisches» Wirken, ihr einfühlendes Schreiben, Abschreiben und Mitdenken, nicht antreten. Es scheint dies auch von ihrem Ehepartner nie ins Auge gefaßt worden zu sein. Betsys Mitarbeit auf diesem Gebiete blieb vorerst unangetastet, bis, 1879, vier Jahre nach der Heirat, auch dieses Arbeitsverhältnis aufgelöst wurde. Begründet wird dies von den Biographen durch Betsys Übernahme einer Pflegestation in der Anstalt Männedorf. Allein welche Ursachen zu diesem Entscheid hinführten, bleibt Mutmaßungen überlassen: Verzicht auf ein eigenes Künstlertum, dessen Grenzen sie erkennen mußte? Entschlossene Wendung hin zum Dienst für andere, nachdem sie sich der Werbung Baron Ricasolis widersetzt hatte? Flucht in den Pflegeberuf, nachdem sie ihre Aufgabe als Hüterin und Helferin ihres Bruders an die Frau abgetreten? Es scheint mir, daß die letzte der aufgezählten Möglichkeiten zum mindesten mitgespielt, wenn nicht ausschlaggebend war; lassen sich doch schon aus diesen Jahren Äußerungen der Eifersucht bei Luise Meyer feststellen, nämlich in der Zeit ihrer Schwangerschaft. Sie war mit Conrad ins Engadin gereist. Die beiden hatten im Spätsommer in Silvaplana und hernach in Pontresina ihre Ferientage verlebt. Ende September oder anfangs Oktober erlitt Meyer auf einem Ausflug mit Verwandten seiner Frau einen Unfall. Er wurde aus dem Wagen geworfen und brach seinen rechten Arm. Die Gattin mußte, da er nicht transportfähig war, allein nach Kilchberg zurückkehren, während er (anfangs Oktober?) seine Schwester zu Hilfe rief, die denn auch sofort dem Ruf Folge leistete[10]. Wieder wirkte sie nicht allein als Krankenpflegerin, sondern auch als Sekretärin. Aber Frau Luise Ziegler fühlte sich benachteiligt, ausgeschlossen, war trotz täglicher Telegramme unzufrieden darüber, daß sie von ihrer Schwägerin über Conrads Zustand zu wenig auf dem laufenden gehalten wurde. Sie hatte mit anderen Worten das Gefühl, überflüssig zu sein, ein Gefühl, das in der Folgezeit immer wieder aufkam[11]. Gerlinde Wellmann zitiert eine Äußerung Frau Luise Meyers, die in dieser Hinsicht unmißverständlich ist: «Wenn Ihr Euch alles seid, wofür bin ich denn in Deinem Leben?»

Es scheint, daß diese Verstimmungen zu einer ersten Distanzierung zwischen dem Ehepaar und Betsy führten, die schließlich 1881 zum Verzicht auf ihre Mitarbeit als Sekretärin Anlaß gab. Gewiß war ihr Entschluß, als Mitarbeiterin in die Zellersche Anstalt zu Männedorf einzutreten, aus dem Geiste ihrer Familie zu begreifen, gewiß hatte die Begegnung mit Miß Arthur, der schottischen Wohltäterin, die sich in Florenz der Armenerziehung widmete, dieser Richtung neuen Ansporn gegeben[12]. Aber sie wußte auch – und Conrad bestätigte ihr dies nach ihrer Rückkehr aus Italien – wie sehr er sie als Helferin und Mitarbeiterin nötig hatte. Ihr Entschluß, Meilen zu verlassen und nach Männedorf in die Zellersche Anstalt überzusiedeln, ging denn auch nicht ohne Erschütterung an Conrad vorbei. Das Gedicht «Laß scharren deiner Rosse Huf» und seine Vorformen[13] und der Brief[14] vom 24. Mai 1877, geschrieben in einer Zeit, da die Trennung noch keine definitiven Formen angenommen hatte, lassen die «geistige Einbuße»[15] und das Schmerzliche bereits erkennen.

Für Frau Luise Meyer gab es keine Alternative zu ihrer Gattenliebe und ihrem Gattenbesitz, es sei denn die Bindung an ihre Familie. Karitative Tätigkeit beschäftigte sie nur am Rande und wohl nur als Vollstreckerin von Wünschen ihres Gatten. Daher gewannen alle Bedrohungen oder Störungen dieser Gattenliebe, dieses Gattenbesitzes, sofort ein übertriebenes Ausmaß, wozu noch eine Impulsivität kam, die sie kaum zu beherrschen verstand. War ihr die subtile Bemühung um das Wort, wie es ihr Mann bis zum Exzeß betrieb, ein Buch mit sieben Siegeln, so suchte sie ihn von anderer Seite in Beschlag zu nehmen. Theater- und Konzertbesuche, Visiten und deren Revanchen im Kreise ihrer Verwandten nahmen dem Dichter jene Muße und Ruhe, die er zum Schaffen bedurft hätte, und seit dem Hauskauf in Kilchberg wurde der Schwiegervater Oberst Ziegler in allen finanziellen, geschäftlichen und baulichen Angelegenheiten zu Rate gezogen, und sein autoritäres Urteil wurde vom Schwiegersohn ohne Einschränkung angenommen. Bald wurde auch der feudale Sommersitz der

Familie Ziegler, das neu erbaute Schloß Steinegg bei Nußbaumen im Thurgau, in den Gesichtskreis des Schwiegersohnes gerückt. Conrad betrachtete dies alles zunächst als eine beglückende Erweiterung seiner Menschenkenntnis und seines gesellschaftlichen Gesichtskreises. Sein Künstlertum war im höchsten Zürcher Bürgertum akzeptiert, die Isolation des geistig angeschlagenen Poeten schien endgültig aufgehoben. Allein schon bald nach der Hochzeit zeigt sich auch die Kehrseite: übermäßige Inanspruchnahme des Dichters durch die gesellschaftlichen Verpflichtungen. Klagen über Mangel an Zeit, eine Angst, sich selber im vielen Aus und Ein zu verlieren, werden unüberhörbar.

Schon Conrads zuzeiten beinahe tägliche Fahrten über den See nach Meilen zum Diktat der Novelle «Der Heilige» in den Jahren 1877–1879[16] bedeutete natürlich eine erhebliche Einschränkung der gesellschaftlichen Bewegungsfreiheit, eine Beeinträchtigung der Ansprüche der Frau Meyer an ihren Gatten. Daß er diesen und nicht den umgekehrten Weg einschlug und Betsy seltener nach Kilchberg rief, läßt sich nicht allein damit begründen, daß er drüben in Meilen mehr Stille und Konzentrationsmöglichkeit vorfand, denn Betsys Nachfolger im Sekretärdienst, Fritz Meyer, pflegte nach Kilchberg zu kommen. Die Fahrten über den See trugen die Gefahr in sich, daß Conrad sich in zwei Welten ansiedelte, in die Kunstwelt, die er mit der Schwester teilte, und in die Alltagswelt seines herrschaftlichen Haushaltes, wo Luise das Szepter führte. Das mußte wiederum den Eindruck der Gattin bestärken, daß sie von den höheren Sphären ihres Mannes ausgeschlossen sei. Bis zu einem gewissen Grade scheint sie diese Privatsphäre Conrads als Berufs- und Kunstsphäre geachtet und unbehelligt gelassen zu haben, solange ihre gesellschaftlichen Interessen davon nicht allzusehr tangiert waren. Abgesehen von der Sekretärtätigkeit Fritz Meyers entfaltete sich eine rege Korrespondenz, am umfänglichsten und eindringlichsten der von 1881 an einsetzende Briefwechsel mit Luise von François. Gegen diese geistige Gemeinschaft, die doch sogar zu zwei Besuchen der norddeutschen Dichterin Anlaß gab, scheint die Gattin nichts eingewendet zu haben. Die Aversion gegen Conrads Eigenwelt scheint sich mehr und mehr auf seine Beziehung zu Betsy konzentriert zu haben.

Deutlich wird diese Spannung in der Abfassungszeit der «Richterin», die im Oktober/November 1885 in der «Rundschau» und anfangs Dezember bei Haessel in Buchform erschien. Betsys Notizen, die von Alfred Zäch im Druck zugänglich gemacht worden sind[17], lassen hierüber keine Zweifel aufkommen. Nach der Feststellung, «Die Richterin» sei das einzige «Gedicht», von dem er ihr, während er es komponierte, niemals sprach, notiert sie u. a. Conrads Ausspruch: «Es mußte sein. Ich mußte einmal Stellung nehmen zu den unaufhörlichen stillen Angriffen. Es ist eine Abrechnung ... und jetzt: Ein dicker Strich darunter. –»

«Die Richterin» sei, «aus tiefer Verletzung hervorgegangen und trage Schwert und Schild (als Angriff und Verteidigung). Sie sei «die Ethik derselben Dichterseele» und zeige «deren Kampf, keine Himmelfahrt, sondern die Höllenfahrt eines mannhaften Gewissens. Selbstgericht und Sühne[18].» In einem weiteren Fragment wird der persönliche Bezug dieser Andeutungen zur Gattin sichtbar. In einem fiktiven oder wirklichen Gespräch mit dem Bruder nennt Betsy die Angriffe Luises beim Namen und verweist auf die möglichen Folgen: «Soweit ist es also gekommen. Armer, armer Bruder! Es ist dein innerstes Heiligtum, das angetastet wird. Das Verhältnis deiner Schwester zu dir, das gottgewollte, einfache, das zugleich ein kindliches und mütterliches ist.» (Die Fortsetzung ist bereits im Zusammenhang mit den Ausführungen zur Novelle »Die Richterin« zitiert worden.)

Die Tatsache der unverbrüchlichen Liebe zwischen den Geschwistern blieb fortbestehen. Eine weitere Notiz Betsys ist daher so ernst wie möglich zu nehmen: Die Richterin, ein «schönes, künstlerisches Werk strenger Abwehr – für die Kunstbegabten, Sehenden und Verständigen. Freilich es war auf eine Höhe gestellt, von der es, zu weit über ihrem Verständnis, die verleumderischen Angreifer nicht einschüchtern konnte[19].»

Daß Luise zu den verleumderischen Angreifern gehörte und daß ihr diese «strenge Abwehr» unverständlich blieb, dürfte sich aus allem, was wir schon von ihr wissen, von selbst ergeben. Das Feuer dieser bösartigen Spannung mottete weiter, die Kontakte mit der Schwester mußten sich weiter lockern.

Dabei dürften sich die Fronten versteift haben, jedenfalls auf der Seite Luises und ihrer Familie, die den Dichter mehr und mehr für sich in Anspruch nahm. Jedenfalls wurde Betsy auch im Jahr der schweren Erkrankung seiner Halsorgane (1887/1888) nicht zu seiner Pflege herangezogen. Auch wissen wir nicht, wie weit die Erstickungsängste, unter denen der Dichter litt, psychogenen Ursprungs waren. Sicher aber ist, daß es dem geschwächten Dichter nach seiner leidlichen Genesung noch einmal gelang, die Mauer zwischen der Frau und der Schwester niederzureißen. Noch einmal durfte er, da sein Sekretär Fritz Meyer nicht zur Verfügung stand, im Jahre 1890 seine Schwester nach Kilchberg zu Hilfe rufen, um die Arbeit an der neuen, der letzten Novelle, «Angela Borgia», zu der er sich nach längerem Schwanken entschieden hatte, voranzutreiben. Im folgenden Jahre durfte sie ihm sogar nach Schloß Steinegg folgen, damit er die Novelle termingerecht fertigen konnte. Freilich unter dem Vorwand, daß dies für seine Gesundheit unbedingt erforderlich sei, mußten sich Mann und Schwägerin einem strengen Hausregiment unterziehen: Für die gemeinsame Arbeit an der Novelle waren nur Vormittagsstunden reserviert; am Nachmittag hatte sich der Patient im Freien zu bewegen, während seine Schwester das am vormittag Diktierte ins reine brachte. Die beiden erstrebten somit eine möglichst vernünftige Ausnützung der von Frau Meyer eingeschränkten Zeit.

Es macht nicht den Eindruck, als ob das harte Hausregiment auf Grund ärztlicher Verfügung erfolgte. Vielmehr zeichnet sich darin jene unheimliche Selbstsicherheit ab, von der Frau Meyer mehr und mehr beherrscht wurde: Sie und sie allein wußte, was ihrem Gatten frommte. Auch war sie je länger je mehr davon überzeugt, daß die Beschäftigung mit dichterischen Plänen seiner Gesundheit schädlich sei.

Was lag da schließlich näher als die persönliche Übertragung: Da Betsy mit diesen Plänen vertraut und der unentbehrliche Beistand des Poeten war, traf diesen Beistand schwere Schuld. Betsy trug nach Luises Überzeugung mit Schuld an dem bedrohlichen Kräfteschwund Conrads, ja Betsy war daran allein schuld.

Der Ausbruch der Krankheit war gleichbedeutend mit einem Nachlassen, ja einem Zusammenbruch der Willenskräfte. Wille zur Vollendung, und zähes, unentwegtes Ringen mit der spröden Form, das war die Kraft gewesen, auf dem seine künstlerischen Erfolge beruhten. Nun, da diese Kraft nachließ, war das Ende seiner Produktivität da.

Aber die Willenlosigkeit erstreckte sich weit über sein poetisches Tun hinaus auch auf die mitmenschliche Kommunikation. Infolgedessen war es mehr und mehr die Gattin, welche für diese Kontakte verantwortlich war. So wurde der Kranke zum immer gefügigeren Instrument des Status-Denkens seiner Frau. Ihre Stellung als Hausfrau in einem herrschaftlichen Haushalt und als Gattin eines berühmten Mannes versuchte sie auf ihre Weise nach ihrer Rollenvorstellung und ohne Rücksicht auf den Gatten, außer der durch seine Krankheit gebotenen, zur Geltung zu bringen und das war gleichbedeutend mit dem Kampf um den guten Ruf des Hauses. Für sie, die von den üblichen Vorurteilen ihrer Zeit Belastete, war der gute Ruf gefährdet, wenn ein Mitglied des Hauses in eine Irrenanstalt eingeliefert werden mußte. Das war wohl der Hauptgrund, daß Conrad Ferdinand Meyer nicht in die zürcherische Heilanstalt Burghölzli, sondern weiter «abseits» ins aargauische Königsfelden eingeliefert wurde. Das war aber auch der Grund für die vorzeitige Rückkehr von dort, welche gegen den Willen des Arztes und aufgrund einer trügerischen Vorspiegelung erfolgte. Conrad wurde zur Feier des 80. Geburtstages seiner Schwiegermutter am

27. September 1893 vorübergehend beurlaubt[21a], kehrte aber auf Anordnung seiner Angehörigen nicht mehr in die Anstalt zurück. Der Zustand des Kranken – ruhig, passiv, still, freundlich – war dazu angetan, den Anschein einer «Heilung» zu erwecken. Daß Frau Luise auf jeden Fall überzeugt war, ihn besser pflegen zu können als irgend sonst jemand, steht außer Zweifel.

Die Angst vor dem Prestigeverlust der Familie hatte aber noch eine für das Verhältnis der Geschwister untereinander und zu ihren Freunden viel verhängnisvollere Wirkung. Die Internierung sollte nach Meinung der Familie Ziegler vollständig geheim bleiben. Aber durch eine verhängnisvolle Indiskretion war sie an die Öffentlichkeit, noch mehr, in die Presse gegangen. Offenbar war aber zwischen den Familiengliedern Ziegler strengste Diskretion vereinbart worden. Als diese Diskretion gebrochen war, lag es nahe, die übrigen Angehörigen, vor allem also die Schwester Betsy oder allenfalls andere Menschen, die über die Vorgänge im Kilchberger Hause informiert waren, der Indiskretion und des Verrates zu beschuldigen. In Frage kamen neben Betsy Adolf Frey, Rodenberg und Haessel. In Tat und Wahrheit war Haessel, den Betsy pflichtgemäß über Conrads Zustand ins Bild gesetzt hatte, der Schuldige. Für ihn standen bedeutende Investitionen auf dem Spiel; statt zu verschweigen war ihm darum zu tun, das Interesse an seinem berühmten und beliebten Dichter jetzt, da er eine Gesamtausgabe in die Wege geleitet hatte[20], wach zu halten und, wo dies nicht der Fall war, das menschliche Interesse der potentiellen Leser am bedeutenden Dichter zu wecken.

Luises Verdacht konzentrierte sich aber nicht auf Haessel, sondern blieb an Betsy, zu einem kleineren Teil noch an Frey haften, den sie des Komplotts mit der Schwägerin verdächtigte. Für sie, Frau Luise, waren damit die Schleusen des Zornes und hemmungsloser Rache geöffnet. Denn – von heute aus gesehen völlig lächerlich – in ihr setzte sich die fixe Idee fest: Die Zeitungsnotiz, die aus dem ruhmreichen Dichter wieder einen Irrenhäusler gemacht, hatte auch sie und ihre Familie «ruiniert».

Es hält schwer, die Frau von Schuld reinzuwaschen, angesichts des rücksichtslosen, ja hemmungslos wütenden Vorgehens gegen die Schwester und ihren Anhang. Eine Reinwaschung wäre grotesk und soll hier auch nicht vorgenommen werden. Es sollen hier lediglich die Reaktionen dieser geistig kleinkarierten Frau aus ihren psychischen und geistigen Gegebenheiten heraus verständlicher gemacht werden. Sie kämpfte mit dem Mut der Löwin um den Besitz dieses Mannes, den ihr neben der Schwester nun auch die Krankheit streitig machte. Und weil gegen diese Krankheit, die absolute Willenlosigkeit und Unsicherheit, nichts auszurichten war, beschuldigte sie des Dichters Schwester, ihn gewissermaßen mit dieser Krankheit infiziert zu haben.

Das Tragische dieser Entwicklung liegt nun eben darin, daß der seiner Entschlußkraft und seiner voluntativen Identität verlustig gegangene Dichter die Mauer, die zwischen ihm und Betsy errichtet worden war, nicht mehr zu durchstoßen vermochte. Zusammen mit seiner Gattin stand er diesseits und wurde hier, wie bereits angedeutet, ihr willenloses Werkzeug, dergestalt, daß er sich sogar dazu hergab, an Stelle eigener Gedanken und Formulierungen jene seiner Frau an die Schwester weiterzugeben. Nur so sind die wiederholten Absagen an diese zu verstehen, die Aufforderung an Betsy, endlich ihre Schuld (was hätte er ihr für eine Schuld andichten können!) zu bekennen und den Schaden einzusehen, den sie ihm zugefügt[21]. Wie weit es der Frau gelungen war, ihren willenlosen Mann gänzlich umzufunktionieren, kann natürlich nicht mehr bis in alle Einzelheiten abgeklärt werden; doch lassen Bemerkungen (von Betsy weitergegeben) wie: «Du regst mich nicht auf, du hast mich nie aufgeregt und wirst mich nie aufregen[22].» Oder «mußt du denn wieder gehen, bleibst du nicht?[23]» auf eine noch lange fortdauernde unterschwellige Wärme und Zuneigung schließen. Die Formulierungen der späteren Briefe fallen dagegen nicht nur auf durch ihre naive Kleinlichkeit und bösartige Geschwätzigkeit, sondern stimmen fast wörtlich überein mit Formulierungen, die wir uns an seiner Gattin gewohnt sind. Sie zeigen in ihrem Stil eine erschreckende Reduktion des Denkens auf ein Freund-Feindbild, auf ganz primitive Schwarz-Weißmalerei: die keifende Tonart des Hintertreppengesprächs. Dies bedeutet, daß, wie Gerlinde Wellmann[24] treffend formuliert, der «langgehegte Wunsch» Frau Meyers, «sich seiner ganz zu bemächtigen, jetzt in Erfüllung ging». Der Teufelskreis jedes menschlichen Machtstrebens wird auch in diesem Beispiel offenbar: Der absolut Mächtige zwingt den Entmachteten zur völligen Ohnmacht.

Frau Luise Meyer behauptete, ihr Mann habe sich nach der Geburtstagsfeier seiner Schwiegermutter geweigert, nach Königsfelden zurückzukehren. Beim Verlust seiner voluntativen Kräfte ist die Wahrscheinlichkeit viel größer, daß sie ihm diese Weigerung einredete, daß sie sich mit andern Worten entschlossen hatte, ihn in Heimpflege und persönliche Obhut zu nehmen. Daß sie ihn nach «ihrem» Schloß Steinegg verbrachte und ihn dort nach außen völlig abschirmte, bestätigte die Vermutung, daß sie ihn allen übrigen Einflüssen, denen des Arztes, des Pflegepersonals und seiner Schwester entziehen wollte, überzeugt, daß nur sie imstande wäre, ihm die ihm zusagende Pflege angedeihen zu lassen. Daß sie ihn, die reiche, vornehme Dame, sogar selber mit dem Messer zu rasieren begann, läßt erkennen, daß der Entschluß zu hermetischer Abschließung keine Lücken mehr gestattete.

Jetzt befand sich der Dichter schlimmer noch als unter der Fuchtel der Mutter in einer totalen Kerkerhaft, nur daß sie unter großbürgerlichem Gebahren getarnt war.

Das absolute Regiment wurde nach Steinegg in Kilchberg fortgesetzt. Offenbar ging es der Gattin dabei darum, dem Kranken das Air eines Geheilten zu geben. Das gesellschaftliche Leben mußte wieder angekurbelt werden. Luise arrangierte «zufällige» Begegnungen in der Stadt, zum Beispiel mit François und Eliza Wille, die sie bat, sich zur bestimmten Stunde in einem Zürcher Café einzufinden, ja, sie mietete im Seefeld-Quartier eine Absteige-Wohnung, um von dort aus ihren Verwandten näher zu sein. Der müde gewordene Dichter, der allen öffentlichen Anlässen und Begegnungen aus dem Wege ging, für den das Zuhause in Kilchberg der einzige Halt in seinen Lebensängsten war, wurde zu Ausflügen gezwungen, ja, mit trügerischen Vorspiegelungen zum Umsteigen von der privaten Kutsche in die Bahn oder die Reisepost veranlaßt. Es gelang der Gattin, ihn mit Vorspiegelungen aller Art vom Hause weg und in vielbesuchte Kurorte zu locken. Dabei ist anzunehmen, daß sie dies alles mit der vollen Überzeugung betrieb, daß sie für ihren Conrad nur das beste anordnete und selbst die bösartigsten Hintertreibungen und Listen und ihre krassen Umkehrungen der Tatbestände: [z. B. die Behauptung, Betsy habe mit ihnen, den neu Vermählten, unbedingt die Wohnung teilen wollen], mochte nicht so sehr vorsätzlicher Betrug als einer Tendenz entsprungen sein, sich selbst zu rechtfertigen und zu belügen. Sie stützte ihre ungeheuerlichen Machtansprüche mit ebenso ungeheuerlichen Verketzerungen ihrer vermeintlichen Feinde, allen voran Betsys. Dem langjährigen Schützling ihres Mannes, Adolf Frey, wurde das Haus verboten, der Auftrag zu einer Biographie entzogen und der Versuch unternommen, sogar die Berufung an die Zürcher Universität zu hintertreiben – dies alles durch ihr willfähriges Werkzeug, ihren Mann. Der letztgenannte Versuch zeugt in besonders eindringlicher Weise von ihrem auf Standesdünkel fußenden Machtbewußtsein. Letzten Endes ensprangen diese maßlosen Herrschaftsansprüche und brutalen, einer Roßkur vergleichbaren pflegerischen Maßnahmen der *einen* großen Angst um das Prestige ihrer Familie. Sie unternahm alles, dieses Prestige, das ihrer Überzeugung nach durch die Pressemeldungen über die Erkrankung des Dichters zerstört worden war, um jeden Preis wiederherzustellen – und tat dabei das Verkehrteste und trieb den Patienten selbst ins tiefe Elend eines völlig Entmachteten und Entrechteten.

Die Schwester Betsy, neben dem Kranken die am härtesten Betroffene –

sie mußte sich sogar einen Rechtsbeistand beschaffen – glaubte das Gebahren ihrer Schwägerin, auf Grund ihrer reichen therapeutischen Erfahrungen, als Verfolgungswahn deuten zu können. Die Absagen und schroffen Brüskierungen ihres Bruders versuchte sie als Maßnahme zur Rettung ihres, Luises, kompromittierenden Tuns zu verstehen: Es blieben ihm, ihrer Überzeugung nach, nur die beiden Möglichkeiten, die Gattin bloßzustellen oder alle ihre Maßnahmen und Äußerungen zu decken. Betsy umging mit dieser Deutung die moralische Verurteilung ihrer Schwägerin.

Es bestätigt sich somit der Eindruck, daß Luise ganz einfach in jeder Hinsicht der Aufgabe, die ihr zugefallen, nicht gewachsen war, daß ihr Geist eine infantile Enge nicht zu sprengen vermochte und daß sie nach Art inferiorer Menschen die Inferiorität mit ungeheuerlichen Machtansprüchen kompensierte. Sie schlug nach allen Seiten um sich und überhäufte ihre Feinde mit Vorwürfen, um ihr eigenes Versagen zu tarnen. Hätte sie diese Brutalitäten, gestützt von ihrem Standesdünkel und Familienwahn, nicht praktizieren können, wäre sie an ihrem Versagen zerbrochen.

Die Rückwirkungen auf den Dichter

Daß diese Frau geradezu verheerend auf die psychisch-geistigen Gefilde Conrad Ferdinand Meyers einwirkte, ist im Laufe dieser Untersuchung mehrmals nachgewiesen worden. Die Zerstörung seiner die ganze Persönlichkeit mitkonstituierenden Beziehung zur Schwester, die brutale Ausnützung seiner Hörigkeit in der Liebe, die Unterbindung zahlreicher freundschaftlicher Beziehungen, die Belastung des Ruhebedürftigen mit vielerlei gesellschaftlichen Rollen, sie sind nur das, was nach außen in Erscheinung tritt.

Was wir mit Wiederausbruch der Krankheit im Jahre 1893 zu umschreiben pflegen, das läßt sich zwar als schizophrener Schub definieren[25]; aber dieser Schub erfolgt in einer Weise, die jenem des Siebenundzwanzigjährigen erstaunlich ähnlich ist. In beiden Fällen zerstört eine weitgehend mit Liebe verwechselte, moralistisch gefärbte Machtentfaltung der am nächsten stehenden weiblichen Bezugsperson das Selbstbewußtsein und erzeugt schließlich Zornausbrüche, Bedrohung der geliebten Person mit Stockschlägen und eine «Verwirrung der Sinne», die schließlich eine Internierung erzwingen, in beiden Fällen von der Bezugsperson mit Zustimmung des Patienten veranlaßt. Wenn der Krankheitsverlauf im zweiten Falle nicht mehr zu einer vollen Wiederherstellung früherer Kräfte führte, dann wohl weil der Wirkungsgrad Luises, ihre Bemühung, den Mann ganz unter ihren Einfluß zu bringen, viel stärker und nachhaltiger war als der Wirkungsgrad der Mutter. Frau Meyer-Ziegler war in ihren «liebenden» Bemühungen nicht wie diese durch eigene Depressivitäten gehemmt. Auch fand Meyer nach der zweiten Erkrankung keine andere Bezugsperson mehr nach der Art und dem Wesen Cécile Borrels. Er war und blieb, da sich ihm die Schwester nur in wenigen kurzen Besuchen nähern konnte, eingekapselt in den Käfig dieser Gattenbindung. Und Frau Meyer-Ziegler hatte zu seiner dichterisch-künsterlischen Existenz nicht mehr Beziehungen als Mutter Meyer, sondern weniger, weil ihr das geistige Format für dieses Verständnis abging, was man von Frau Meyer-Ulrich niemals sagen darf. Unter dem Diktat dieser engkarierten Frau, die ihn, nach seiner stereotypen Formulierung, liebte und für ihn sorgte, vegetierte er seinem physischen Tode entgegen, ein blinder Gefangener in einem Kerker, wie Don Giulio im «Angela Borgia», aber ohne das erlösende Licht einer selbstvergessen hingebenden Liebe, wie die Angelas.

Das Dichterschicksal im Spiegel des Werks

Conrad Ferdinand Meyers Rom-Erlebnis

Euphorie und Sprachwandel

«Unsre Reise war rasch und glücklich. Von Genf bis Marseille hatten wir Eisenbahn (2½ Uhr Nachmittags bis folgenden Morgen); von Marseille bis Civitavecchia gutes Dampfschiff. Nur die Räubereien in Cività und bei nächtlicher Ankunft die Prellerei der Wirte in Rom empörten mir das Blut, das sich freilich gleich beruhigte, als wir am Morgen den schönen spanischen Platz betraten. Nun sind wir erträglich eingerichtet und sehen uns alles mit Ruhe an» [1].

Mit diesen Worten meldet Conrad Ferdinand Meyer seinem Vetter Friedrich von Wyss seine und seiner Schwester Ankunft in Rom. Es sind die Worte eines Zufriedenen, ja mehr: eines Menschen, der bereit ist, mutig in eine neue Welt vorzustoßen und sich dabei von nichts unterkriegen zu lassen.

Dann fährt er gleich weiter: «Man muß gestehen: Rom ist reizend und unvergleichlich. Die Prachtbauten der Renaissance, der großartig-anmutige St. Peter, der gewaltige Palast Farnese, manches von Bramante und Michel-Angiolo Gebaute neben den herrlichen Trümmern der alten Welt, an denen jene lernten: dem Pantheon mit seinem Stück Himmel und dem Colosseum; im Vatican die herrlichen Säle voll Bildsäulen neben den Fresken Raphaels, eine Menge Sammlungen von Bildern der ersten Meister, die schönsten Gärten und Villen mit Pinien, Cypressen und Lorbeern, die öde ernste Campagna mit dem mannigfaltigsten Ruinenwerk und den sanften Linien der sie in der Ferne begränzenden blauen Berge, zu allem jetzt wenigstens noch eine leicht zu athmende, leichtsinnige Luft, wer möchte beschreiben, was man erleben, einathmen muß?»

Wie bezeichnend, daß er die Bauten und Werke der Renaissance und die antiken Trümmer, ihre Vorbilder, allem voranstellt; wie bezeichnend ferner, daß er in das beglückende neue Lebensgefühl alles miteinbezieht, neben den Gärten auch die öde Campagna mit ihren Ruinen und den blauen Bergen im Hintergrund. Beachten wir, daß lauter positive Wertungen aufgezählt werden, daß auch negative Qualitäten (öde) der positiven Reihe eingeordnet werden. Wie bedeutsam, daß der schwerblütige, schwermütige Nordländer die Luft hier eine leichtsinnige nennt, eine Bezeichnung, die für atmosphärische Aussagen völlig ungebräuchlich ist und eben nur besagen will, daß sie ihm sein Sinnen und Trachten leicht macht, Zeichen seiner Hochstimmung! Offenbar ist der ganze Brief an sich mit seiner Fülle von registrierten Eindrücken und seiner Vielgestalt der Aussagen ein beredter Ausdruck dieser Hochstimmung. Ein Mitteilungsbedürfnis ist wachgeworden, wie es nur ganz selten bei Meyer durchgebrochen ist, am ehesten noch in den Jahren seiner Freundschaft mit Cécile Borrel und Luise von François, aber damals sicher aus anderen Motiven.

Denn nun folgt, im nämlichen Brief, eine Stelle, in der neben Stadtbildern und Landschaft auch schon das pulsierende menschliche Leben mitgestaltet wird, eine beinahe impressionistische Gestaltungsweise! Auch die später so deutlich hervortretende Gabe der dramatischen Prosaschilderung wird hier schon spürbar: «Ich bin von einem Abendgang (auch dieses Wort wird später in der Lyrik Verwendung finden) zurück, zur Porta pia hinaus, zur Porta Salara herein; der Regen lockt das üppigste Grün hervor, das die Ruinen bekleidet, an Porta pia, von M. Angiolo erbaut, vor einigen Jahren abgebrannt und nun in Renovation, saßen die Arbeiter, mit ihren Papierhüten, wie die unsrer Buben, die gewöhnliche Bedeckung der Maurer etc., mit den Beinen baumelnd und jeder sein Stümpchen Lied und Gesang summend, während die Cardinäle auf der via pia, ihrem gewöhnlichen Spaziergang sich ergingen, sie auf dem Trottoir, jeder von zwei Bedienten begleitet, die rothe Carosse auf der Straße im Schritt folgend.»

Wie bezeichnend, daß hier sogar die Satzfügung überbordet und an die Stelle einer wohlabgewogenen Gedankenfolge nur noch notizenmäßige Eindrucksfragmente notiert werden! Daß in diesen Brieftexten auch mit Superlativen nicht gespart wird, bestätigt nur die Hochstimmung.

Mit welchen Stimmungen der angehende Literat Rom im Ganzen erlebte, das erhellt wohl am schönsten aus seinen Urteilen über den Petersdom. Hier sind alle jene Attribute, die etwas Beglückendes, Freudespendendes zum Ausdruck bringen, geradezu gehäuft:

«St. Peter ist ungemein heiter und gefällig, die Kuppel herrlich, die Façade schwer, plump, aber imposant für das Volk, Platz, Obelisk und Hallen (gemeint sind wohl die Kolonnaden) unendlich freundlich und geräumig und gastlich. Das Ganze hat etwas Einschmeichelndes und Verständliches, das Großartige, wie es Jedermann begreift, unendlich volkstümlicher als die gothischen Sachen. Es ist etwas Rationalismus und Oberflächlichkeit dabei, aber das ganze ist unglaublich bequem, freundlich und erfreulich.» [2]

Mit der letzteren Bemerkung bahnt sich in diesem Brief an Friedrich von Wyss auch schon ein neuer, den reinen Bericht überspielender Zug an, nämlich der wiederholte Versuch, den Geist und die Psychologie dieser andersartigen italienischen Kunst zu erfassen, und dies bevor er sich gründlicher mit der italienischen Kunstgeschichte, mit Herman Grimm und Jacob Burckhardt hatte auseinandersetzen können.

Damit aber stoßen wir auf die wohl wichtigste Seite von Conrad Ferdinand Meyers Romerlebnis. Offenbar war es Rom, das ihn dazu anregte, sich in aller Gründlichkeit mit den Phänomenen der bildenden Kunst zu befassen. Wohl war er durch Paris und München vorbereitet. Aber erst in Rom hat er sich den Bau- und Bilderlebnissen offen und beinahe vorbehaltlos hingegeben. Und was noch viel entscheidender ist: Er suchte und fand für sein eigenes Kunstschaffen neue Motivationen, eine Rechtfertigung seiner Art zu denken und zu leben.

Man darf sogar behaupten, Rom habe noch viel bestimmender in das Werden dieses Dichters eingegriffen als in das Wesen und Werden Goethes. Goethe *war* ja schon Dichter, als er nach Rom kam; er ist dort nur reicher und anders geworden, Meyer aber hatte damals weder den Weg in die Öffentlichkeit noch auch nur zum eigenen Wort gefunden. Goethe wurde durch das Erlebnis der antiken Form geklärt und auf neue Wege gewiesen, Meyer wurde erst in Rom zu dem, was er latent in sich trug. Erst hier fand er zu sich selbst.

Man spricht bei Meyer oft und gern vom Renaissance-Erlebnis; das ist schon allein mit Beziehung auf Rom viel zu eng gesehen. Denn Rom war sicher ebenso intensiv ein Erlebnis der Antike und des Barocks. Für Meyer *mußte* die Auseinandersetzung mit den imposantesten Repräsentanten der europäischen Kunsttradition hinzukommen, damit der Verantwortung tragende Mensch – was er in Préfargier und Lausanne geworden war – zum Verantwortung tragenden Künstler und Dichter wurde. – Damit er seinen besonderen Auftrag – der so ganz anders beschaffen war als der Goethes – erkenne und sich dazu die Legitimation beschaffe!

Denn in Rom sollte auch eine religiöse Umstrukturierung, eine Wandlung des tiefsten Grundes seiner Persönlichkeit erfolgen. Vergessen wir nicht, daß sein religiöses Verstehen zunächst einmal zwinglische, dann calvinistische und Pascal'sche Prägung trug. Seine Religion tendierte nach der Abstraktion, nach bildferner Geistigkeit. Darum war die Kunst bei der pietistisch erweckten Mutter eine Feindin der Religion, und der Sohn hatte keine zureichenden Argumente, um sich gegen diesen Vorwurf zu wehren.

Jetzt trat ihm im italienischen Katholizismus, wobei hier ‹italienisch› zu betonen ist, eine ganz anders geartete Religiosität entgegen, eine Religiosität, die vital, diesseitsfreudig, farbenfroh und von der bildenden Kunst ganz durchtränkt war. Waren ihm bis anhin religiöser Glaube und künstlerisches Schaffen zwei gesonderte Welten, die sich sogar, unter dem pietistischen Moralismus seiner Mutter, feindlich gegenüberstanden, so mußten sie sich jetzt unter den überwältigenden Eindrücken Roms zu einer Einheit zusammenschließen. Jetzt wurde Kunst zu einem religiösen Erlebnis, zu einer Offenbarung Gottes im künstlerischen Schöpfertum, zu einer Selbstauszeugung Gottes in der Geschichte der Kunst.

Kein Wunder, wenn ihm beim Anblick des Apollo von Belvedere oder des Laokoon oder des Sterbenden Galliers seine Reise-Handbücher zu wahren Andachtsbüchern werden[3]. Hier begegnet ihm – dies gilt für Meyer, auch wenn die Kunstgeschichte seither anders zu schauen und zu werten gelernt hat – die wahre, ja sozusagen die absolute Kunst. «Genug, sie sind vollkommen», sagt er von den eben genannten Werken.

Und stets ist diese Begegnung mit der Kunst eingebettet in das südliche Lichterlebnis, das durch nichts getrübt werden kann: «Auch die Brücken bieten ein eigenes Bild. Gerade vom Ponte rotto stromaufwärts blickend erblickt man die schifförmige Insel mit P(onte) Cestius und Fabricius und den beiden Ufern alles voll steinerner enger hoher mannigfach verwitterter Häuser, zwischen denen die Tiber schmutziggelb schleicht und gräbt und reißt; aber in dieses unreinliche Bild gießt ein himmlischer Himmel Ströme blendenden Lichts[4].»

Daß dieses Licht eines himmlischen Himmels für seine Heilung und Erstarkung zutiefst notwendig war, zeigt eine kurze Bemerkung am Schluß des ersten Briefes an Friedrich von Wyss, eine Stelle, die zeigt, wie unheimlich nah noch immer der dunkle Untergrund ist: «... ja, auch sonst, leide und kämpfe ich viel» («wie noch nie» ist freilich durchgestrichen); «aber was geht das dich an?[5]»

Welchem Zwiespalt er in seinem Leiden und Kämpfen unterworfen war, geht aus den beiden unmittelbar vorangehenden Sätzen hervor: «Am Sonntag ist Gottesdienst auf dem Capitol in der preußischen Gesandtschaftskapelle, eine edle Gastfreundschaft. Ich werde da immer innig ergriffen.»

Das Geschwisterpaar zieht also den exklusiven lutheranischen Gottesdienst in der preußischen Gesandtschaftskapelle der Teilnahme an katholischen Riten auch jetzt – und für immer – vor. Das Spannungsfeld zwischen italienischer Religiosität und eigenen Glaubensformen bleibt also bestehen; die Euphorie hat ihre deutlichen Grenzen. Daß er indes das «wie noch nie» im Brieftext gestrichen hat, bedeutet doch, daß jetzt neben dem Dunkel ebenso entschieden das Lichterlebnis Geltung hat, daß er somit den Sinn seines Leidens und Kämpfens klar vor Augen hat: Es geht letzten Endes um neue Leitbilder seiner künstlerischen Existenz.

In solchen Bemühungen wird ihm der Gegensatz zwischen antikheidnischer und christlicher Kunstauffassung immer bewußter. Denn an jener Stelle, wo er seinem Zürcher Briefpartner die Vollkommenheit des Apollo von Belvedere, des Laokoon und des sterbenden Fechters hervorhebt, fährt er also fort:

«Aber gerade das relativ Vollkommene gibt uns das traurige heidnische Gefühl der wie ein Ring sich in sich selbst schließenden Menschheit, während ein realistisch behandeltes Werk, das, jener lächelnden und selbstgenügsamen Idealität ermangelnd, leidende Körper und ringende Geister zeigt, uns, durch den Gegensatz unsrer Gebrechen auf die erlösende himmlische Vollkommenheit hinweist. Wo die Kunst die Leidenschaft reinigt, d. h. der Mensch sich selbst beruhigt und genügt, entsteht die Vorstellung einer trügerischen Einheit, während wir (und so photographiert uns auch die realistische Kunst) doch so gründlich zwiespältig und nur durch ein Andres als wir, durch Gott zu heilen sind[6].»

Mit diesen Worten steht Meyer noch mitten im Kampf um seinen Humanismus. Von einer reinigenden, erlösenden Wirkung der Kunst kann hier noch nicht die Rede sein; wo die Kunst die Leidenschaft – durch ihre Vollendung – reinigt, da entsteht die Vorstellung einer *trügerischen* Einheit. Die grundsätzliche Gespaltenheit des Menschen wird nur scheinbar überbrückt. Der einheitliche, in sich selber ruhende Mensch ist eine Illusion. Er ist vielmehr grundsätzlich gespalten, gebrochen und unerlöst. Erlösung ist allein von Gott zu erhoffen. Das ist protestantisch, wohl vor allem calvinistisch gedacht. Das ist aber auch Ausdruck seiner persönlichen Widersprüchlichkeit und seelischen Gespaltenheit, unter der er leidet.

Er trägt also in einem extremen Maße seine Persönlichkeitsproblematik an die Kunstwerke heran. Selber in sich gespalten, muß er, von diesem seinem Menschenbild aus das vollkommene Kunstwerk, so sehr er es auch bewundert, als Trug und Irreführung ablehnen. Die Grundsätzliche Gnadebedürftigkeit des Menschen, seine Gebrochenheit, seine Ohnmacht, ja seine Verworfenheit, das war das Menschenbild, das er aus seinem zwinglianischen Zürich, aus Préfargier, aus der Lektüre Pascals und Vinets mit sich trug, unverlierbar, wie es scheint.

Auf der andern Seite aber steht der antike Mensch mit seiner in sich selbst ruhenden Welt; so erlebt ihn Meyer im Apoll von Belvedere. Für den antiken Menschen bedeutet – in der Sicht Meyers, aber auch in der Kunsttheorie eines Aristoteles – das Erlebnis der Kunst eine Reinigung von Leidenschaften. Sie geht aus von der Anschauung des Vollkommenen; aber diese Katharsis beruht auf dem Irrtum, daß es diese vollkommene Idealität in der Welt gebe. An einen so geschlossenen, nicht nach einem Jenseits, nach Gott geöffneten Ring kann der Mensch C. F. Meyer in seiner Zwiespältigkeit nicht glauben. Offenbar fühlt er sich daher zum «Sterbenden Fechter» als dem Bilde eines Leidenden, zu Tode Verwundeten näher hingezogen als zu der strahlenden aber kalten und daher unechten Schönheit des Apoll von Belvedere.

Wir erkennen deutlich: Hier muß sich der überzeugte Protestant mit den Phänomenen der Kunst und der Schönheit – die ihn trotz seinen glaubensmäßigen Vorbehalten tief beglücken, auseinandersetzen. Noch hat er sich nicht zu einer Synthese durchgefunden. Das entscheidende vorläufige Hindernis, diese Synthese zu erkennen, liegt auf dieser Stufe seiner Entwicklung darin, daß er die Vollkommenheit des Menschen mit der Vollkommenheit der Kunst gleichsetzt. Die Idealität des klassischen Kunstwerks und die Idealität des Menschen in der Welt – die es nicht gibt – scheinen ihm noch zusammenzugehören. Noch versteht er nicht zu unterscheiden zwischen dem leidenden, kämpfenden, ewig zwiespältigen und unerlösten Menschen und dem leidlosen Werk, das der Mensch über sich selbst hinauszustellen vermag. Allein die richtige, für Meyer bahnbrechende Erkenntnis kündigte sich bereits an. Sie fällt zusammen mit der nachhaltigsten menschlichen Begegnung, die ihm das geschichtliche Italien vermittelte, mit Michelangelo Buonarotti. Sie muß uns, weil sie für Meyer eine eigentliche Offenbarung bedeutete, mit ihrer eigengesetzlichen Fortentwicklung in besonderem Maße beschäftigten.

Das Michelangelo-Erlebnis

Die Kluft zwischen vollendeter Gestalt im Kunstwerk – so wurde bereits angedeutet – und einem Leben in Schwachheit wollte sich dem protestantischen Menschen Conrad Ferdinand Meyer nicht schließen, und er vermochte nicht ja zu sagen zum Kunstwerk, das von den Handbüchern als schön gepriesen wurde, wie sehr er auch davon fasziniert wurde. Der Abstand zwischen seinem Vollkommenheits-Anspruch und seiner eigenen Gebrechlichkeit war zu groß, bis sich ihm schließlich der Sinn alles künstlerischen Schaffens in *einem* großen Künstler, in Michelangelo, offenbarte.

Vorbereitet wurde die Begegnung durch einen auffälligen Zug zum Realistischen und Charakteristischen, den er wohl seit der Auseinandersetzung mit Friedrich Theodor Vischers «Kritischen Gängen» zuerst unbewußt, dann, nach Préfargier, mit wachen Sinnen suchte. Bezeichnend, daß ihn im Vatikan die griechischen Idealporträts oder das, was damals unter diesem Namen ging, am meisten in Anspruch nahmen. Mit ihnen setzt er sich im zweiten Brief an Friedrich von Wyss, den er am 19. April, vier Tage nach dem ersten, schrieb, eingehend auseinander. In einzelnen Kopfplastiken, die als Porträts geistiger Größen des Altertums angeschrieben sind, glaubte Meyer jene Darstellung untrüglicher menschlicher Wahrheit zu finden, die seinem Kunstverstand näher stand als die berühmten Idealgestalten der vatikanischen Sammlung. In der entschiedenen Gebärde und im klar ausgeprägten, ja ins Typische erhobenen Zug eines Antlitzes suchte er nun die ganze Gestalt und das Innere eines Menschen zu erfassen.

Lesen wir beispielsweise, was er über die Porträtköpfe des Epikur, des Begründers der nach ihm benannten Lebensphilosophie, und des Zenon, des Begründers der Stoa, spricht – auch in Meyer selbst war ja ein Stück Epikuräismus und ein Stück Stoizismus lebendig –, so wird uns ohne weiteres klar, daß hier eine eigentliche dramatische Antithese der menschlichen Grundstruktur dargestellt werden soll:

Epikur, das Haupt gesenkt, ungemein gescheit, und klar, dabei gut, human, mit den Gränzen unsres Wesens bekannt und sie natürlich, nothwendig, gut findend und zufrieden, hülfreich, mit einem verborgenen, nicht unedeln Lachen über Stolz, Demut, kurz alles, was nicht richtige Schätzung ist. Es geht von diesen großen Zügen ein helles, humanes, lachendes Licht aus über alle Selbsttäuschung. Während Zeno neben ihm, die trotzige Lippe abgerechnet, einen wahren Schwärmerausdruck, ein Apostelgesicht hat mit Ascese und göttlicher Liebe und Beugung unter das göttliche Gesetz. Man fühlt wohl, daß diese zwei Gesichter etwas ganz Verschiednes Freiheit nennen, Epikur: eine gescheide Selbstbestimmung in Eintracht mit den Geboten und Verboten der Natur, Zeno ein Brechen des Willens unter den göttlichen[1].

Es wird ohne weiteres klar, welche der beiden Gestalten Meyer bevorzugt; beglückend wirkt auf ihn einzig Epikur. Sein Lebensverständnis und sein Verhalten zur Welt, wie es hier beschrieben, das heißt in diese museale Kopfplastik hineinprojiziert wird, das entspricht offensichtlich Meyers neuem Leitbild. Eine läßliche Ironie, eine Abgeklärtheit über die natürlichen menschlichen Grenzen, ein freundliches Ja zu einem Leben ohne Gewaltsamkeiten und Übersteigerungen, ein mildes Verständnis für menschliche Schwächen, dies alles entspricht einem Wunschbild, mit dem er sich ganz zu identifizieren vermag. Wogegen Zeno, als philosophischer Schwärmer und Asket, mit einem apostolischen Sendungsbewußtsein, mit «göttlicher», das heißt unirdischer, übermenschlicher Liebe ausgestattet und mit (demütiger!) Beugung unter das göttliche Gesetz das entschiedene Mißfallen erregt.

Solche Wertungen mögen zunächst erstaunen, doch verweisen sie auf Meyers zentrales persönliches Erleben: Noch ist das Erlebnis der moralisch verhärteten, unduldsamen, der strengen Askese zugekehrten Mutter in der Nähe, mit ihrer nonnenähnlichen Tracht und ihrer Weltflucht. Noch muß er sich gegen dieses Bild zur Wehr setzen. Erst in solchen Wertungen, in solchen Sympathien und Antipathien meldet sich die Zuwendung zum Leben und zu einer lebensnahen, diesseitsbezogenen Kunst. Der religiös-spirituelle Conrad war auf dem Rückzug; an seiner Stelle meldete sich der andere, der werdende Künstler, der nach Plastizität und greifbaren Formen strebte, der Sinnenhungrige, der die Dinge und das Geschehen dieser Welt, nicht das Jenseitige, Spirituelle zu erfassen und mit dem Wort zu begreifen suchte.

Als religiöser Mensch wußte er zwar um die Hinfälligkeit und Gnadebedürftigkeit des menschlichen Wesens im Allgemeinen und um die eigene Unzulänglichkeit als depressiv veranlagter Mensch. Als Künstler hingegen war er vom Gedanken und der Idee der künstlerischen Vollkommenheit förmlich besessen. Der Künstler in ihm wollte die sichtbare Welt, wollte die sprühende Sinnlichkeit in seine Sprache einfangen, während der religiöse Denker, der den lutheranischen Gottesdienst besuchte, dieser glühenden Sinnlichkeit noch immer ein negatives Vorzeichen gab.

Aber unter der Sonne des Südens drängte sich dieser künstlerische Zug, dieses sinnlich-plastische Wesen ungestüm in den Vordergrund. In Rom wurde ihm ein Dasein offenbar, in welchem sich glühende Sinnlichkeit, Lebensbejahung und religiöse Vergeistigung nicht ausschlossen, sondern sich zu einer Einheit zusammenfanden.

Wir haben daher jene Bemerkung im dritten Brief an Friedrich von Wyss durchaus ernst zu nehmen, in welcher er sich seinem protestantischen Erbe zum Trotz so eindeutig zu Rom bekennt: «Es ist mich wol in Rom manchmal angekommen, ein Leben in der Fremde zu führen, und nur Rom kann eine Heimat ersetzen.»

Rom als eine neue, andere Möglichkeit der Lebensgestaltung, das läßt die überragende Bedeutung dieser Stadt für die menschliche und künstlerische Entwicklung Meyers erkennen.

In der Mitte dieses Romerlebnisses steht aber, wie schon angedeutet, die Begegnung mit Michelangelo, deren ersten Spuren wir im ersten Brief an Friedrich von Wyss[2] nahegekommen sind. Denn von Anfang an interessierte ihn alles, was Michelangelo geschaffen oder wo er mitgewirkt hatte, die Bauten, die Skulpturen, die Fresken und bald auch die Dichtungen und die ganze schriftliche Hinterlassenschaft. Von Anfang an faszinierte ihn die unerhörte Stileinheit der vielgestaltigen schöpferischen Leistungen, aber auch die Widersprüchlichkeit und Zerrissenheit seiner Person. Der Kampf des Künstlers mit seinen Auftraggebern und mit der Welt als Ganzem wurde ihm zum Sinnbild seiner eigenen Auseinandersetzung mit der Welt. Dabei hatten Michelangelos Werke eine Stufe der Vollendung erreicht, die den von ihm bewunderten Schöpfungen aus der Antike gleichkamen, ja sie übertrafen. Und viele waren nicht nur im Auftrage der Kirche und der Päpste entstanden, sondern sie standen in engster Verbindung mit dem Erlebnis christlicher Religiosität. Sie waren religiöse Kunst und als solche von der Kirche legitimiert. Michelangelos Gestalten berührten tiefste religiöse Belange, ohne dadurch ihre Welthaltigkeit zu verlieren. Der Moses in San Pietro in Vincoli, die Deckengemälde und Das Jüngste Gericht in der Sistina waren religiöse Visionen. Und doch war in ihnen großartige Leibhaftigkeit und Welt enthalten. Es war eine wahrhaftig und realistisch gestaltete Welt, eine Schöpfung in der Schöpfung. Darin kam nicht nur die barocke Freude an der Körperlichkeit an sich zur Aussage; jede Gestalt machte auch die unerhörte Dynamik innerer Erlebnisse und Spannungen spürbar.

Diese Verbindung einer inneren Dynamik mit der großen symbolischen Gebärde, dieser hintergründige und transparente Realismus und welthaltige Idealismus von Michelangelos Gestalten, das war es, was auch Meyer, zunächst unbewußt, dann immer bewußter, anstrebte. Und wie in den Sonetten und Gedichtfragmenten des großen Florentiners hie und da eine geradezu mittelalterliche oder mönchisch-asketische Devotion erkennbar wird, so fühlte sich Meyer von dieser Widersprüchlichkeit angezogen: titanische Auflehnung wider Gott und ein sich-Hinwerfen-vor Gott in der gleichen Persönlichkeit vereinigt, das rührte an eigene Spannungen und Widersprüchlichkeiten.

So strömten im Laufe mehrerer Jahrzehnte – das in Rom und Florenz Geschaute bot nur den entscheidenden Anstoß dazu – die Erinnerungen, die ernsthaften historischen Studien, die Beobachtungen an Architektur, Skulptur und Malerei, die Beschäftigung mit dem schriftlichen Nachlaß und die Auseinandersetzung mit den Michelangelo-Interpreten allmählich zusammen und fanden sich zu einem Bilde, einer Vision, der er als Ganzem noch lange keine verbindliche Wortgestalt zu geben vermochte, der er aber als einem großen Leitbild unablässig folgte. Auch wenn Conrad Ferdinand Meyer bei weitem nicht über die ungeheuerlichen Lebensenergien Michelangelos verfügte, so glaubte der werdende Dichter-Künstler doch den großen Italiener aus seiner eigenen zerrissenen Mitte heraus zu verstehen; nicht in den zutage tretenden beschränkten Fähigkeiten, wohl aber in seinen Intentionen fühlte er sich Michelangelo geistesverwandt. In ihm sah er sein eigenes Kunststreben verwirklicht. Antikes Welt- und Formgefühl und christliche Innerlichkeit klafften seither nicht mehr auseinander, sondern strebten nach einer neuen Einheit. Von jetzt ab wußte er, nach welcher Richtung er seine Kräfte einzusetzen hatte.

Freilich klafften am Anfang Wollen und Vollbringen noch weit auseinander; das Ringen mit den primitivsten Schwierigkeiten von Wortwahl und Form nahm ihn noch jahrzehntelang in Anspruch. Aber er hatte in ahnender Schau das Ziel vor Augen. Maßstab und Richte – und welch gewaltiger Maßstab! – waren nun da, und der Glaube an Sinn und Erfüllbarkeit hochgesteckter Ziele hatte im erfolgreichen Ringen Michelangelos Stärkung und Bestätigung gefunden.

Dabei ist ein für Meyer typisches Phänomen zu beobachten: je weiter er sich räumlich und zeitlich von der unmittelbaren Begegnung mit dem Werk entfernte, um so mehr entfielen die Nebensächlichkeiten, um so deutlicher, ja visionärer stand das Große und Bedeutsame dieser Gestalt vor seinem inneren Gesicht.

Auf dem Wege unablässiger Versuche und Annäherungen hat sich das Erlebnis Michelangelo ganz allmählich ins eigene Dasein eingebaut. Einen Markstein auf diesem Wege stellt das Gedicht «Michel Angelo» dar, das in den «Romanzen und Bildern» des Jahres 1870 erschienen ist[3].

Michel Angelo

Ein Lichtlein schimmert in der Mitternacht
Und Michel Angelo, der hohe Greis,
Der wundersame Meister sinnt und wacht
In seiner Marmorbilder blassem Kreis.

Die Ruhe stört er nicht mit Hammerschlag,
Gewaltig ist er in ein Buch vertieft.
Ob Dantes Schatten er befragen mag?
Ob er die Sprüche wägt der Heil'gen Schrift?

Er hat die Tage Raffaels überlebt,
Der vollen Schönheit kurze Blütezeit,
Und Blatt um Blatt, das trauernd niederschwebt,
Ermahnt ihn an den Ernst der Ewigkeit.

Des Meisters Angesicht wird feierlich,
Er scheint mit jemand im Gespräch zu sein,
Er wendet von dem Buche langsam sich
Und redet in die stille Nacht hinein:

«Die süßen Fabeln haben mir geraubt
Die Zeit, die dich zu suchen du verliehn,
Unwillig schüttl ich das beschneite Haupt,
Die Schmeichlerinnen wollen nicht entfliehn.

Statt zu erfassen in dem Wesen dich,
Ergriff ich dich, o Gott, an deinem Kleid,
die Macht der Schönheit übermannte mich
Und ich entbehre der Gerechtigkeit.

In Fehle bin gealtert ich und Schuld,
An deinem Himmel hab ich keinen Teil
als meiner schnöden Knechtschaft Ungeduld,
Mein durstiges Verlangen nach dem Heil.

Ich stemme mich und kann mich nicht befrein,
Mein Herz ist hart und trotzig, trüb und wild.
Mein Gott, entreiße du dem toten Stein
Mit starker Meisterhand dein Ebenbild!

Auf! Schwinge deinen Hammer mit Gewalt!
Erhabner Bildner, führe Schlag um Schlag,
Und aus den Splittern ziehe die Gestalt,
Die göttliche, hervor an deinen Tag!»

Gewiß, schon hier beschwört der Dichter die Gestalt des großen Italieners herauf, indem er ihn in seiner Werkstatt sitzen und sinnen läßt. Das ist schon plastisch und episch gesehen. Allein es fehlt noch der große Wurf und die einfache, nicht durch Nebenzüge verwirrende Gebärde. Noch ist zu viel historisches Wissen in das Bild eingeschoben. Und noch fehlt die unbeirrbare Sicherheit des Stils. Beachten wir nur schon die erste Zeile: «Ein Lichtlein schimmert in der Mitternacht». Stilwidrig wirkt schon der Diminutiv ‹Lichtlein›; sprachlich ungeschickt sodann die Zeitbestimmung ‹in der Mitternacht›, die ohne Mühe durch ‹um die Mitternacht› hätte ersetzt werden können. Ebensowenig will das Attribut ‹blaß› in der vierten Zeile zur erregenden Kraft passen, die aus dem Kreis der Marmorbilder auf den Künstler zurückwirken soll. Noch unbeholfener ist, weil nicht mit der Sinnfälligkeit zusammengehend, der Anfang des zweiten Verses der zweiten Strophe: «Gewaltig ist er in ein Buch vertieft», wobei das ‹ein› der Klarheit der Bildkonzeption abträglich ist.

Die Vision ist noch nicht eindeutig durchgestaltet. Nicht ausgeschlossen, daß Bildeindrücke aus der Sistina in getrübten Erinnerungsbildern nachwirken.

Auch das ‹beschneite Haupt› in der fünften Strophe (Zeile 3) paßt wohl eher in einen Studentenkantus als hieher. Für ein lyrisch-episches Stimmungsbild ohne wirkliche Handlung ist das Gedicht auch zu lang und noch den versifizierten Historien eines Joseph Viktor von Scheffel angenähert.

Allein trotz all diesen Mängeln, scheint in ihm im Keime angelegt, was in späteren Gedichten zur Reife gelangte. ‹Im Keime› wage ich zu sagen, auch wenn ich mir bewußt bin, daß schon bei Erscheinen dieses Gedichtes bereits zwölf Jahre seit der ersten optischen Begegnung mit Werken Michelangelos verflossen waren.

Eine nähere Betrachtung lohnt sich auch aus entwicklungspsychologischen Gründen; denn die besonderen Ausprägungen, die Meyer zu dieser Zeitstufe der Gestalt Michelangelos verliehen hat, entsprechen weitgehend der eigenen Entwicklungsstufe und den eigenen inneren Spannungen des angehenden Dichters. Denn bei näherem Zusehen ergibt es sich, daß er eigenstes Erleben und eigene Auseinandersetzungen in die Gestalt des Menschen Michelangelo hineinverlegt hat. Dies gilt auch dann, wenn Meyer, wie bereits erwähnt, noch allzuviel biographisches Wissen um ihn im Gedicht untergebracht hat. Die Wahrheit ist wohl, daß er um diese Zeit noch nicht imstande war, die beiden Bereiche, seine eigene Welt und die Michelangelos, säuberlich auseinanderzuhalten.

Beim frühen Tode Raffaels ist Michelangelo seiner eigenen Hinfälligkeit deutlicher gewahr geworden; er «hat die Tage Raffaels überlebt, der vollen Schönheit kurze Blütezeit». Seither mahnt ihn jedes fallende Blatt an den «Ernst der Ewigkeit». Darin äußert sich das intensive Vergänglichkeitsdenken, das Empfinden für die reißende Zeit, unter dessen Druck Meyer unablässig stand. Michelangelo wird der Majestät des Todes und des Ernstes der Ewigkeit ansichtig, nachdem er Dante oder die Heilige Schrift, in welche er vertieft war, weggelegt hat. Natürlich mag ein solches Leben im Angesicht der Vergänglichkeit ebensowohl auf den Renaissance-Barockmenschen Michelangelo wie auf Meyer passen, auffällig ist hier nur, wie stark er dieses Thema gewichtet.

Noch stärker werden wir in den inneren Zwiespalt Meyers – nicht Michelangelos – hineingezogen durch die Worte der Zwiesprache, die Michelangelo mit Gott hält:

> Die süßen Fabeln haben mir geraubt
> Die Zeit, die dich zu suchen du verliehn,
> Unwillig schüttl ich das beschneite Haupt,
> Die Schmeichlerinnen [d. h. die süßen Fabeln] wollen nicht entfliehn.

Das ist ein Künstler-Dilemma, unter dem der große Florentiner wohl kaum so schwer gelitten hat wie der unter dem Pietismus der Mutter gebeugte Conrad. Tatsache bleibt aber auch für Michelangelo, daß ihn die sinnenfreudige antike Fabelwelt und die körperlich greifbare Schönheit der menschlichen Gestalt immer wieder ergriffen haben und daß er darob das Eine, was nottut, nämlich Gott zu suchen und zu erfassen, vernachlässigte. Davon künden Michelangelos spätere poetische Erzeugnisse[4]. Es sind aber die Denkformen des Protestanten Conrad Ferdinand Meyer, die in der anschließenden Strophe zur Aussage kommen, vielleicht in besonderem Maße das rein spiritualistische Gottesbild eines Ulrich Zwingli:

> Statt zu erfassen in dem Wesen dich
> Ergriff ich dich, o Gott, an deinem Kleid,
> Die Macht der *Schönheit* übermannte mich
> Und ich entbehre der *Gerechtigkeit.*

Er, Michelangelo, ist in der Deutung Meyers, dem schönen Schein der Welt, dem sichtbaren Kleide Gottes, der Schöpfung, hörig geworden und hat darob die Gerechtigkeit, das heißt die ewigen sittlichen Gesetze, die Spannung zwischen Gut und Böse, mißachtet. Gerechtigkeit bedeutet demnach eine transzendente Ordnung; Gerechtigkeit solcher Art ist nicht von dieser Welt. Das Leben ist uns gegeben, damit wir Gott und seine ewige Gerechtigkeit suchen und diese unsere Welt des schönen Scheins überwinden.

Da stehen sich Weltfreude und Gottesglauben diametral gegenüber; das Schönheitsempfinden und die Freude am sichtbaren Schönen bedeuten Sünde und Verlorenheit; das Gute dagegen stammt allein aus der Gnade, aus Gott, und hat nichts zu tun mit dieser Welt, selbst wenn diese das Kleid Gottes genannt wird. In solchen Gedankengängen, die Meyer in Michelangelo hineinprojiziert, scheint noch einmal jene für ihn so verhängnisvolle pietistische Weltflucht der Mutter neu aufzuleben.

Doch gerade hier erscheint eine überraschende Übereinstimmung mit den Denkformen Michelangelos, zeigen sich doch in dieser Strophe sozusagen wörtliche Anklänge an ein Sonett Michelangelos[5]:

> Das Gaukelspiel der Welt nahm mir die Zeit,
> Die Gott mir gab, sein Wesen zu ergründen,
> Ließ die Erinnrung an die Gnade schwinden,
> Ja, macht zur Sünde mich erst recht bereit.

Wie nahe ist hier doch Meyers Formulierung

> Die süßen Fabeln haben mir geraubt
> Die Zeit, die dich zu suchen du verliehn.

So schreiten die beiden in merkwürdiger Übereinstimmung auf denselben Pfaden des Denkens, Michelangelo in seinen Stimmungen, die der Zerknirschung eines Asketen nahekommen, Meyer in seinem Zwiespalt zwischen pietistischer Weltverneinung und der Weltbejahung des zum Lichte drängenden Künstlers. Seine zunächst ganz unrealistischen Träume von Dichterruhm mochten ihm dabei als ein zeitvergeudendes Gaukelspiel vorkommen, das den Anspruch auf die himmlische Gerechtigkeit zunichtemacht.

Noch mehr scheint der Dichter der Selbstdeutung zu verfallen, wenn er Michelangelo sagen läßt

> In Fehle bin gealtert ich und Schuld,
> An deinem Himmel hab ich keinen Teil …

Aber auch dies steht dem Denken des genannten Sonetts nahe, dessen zweite Strophe lautet:

> Blind macht mich, blöd, was andern Weisheit leiht,
> Und träge, meinem Wahn mich zu entwinden.
> Die Hoffnung schwand, ach könnt' ich Dich noch finden
> Daß ich durch Dich von Selbstsucht würd befreit.

So folgt Meyer ein Stück weit den dichterischen Spuren des Genies aus dem Übergang von der Spätrenaissance zum Barock. Dann aber verfällt er doch wieder seiner Selbstdeutung, wenn er fortfährt:

> Ich stemme mich und kann mich nicht befrein
> Mein Herz ist hart und trotzig, trüb und wild.

Das ist ganz unverkennbar die seelische Situation Conrads in den Krisenjahren vor Préfargier, und sie wirkte auch später noch lange nach. Dieser krankhafte Autismus der Jugendjahre verfärbte somit das Bild des großen Florentiners.

Die Fortführung der romanzen-ähnlichen historischen Impression wird denn auch von diesem subjektiv gefärbten Michelangelo-Bild bestimmt. Aus seiner Gefangenschaft heraus, aus der er sich nicht mit eigenen Kräften zu lösen vermag, ruft er Gott an. Da er, Michelangelo, selbst unfähig ist, das Neue zu schaffen, soll Gott ihm den Meißel führen und soll durch ihn sein, das heißt eindeutig: Gottes Ebenbild gestalten. An welche Episode aus dem Leben Michelangelos der Dichter dabei gedacht hat, wird nicht recht ersichtlich; bekanntlich hat dieser das Ebenbild Gottes zwar mehrfach – in der Sistina – gemalt, aber nirgends gemeißelt. Daß Meyer schon bei dieser Fassung – von der späteren wird ja noch die Rede sein – an das Herausschälen von Gottes Ebenbild aus ihm selbst gedacht hat, ist zwar denkbar, erhellt aber keineswegs klar aus dem Wortlaut

> Und aus den Splittern ziehe die Gestalt
> Die göttliche, hervor an deinen Tag!

So bleibt denn auch das Ganze im Ungewissen, ob er Gott selbst gestalten oder aber sich zu Gott emporläutern will.

Eines aber bleibt klar: Weil er sich gefesselt fühlt, weil *sein* Herz hart, trotzig, trüb und wild war, gerade deshalb muß er – aus dem Bewußtsein völliger Unfähigkeit heraus – Gott um Hilfe anrufen. Das ist meines Erachtens sehr viel mehr aus dem Schwächegefühl des angehenden Dichters heraus empfunden als aus dem titanischen Widerspruch Michelangelos. In solcher, ihm angepaßter Weise hat sich dieser am Schluß des bereits zitierten Sonetts ausgesprochen, dort, wo er Gott um Beistand anruft, um sich aus der Weltfreude zu lösen:

> Mach mir verhaßt, was gilt in dieser Welt
> Und was an ihr ich schön und wertvoll fand,
> Daß ich vorm Tod mir sich're ew'ges Leben.

Das ist beinahe mittelalterlich wirkender Ablaß-Handel und mit dem sola fide-Gedanken der Reformation nicht vereinbar. Näher steht dem angehenden Dichter der Wortlaut eines Fragments:

> Zu Dir, Herr, sprech' ich, denn kein Mühn beglückt
> Den, der die Hilfe durch Dein Blut nicht fand:
> Erbarm Dich mein, ich bin in Deiner Hand
> Seit der Geburt, und werd Dir nie entrückt.

Kurz zusammengefaßt: Meyer hat, aus den Gefühlen eigener Unzulänglichkeit heraus, nur diesen, den unter seinem Gott sich beugenden Menschen und weniger den Titanen, den Renaissance-Menschen in seinem ungeheuren Selbstbewußtsein, gesehen. Und der Gesamteindruck des Gedichts aus dem Jahre 1870: Noch krankt es an einer Häufung der Motive und an einem Mangel an klarer Linearität. Zwei lyrische Bild- und Stimmungskreise werden zusammengeklittert. In den ersten vier Strophen wird das Bild des in seiner Werkstatt sitzenden Künstlers entworfen; in den folgenden fünf hält er Zwiesprache mit Gott, eine Art Generalbeichte. Im ersten Teil steht in der Mitte der Gedanke der Vergänglichkeit, der sich dem Künstler nach dem frühen Tode Raffaels aufdrängte; im zweiten dagegen steht ein künstlerischer Plan, die Bewältigung des Gottesbildes, im Mittelpunkt und damit das Künstlertum als Mittlertum göttlicher Schöpferkräfte.

Alle diese Unzulänglichkeiten wurden dem Dichter bewußt, als sich ihm in den späten Reifejahren in unerwarteter Weise neue Schaffenskräfte einstellten, und zwar umsoklarer, je stärker sich ihm aufgrund seiner Studien das Bild Michelangelos einprägte. Jetzt drängte ihn gerade die Unvollkommenheit des Versuchs zu einer Neubearbeitung.

Das Bild des unter Marmorbildern sitzenden Menschen wird ihm später das Motiv liefern zu zwei in sich gerundeten Gedichten, nämlich zu «Il Pensieroso»[6] und zu «Michelangelo und seine Statuen». Das Thema des Gedichtes «Michel Angelo» wurde bereits für die Gedichtsammlung des Jahres 1882, also ein Dutzend Jahre später, wieder in Angriff genommen, wobei der Künstler aus seiner Werkstatt in die Sixtinische Kapelle versetzt wird.

In der Sistina

In der Sistina dämmerhohem Raum,
Das Bibelbuch in seiner nervgen Hand,
Sitzt Michelangelo in wachem Traum,
Umhellt von einer kleinen Lampe Brand.

Laut spricht hinein er in die Mitternacht,
Als lauscht' ein Gast ihm gegenüber hier,
Bald wie mit einer allgewaltgen Macht,
Bald wieder wie mit seinesgleichen schier:

«Umfaßt, umgrenzt hab ich dich, ewig Sein,
Mit meinen großen Linien fünfmal dort!
Ich hüllte dich in lichte Mäntel ein
Und gab dir Leib, wie dieses Bibelwort.

Mit wehnden Haaren stürmst du feurigwild
Von Sonnen immer neuen Sonnen zu,
Für deinen Menschen bist in meinem Bild
Entgegenschwebend und barmherzig du!

So schuf ich dich mit meiner nichtgen Kraft:
Damit ich nicht der größre Künstler sei,
Schaff mich – ich bin ein Knecht der Leidenschaft –
Nach deinem Bilde schaff mich rein und frei!

Den ersten Menschen formtest du aus Ton,
Ich werde schon von härterm Stoffe sein,
Da, Meister, brauchst du deinen Hammer schon,
Bildhauer Gott, schlag zu! Ich bin der Stein!»[7]

Nun hat sich das Ganze zu einem einheitlichen Bilde geläutert; jede Zweideutigkeit wie das «... Gewaltig in ein Buch vertieft» hat sich verflüchtigt. Michelangelo hält nicht mehr Dante oder die Heilige Schrift, sondern «das Bibelbuch in seiner nervgen Hand». Und jetzt ist die mitternächtliche Stimmung im hohen Raum groß gefaßt: Michelangelo sitzt «in wachem Traum, umhellt von einer kleinen Ampel Brand», fast einem Bilde Rembrandts nachgezeichnet. Das wirkt so ganz anders als «Ein Lichtlein schimmert in der Mitternacht». Und wie eindrücklich die Wortschöpfung «in der Sistina *dämmerhohem* Raum»! Ein Ausdruck, der schon für sich selbst in genialer Kürze den Gesamteindruck zusammenfaßt. Verschwunden ist jetzt die Reflexion über die Hinfälligkeit und den frühen Tod Raffaels. Es wurde als unbedeutendes historistisches Nebenwerk ausgeschieden. Dazu wird die bloß beschreibende Darstellung in eine unzweideutige Traumvision verwandelt.« Des Meisters Angesicht wird feierlich. Er scheint mit jemand im Gespräch zu sein», diese prosaisch wirkenden deskriptiven Zeilen werden ersetzt durch die unvermittelt aufgerufene Vision:

Laut spricht hinein er in die Mitternacht,
Als lauscht ein Gast ihm gegenüber hier.

Noch eindeutiger wird die zweite Hälfte dieser Strophe einer symbolischen Charakteristik Michelangelos dienstbar gemacht. Denn er spricht

Bald wie mit einer allgewaltgen Macht,
Bald wieder wie mit seinesgleichen schier.

Damit ist das Verhältnis des Schöpfers Michelangelo zum Schöpfer-Gott großartig gefaßt. Als künstlerischer Schöpfer fühlt er sich dem Weltenschöpfer gleichgestellt und kann mit ihm wie mit seinesgleichen sprechen, als Mensch aber unterwirft er sich seiner Allmacht. Wenn er jetzt aber laut in die Mitternacht hineinspricht, so hat der heroische Mensch nunmehr seinen Gott gleichsam magisch in seinen Kreis heranbeschworen. Und jetzt, da Michelangelo in der Sistina sitzt, bleibt auch kein Zweifel mehr darüber bestehen, wen er zu gestalten und zu formen trachtet. Es ist auch nicht mehr bloß ein künstlerischer Plan; denn er hat es bereits fünfmal versucht, das ewige Sein, den transzendenten Gott, ins Bild hereinzurufen.

> Umfaßt, umgrenzt hab ich dich, ewig Sein,
> Mit meinen großen Linien fünfmal dort.
> Ich hüllte dich in lichte Mäntel ein
> Und gab dir Leib, wie dieses Bibelwort.

Von diesen fünf Bildwerdungen Gottes hat nun der Dichter, zusammenziehend und vereinfachend, zwei herausgegriffen. Ihm waren sie – und sie sind es vielleicht auch objektiv – die eindrücklichsten. Die eine ist der in den Weltraum hinausfliegende Demiurg, der in gewaltiger Gebärde Sonne um Sonne in den Raum setzt. Die andere ist der Menschenerschaffer. Er ist von ganz anderer Art; hier gilt nicht Schöpferwille und Befehl, hier gelten allein gnädiges Entgegenkommen und Hinneigung:

> Für deinen Menschen bist in meinem Bild
> Entgegenschwebend und barmherzig du.

Dieses Wissen um die Gnadenhaftigkeit Gottes, das Meyer in der großartigen Gebärde bei der Erschaffung Adams zum Ausdruck bringen läßt, gehört wohl zum zentralsten Glaubensbestand des reiferen Dichters, tritt es doch auch im bekannten Spruch «In Harmesnächten» [8] zutage:

> Was Gott ist, wird in Ewigkeit
> Kein Mensch ergründen,
> Doch will er treu sich allezeit
> Mit uns verbünden

Solch gewaltige Schöpferkraft, wie sie Michelangelo eigen war, ist aber auch von Gefahren umwittert; sie kann der Hybris und dem selbstischen Trotz rufen und zur Auflehnung wider den göttlichen Willen führen. Darum muß gerade eine so starke schöpferische Existenz der göttlichen Barmherzigkeit anbefohlen werden. Jetzt aber, in der zweiten Fassung des Michelangelo-Themas, ist es nicht mehr nur eine Reue ob irdischer Leidenschaften, eine pietistische Reue darüber, daß er sich der irdischen Schönheit verschrieben hat. Denn nun ist die Erfassung und Gestaltung irdischer Schönheit nicht mehr ein Irrweg, nicht mehr Sünde, sie gehören vielmehr zum allgemeinen Menschenlos, sind ein Teil der Gebundenheit an die condition humaine, an die irdische Leidenschaft.

Aber nun liegt in Michelangelos Bitte um die Gnade die beschwörende Leidenschaft des Titanen, eines schöpferischen Selbstbewußtseins und Hochgefühls, das weit über Meyers Selbstbewußtsein hinausragt. Hier hat er, reifer und zugleich objektiver geworden, den Schritt über sich selbst hinaus getan, um sich dem wahren Wesen Michelangelos anzunähern. «In der Sistina» hat die subjektivistische Färbung von «Michel Angelo» weitgehend verloren:

So schuf ich dich mit meiner nichtgen Kraft.
Damit ich nicht der größre Künstler sei,
Schaff mich – ich bin ein Knecht der Leidenschaft –
Nach deinem Bilde schaff mich rein und frei.

Nun ist auch dieses Bild des Betenden aus seiner Zwielichtigkeit befreit. Der gnadebedürftige schöpferische Mensch ruft jetzt nicht mehr wie in der früheren Fassung Gott an, damit er ihm helfe, *seine,* Gottes Gestalt zu meißeln, jetzt ist er selbst als Mensch und menschliche Möglichkeit Gegenstand des göttlichen Schöpfertums. Gott soll die reine Idee des Menschen aus seinen beschränkten irdischen Möglichkeiten herausarbeiten. Denn der Mensch ist nicht imstande, sich selber zum Ebenbilde Gottes zu machen, wie er denn überhaupt nicht souverän über sich verfügen kann. Daher soll er – das ist ganz aus dem Selbstbewußtsein des Renaissance-Menschen heraus gefolgert – auch nicht in Zerknirschung und Reue zerfließen, sondern sich vertrauensvoll der gnädigen Schöpferhand anheimgeben. Er weiß, daß er, wie der erste Mensch, aus dieser Schöpferhand stammt. Im Gebetsruf Michelangelos nähert sich dabei der Dichter in natürlicher Weise dem Wort der Genesis. «Gott schuf den Menschen ihm zum Bilde, zum Bilde Gottes schuf er ihn»[9] wird hier einfach subjektiv auf das menschliche Individuum Michelangelo bezogen: «Nach deinem Bilde schaff mich rein und frei!»

Vom titanischen Selbstbewußtsein des Renaissance-Künstlers ist auch die letzte Strophe getragen. Er, Michelangelo, weiß, daß er von härterem Stoffe ist als der erste Mensch. Wenn er daher seiner Idee gemäß geformt werden soll, dann darf er ihn nicht aus weichem Ton modellieren; der Werkstoff, aus dem *er* zu schaffen ist, das ist der Stein, der geschlagen werden muß.

Mit all dem ist Meyer erst aus seinem Identifikationsversuch mit Michelangelo herausgetreten; er hat jetzt seinen Schritt von sich weg zu Michelangelo getan und sein Gedicht von Subjektivismen gereinigt. Denn von sich selbst dürfte Conrad Ferdinand Meyer kaum mehr sagen können, daß er von härterm Stoffe sei. Und das titanische «damit ich nicht der größre

Künstler sei» kann nur aus dem Wesen Michelangelos, nicht aus dem sehr beschränkten Kraftbewußtsein des zürcherischen Dichters stammen.

So bedeutet die Umformung und Straffung für Meyer den Schritt über sich hinaus in die reine Objektivität. Die dichterische Vision hat sich von ihrem Schöpfer gelöst. Dies bedeutet aber nicht ein Von-sich-Abstreifen des Erlebnisses Michelangelo. Es ist vielmehr eine klarere Schau und ein freieres Bekenntnis. Aber es ist auch nicht nur die Vision des historischen Phänomens Michelangelo; seine Gestalt wird vielmehr zu einem ewigen Exemplum kreativen Seins in der Welt erhoben.

Zur Katharsis und zur Annäherung an Gott bedarf es nach dem Wortlaut von «In der Sistina» nicht in erster Linie der Überwindung der Weltlust – denn diese gehört zur condicio humana – es bedarf der göttlichen Begnadung. Das ist zwar allgemein christliche Auffassung, es ist aber auch wieder in besonderem Maße lutherisch und calvinisch gedacht. So bleibt bis zum Schluß dieser Strophen die Antinomie des Künstlers: Hybris und Auflehnung wider die Allmacht Gottes und ein um so bewegterer Anruf an die göttliche Gnade.

> Den ersten Menschen formtest du aus Ton,
> Ich werde schon von härterm Stoffe sein.
> Da, Meister, brauchst du deinen Hammer schon,
> Bildhauer Gott, schlag zu! Ich bin der Stein.

Und wo könnte diese Zwiesprache besser eingebracht werden als in die Sistina, deren machtvolle Bildwelt den Romfahrer erstmals erschütterte und an Michelangelo heranbrachte!

Aber damit waren die Motive, die in «Michel-Angelo» angeschlagen worden waren, noch nicht alle ausgebeutet. Die Zwiesprache eines titanischen Schöpfers mit Gott und das Ringen zwischen Titanismus und Demütigung ist ja auch nur *ein* Zug seines Wesens. Wohl deutet «In der Sistina» Michelangelos Verhältnis zu seinen Gottesbildern, nicht aber das seelische Erleben, das ihn bei der Ausprägung und Formung menschlicher Gestalten begleitete. Dieses seelische Erleben und die Motivation der schöpferischen Tat hat im Gedicht «Michelangelo und seine Statuen» Gestalt angenommen und eine Deutung gefunden, wie sie nur von Conrad Ferdinand Meyer gegeben werden konnte. Noch einmal hat er dabei das Motiv des sitzenden und sinnenden Künstlers aufgegriffen. Wenn er dabei zur früheren Version zurückkehrt und das Erleben wieder in die Werkstatt des Künstlers verlegt, so ergibt sich dies jetzt folgerichtig aus dem Thema. Denn jetzt steht ihm nicht die Freskenmalerei, sondern die Plastik vor Augen. Hier sieht er die Figuren, die da und dort in der Welt ihre Aufstellung gefunden haben, in den Entwürfen und Modellen bei sich versammelt. Und jetzt tun sie ihm ihr besonderes Wesen und ihren Sinn für sein Dasein kund.

Dem Dichter selbst aber ergab sich diese Vision gewissermaßen als eine Synthese seiner früheren Begegnungen mit einzelnen Skulpturen Michelangelos: in Paris, in Rom, in Florenz. Denn in Paris hatte er den «Sterbenden Gefangenen» gesehen, in Rom den «Moses» in San Pietro in Vincoli und die «Pietà» im Vatikan und schließlich in Florenz die Figuren der Sagristia Nuova und die «Kreuzabnahme» im Dom.

Michelangelo und seine Statuen

Du öffnest, Sklave, deinen Mund,
Doch stöhnst du nicht. Die Lippe schweigt.
Nicht drückt, Gedankenvoller, dich
Die Bürde der behelmten Stirn.
Du packst mit nervger Hand den Bart,
Doch springst du, Moses, nicht empor.
Maria mit dem toten Sohn,
Du weinst, doch rinnt die Träne nicht.
Ihr stellt des Leids Gebärde dar,
Ihr meine Kinder, ohne Leid!
So sieht der freigewordne Geist
Des Lebens überwundne Qual.
Was martert die lebendge Brust,
Beseligt und ergötzt im Stein.
Den Augenblick verewigt ihr,
Und sterbt ihr, sterbt ihr ohne Tod.
Im Schilfe wartet Charon mein,
Der pfeifend sich die Zeit vertreibt. [10]

Das Gedicht gehört zwar nicht zu den beglückendsten, weil spontan wirkenden Kunstwerken Meyers, da es nicht nur *ein* sondern vier Michelangelo-Bildwerke in die Erinnerung ruft und demnach ein vierfältiges Bildgedicht darstellt. Es ist zu stark an die Reihe dieser Bildungserlebnisse geknüpft und setzt im Grunde deren Kenntnis, respektive die Kenntnis der vier Skulpturen Michelangelos voraus. Wir müssen also erst Michelangelo kennen, bevor dieses Gedicht seine Leuchtkraft entfaltet. Wenn Meyer im Gedicht «In der Sistina» einen Teil der dortigen Fresken, und zwar den Schöpfungsmythos, ins Wort ruft, so läßt er hier den Bildhauer jene Statuen um sich versammeln, die ihm, dem Dichter, nahegingen. Überprüfen wir sie nach ihrem gemeinsamen Zug, so sind es wohl tatsächlich jene, bei denen eine innere Bewegtheit, ein seelisches Leiden besonders deutlich zum Ausdruck gebracht wird: den sterbenden Gefangenen im Louvre, den Moses vom Grabmal Julius' II, die Pietà und den Pensieroso. Sie sind von einer inneren Bewegtheit durchschüttert oder verraten eine mächtige seelische Spannung. Im Sklaven sind es die Kämpfe eines Gefesselten, eines in schwerem Banne Gebundenen. Im Gedankenvollen sind es die Züge eines an sich selber Leidenden, eines mit der Wirklichkeit des Lebens im Widerspruch stehenden Menschen, im Moses ist es der Zorn des Propheten über sein gottlos gewordenes, abtrünniges Volk, und in der Pietà vollends scheint das Weltleid über die Gebrochenheit alles Menschendaseins Gestalt geworden zu sein. Es sind sozusagen die ewigen Gebärden des menschlichen Kämpfens und Leidens. Aber es sind zugleich und in besonderem Maße die Kämpfe und Leiden Conrad Ferdinand Meyers, und ich habe nicht unabsichtlich die jeweils besondere Form des inneren Kampfes in Worten formuliert, die den Bekenntnissen des Dichters nahestehen.

Angesichts solcher Gebärden nun, deren Aussage sich dem Dichter unmittelbar kundtut, stellt er die Frage nach dem Wesen solcher Kunst. Und aus der Rückschau auf sein Werk ergibt sich dem schaffenden Künstler Michelangelo und dem Dichter Meyer das *eine* große Bekenntnis zum Sinn ihres Schaffens:

Ihr stellt des Leids Gebärde dar,
Ihr meine Kinder, ohne Leid!

Indem der Künstler als Mensch und Schaffender diesem Leiden Gestalt und Gebärde gibt, löst er sich von ihm los und gibt sich damit selbst der Freiheit zurück:

So sieht der freigewordne Geist
Des Lebens überwundne Qual.

Ja, der Akt der Schöpfung bedeutet nicht nur Befreiung des Individuums vom Leiden; das Werk selbst beseligt ja seinen Schöpfer, vor allem aber auch den, der es anschaut und sich von ihm ergreifen läßt. Es beseligt – wie nach der Theorie des Aristoteles die Tragödie den Menschen reinigt. Das ist der Sinn aller ernsten Kunst, daß sie das an sich Chaotische des Lebens klärt, reinigt und das Schwere des Daseins in sichtbare Gestalt einfängt und damit faßbar, umgreifbar macht. Darin aber geht nun Conrad Ferdinand Meyer mit dem großen Künstler der Renaissance und darüber hinaus mit jedem großen schöpferischen Gestalter auf gleichem Pfade. Und für ihn gilt wie für Michelangelo: Die Gestaltung des Kunstwerks, des bildnerischen (bei Michelangelo), des dichterischen (bei Meyer), war für sie die einzige Möglichkeit, sich selbst zu verwirklichen. Nur so, indem sie das Leiden gestalteten, formten, aus sich herausstellten, vermochten sie die

Qual des Lebens zu tragen, zu überwinden. In dieser Überwindung des Leidens und der Leidenschaften, in diesem exemplarischen Tun, liegt auch ihr sozialer Sinn:

> Was martert die lebendge Brust
> *Beseligt* und *ergötzt* im Stein.

Während das menschliche Leben an sich fortdauernd dem Leiden ausgesetzt bleibt, und während das Ende alles Lebens und Leidens der Tod sein muß, ist der Stein – und jedes Kunstwerk –, weil er kein Leben, keine anima, keinen élan vital enthält, auch von dieser letzten Konsequenz alles Leidens, vom Sterben, befreit. Denn das Kunstwerk, zum mindesten das der bildenden Kunst, hält ja – nach Lessing – nur den fruchtbaren Augenblick fest und verewigt ihn.

Darum muß es auch nicht an dem leiden, woran der Mensch, woran insbesondere unser Dichter am meisten gelitten hat: an der Zeit und an der Hinfälligkeit alles Seins, am Sein zum Tode. Hier scheint Meyer, wie bereits angedeutet, Gedanken Lessings aufgenommen zu haben, wenn er, wie dieser im «Laokoon», das Wesen der bildenden Kunst darin sieht, daß sie, weil sie Bewegung selbst nicht wiederzugeben vermag, den fruchtbaren Moment, den transitorischen günstigen Augenblick, fixieren muß, der in sich das Vor- und das Nachher und damit alle Zeitlichkeit aufzufangen scheint. Ganz so sagt es Meyer: «Den Augenblick verewigt ihr». Daneben aber kommt ihnen ein Zweites zu: Weil sie aus toter Materie gestaltet sind, sind sie allein dem Wesen und Gesetz dieser Materie unterworfen, dem Zerfall. Doch dieser Zerfall ist nicht gleichbedeutend mit dem Tod; Tod kommt ja nur dem Lebendigen und Leidenden zu. Für Meyer aber war der Tod – wir wissen es schon längst – allgegenwärtig, als Angst-Komplex oder als Ziel der Sehnsucht. Die Marmorgestalten Michelangelos aber kennen ihn nicht: «Und sterbt ihr, sterbt ihr ohne Tod.»

So weit geht der gedankliche Konnex dieses Gedichtes geradlinig und leicht zugänglich fort. Aber daran schließen sich, befremdlich und mindestens zunächst scheinbar ohne Zusammenhang, die beiden rätselhaften, fast ins Groteske abschweifenden Schlußverse:

> Im Schilfe wartet Charon mein,
> Der spielend sich die Zeit vertreibt.

Zwar bleibt das Bild in der Nähe Michelangelos: Auf der einen Schmalseite der Sistina entfaltet sich die Wand mit der Darstellung des Jüngsten Gerichts, die Michelangelo und (oder?) seinen Schülern zugeschrieben wird. Auf der unteren Bildhälfte ist auch Charon, der Totenschiffer, mit seinem

Boot dargestellt, vom Künstler in merkwürdiger Weise als antikes Todesmotiv in die apokalyptische christliche Vision eingebaut[11]. Dieser Bildteil mag, wenn auch arg eingedunkelt, dem Besucher der Sistina im Gedächtnis geblieben sein. Im Zusammenhang des Bildgedichts «In der Sistina» ist das Motiv des Totenschiffers Charon an das Todesthema der vorangehenden drittletzten Zeile angeknüpft. Von den leidlosen Steinen, die Michelangelo beneidet, geht der Gedanke sozusagen fugenlos auf den eigenen Tod über; Steine sterben, das heißt sie gehen in Brüche, ohne das Erlebnis des Todes. Dies aber, ein Sterben ohne Tod und damit ein Dasein, das nicht vom Todesgedanken überschattet ist, das ist es, was er für sich ersehnt. So hat er nicht nur das menschliche Leiden, sondern auch die Todesfurcht im Kunstwerk aus sich herausgestellt. Wie die Skulpturen in ewiger Schöne und Abgeklärtheit einfach da sind, so möchte er jetzt, nach des Lebens überwundner Qual, in sozusagen reinem, unbesorgtem Sein über den Dingen schweben. Dieses Sein in der Freiheit, nach Überwindung der schwersten Lebenslasten und der Todesängste, ein solches Sein sucht der Dichter C. F. Meyer in dieses eigenartige Bild des Totenschiffers einzufangen: Der Totenferge läßt sich Zeit. Pfeifend, einem Faun gleich, vertreibt er sich die Zeit und wartet dort im Schilf auf den nächsten Fährenbenützer. Und der Mensch kann dies, gelassen geworden, mitansehen und mitanhören ohne Bitternis oder Kümmernis. Auch *sein,* Michelangelos Tod ist jetzt nicht mehr das bittere und rätselvolle Ende des Leidensweges; es wird vielmehr ein Sterben ohne Tod sein, weil Leiden und Leben ins Werk eingegangen und dort aufbewahrt sind. So schwebte in der hohen aber kurzen Zeit der Reife auch der Dichter und Künstler, der Bildner Conrad Ferdinand Meyer über den Dingen, über den Kämpfen und Leiden, wenn er sich ihrer im kreativen Akt entledigt hatte. Und wenn sich auch dieser Zustand der Schwebe nicht auf die Dauer halten konnte, so hatte er doch, weil er beseligte, etwas dauernd Erstrebenswertes in sich. Charon, der Totenschiffer, mochte sich derweilen spielend die Zeit vertreiben; die kommende Fracht würde ihm ohne Schmerz, ohne ‹Tod› zufallen.

So beweist dieses Gedicht vielleicht wie kein anderes, welche existentielle Bedeutung das künstlerische Tun für den Dichter hatte. Wir begreifen nun auch tiefer, daß das unablässige Feilen, Verändern, Verbessern, das ‹Vollenden› der dichterischen Werke etwas Lustbetontes in sich trug. Die Gedichte sind nicht nur «Bruchstücke einer großen Konfession», wie für Goethe, Ihre Entstehung schon ist ein Akt der Erlösung und Heilung.

Conrad Ferdinand Meyers Weg zu seinem Glauben

Säerspruch

Bemeßt den Schritt! Bemeßt den Schwung!
Die Erde bleibt noch lange jung!
Dort fällt ein Korn, das stirbt und ruht.
Die Ruh ist süß. Es hat es gut.
Hier eins, das durch die Scholle bricht.
Es hat es gut. Süß ist das Licht.
Und keines fällt aus dieser Welt.
Und jedes fällt, wie's Gott gefällt. [1]

Gehen wir zunächst von diesem Gedicht aus, das auf dem Höhepunkt von Conrad Ferdinand Meyers schöpferischer Fruchtbarkeit entstanden ist. Vielleicht läßt sich von dem so lapidar einfachen Gedicht aus schon ein Stück weit die Tiefe der Meyerschen Glaubenswelt ausloten. Das Bild des Sämannes sei ihm, so sagt er es in einer noch wenig eindrücklichen früheren Fassung des Motivs (wohl aus dem Jahre 1865) immer kostbar gewesen:

Das Liebste doch von allen
Ist mir des Sämanns Gang
Und seiner Körner Fallen
Der Furche Flucht entlang. [2]

Wer aber dieses Motiv des Sämanns wählt, kommt dazu nicht allein von der ländlichen Anschauung und Erfahrung her, sondern von der *Bibel*. Denn das Gleichnis vom Sämann ist das erste und vielleicht das eindrücklichste aller Gleichnisse und wurde von Matthäus (13, 3–8), Markus (4, 3–20) und Lukas (8, 5–15) je in ihrer Sprache formuliert. Wählen wir als Beispiel die Matthäus-Stelle (und zwar in der Übersetzung der Zürcher Bibel):

Siehe, der Säemann ging aus, um zu säen. Und indem er säte, fiel etliches auf den Weg, und die Vögel kamen und fraßen es auf. Andres fiel auf den felsigen Boden, wo es nicht viel Erde hatte, und es ging sogleich auf, weil es nicht tiefe Erde hatte. Als aber die Sonne aufging, wurde es verbrannt, und weil es nicht Wurzel hatte, verdorrte es. Andres fiel unter die Dornen, und die Dornen wuchsen auf und erstickten es. Noch andres fiel auf den guten Boden und brachte Frucht, etliches hundertfältig, etliches sechzigfältig, etliches dreißigfältig. Wer Ohren hat, der höre! [3]

Jesu Gleichnis hat mit Meyers Gedicht die unmittelbare Sinnfälligkeit und Anschaulichkeit gemein, aber, so heißt es in allen drei genannten Evangelien, die Jünger hätten sich herzugedrängt und eine Erklärung, eine Deutung gefordert. Jesus gab sie ihnen, klar und unmißverständlich: Es geht um die Verkündigung, um die Aussaat der Botschaft, und verhehlen wir es uns nicht: Es ist ein hartes Gleichnis, das die Unbedingtheit der Verkündigung unmißverständlich ins Licht stellt: Wer da das Wort hört, der geht auf in seiner Fülle und trägt hundert, sechzig oder wenigstens dreißigfältig. Wer aber nicht hört, der muß zugrunde gehen, und der Gefahren sind mehrere: Der das Wort empfängt, hat taube Ohren; dann verhallt der Ruf des Herrn ungehört, oder er hört zwar hin, aber er hat keinen Untergrund, das Gehörte zu verarbeiten und zum seinen zu machen: Das Wort verdorrt, ehe es recht aufgegangen, oder aber er hört und nimmt es auf und macht es zum seinen, läßt es aufgehen, aber der Plunder dieser Welt überwuchert sein ursprüngliches reines Streben. Die Saat der Verkündigung wird verdrängt und geht zugrunde.

Dem Gleichnis haftet etwas Grausames, Unerbittliches an. Eine Gnadenlosigkeit liegt über den drei negativen Ausgängen der Aussaat. Die Körner werden den Vögeln zum Fraß oder sie verdorren, oder die jungen Keimlinge ersticken, drei Vorgänge, die alle das Grundwesen der Vernichtung und des endgültigen Untergangs meinen.

Meyer hat zweifellos das Gleichnis der Evangelien zum Anstoß genommen. Für einen täglichen Bibelleser, der er war, nicht weiter erstaunlich. Auch in seinem Spruch geht es um Aufgang oder Tod, und auch bei ihm werden Tod und Sterben vorausgenommen, und der Aufgang ins Licht ist die letzte der Möglichkeiten. Allein nun zeigen sich die Unterschiede. Denn in seinem großartig rhythmisierten Säergang (dem Dichter sind acht vollkommen reine vierfüßige Jamben, freilich mit sehr gewichtigen Nebenakzenten, gelungen) und im wohl abgemessenen Schwung der säenden Rechte vollzieht sich so etwas wie eine sakrale, eine feierliche Handlung. Was diese weise Hand ausstreut, ist keiner endgültigen Vernichtung ausgeliefert. Der Tod, der hier gestorben wird, ist kein Vernichtungstod, sondern ein guter Tod. Er ist Ruhe im Bett der guten Mutter Erde; Sterben heißt eingehen in ihre mütterliche Geborgenheit. Die drei Möglichkeiten grausamen Untergangs im biblischen Gleichnis, Fraß, Verdorren, Erstikkung, haben sich auf diese eine des Eingehens in die süße Ruhe reduziert. Die Ruhe des sterbenden Samenkorns ist so gut und so schön wie der Aufgang in die Helle, zum Leben im süßen Licht des Tages.

Und keines fällt aus dieser Welt
Und jedes fällt, wie's Gott gefällt.

Tod und Verderbnis sind in diesem Säerspruch, so gut wie alles Lebendige, aufgehoben in Gott, der diese ganze Welt, in die die Samen, alle ohne Ausnahme, hineinfallen, trägt und hält.

Was hat den Dichter Conrad Ferdinand Meyer bewogen, den von Christus selbst gedeuteten Sinn des Gleichnisses vom Säemann in solcher Weise abzuändern? Wie kam er dazu, ihm seine Bezogenheit auf die Verkündigung und die Botschaft des Herrn wegzunehmen und es als in sich selber gültiges Bild gelten zu lassen, ohne Aufforderung an den Hörer: «Wer Ohren hat zu hören, der höre!»

Meyer hatte das calvinistische Christentum während seiner Aufenthalte in der welschen Schweiz, dem zweiten vor allem, gründlich kennen gelernt und hatte sich mit dem Wesen der Prädestinationslehre und der Lehre von der unsichtbaren Gemeinde Christi oft genug, auch als Dichter (im «Amulett»), auseinandergesetzt. Noch mehr: Er hatte nicht erst in der welschen Schweiz, sondern schon in Zürich, ein unverträgliches, ein sich selbst verabsolutierendes Christentum erfahren, ein Christentum, das die andern, die nicht auf derselben Spur gingen, verurteilte und verdammte. Und er hatte, wie wir später noch sehen werden, darunter gelitten. Trennung der Menschen in Böcke und Schafe, in jene die hören und jene die nicht hören oder nicht hören wollen, widersprach im tiefsten Grunde seinem allseits von Gott getragenen und geschaffenen Weltbilde, in dem alle ohne jede Ausnahme Platz haben, die Guten wie die Bösen; wo es keine Verdammten und keine Seligen gibt.

Und ein anderes kommt dazu. Meyer, ein tief depressiver, unter Daseins- und Zukunftsängsten lebender Mensch, ein Mensch, der Mühe hatte zu leben, ein Mensch, der in der Welt erst nach einem halben Jahrhundert Lebenszeit einigermaßen zurecht kam, er stand oft genug dem Tode näher als dem Leben; das Sterben wäre ihm in manchen Augenblicken seines Lebens lieber gewesen als weiter leben zu müssen. Er beneidete Kameraden und junge Menschen, die einen frühen und jähen Tod gefunden. Daher, aus diesen Erlebnissen eines Depressiven heraus, ergab sich ihm in der Zeit seiner Lebensreife, auf dem Höhepunkt seines Lebens, da auch der «Säerspruch» zur Reife kam, diese großartige wertfreie Gleichsetzung von Sterben und Werden; ergab sich ihm die Erkenntnis von einer Gnade, für die es keine Grenzen, von einer Welt, in der es keine Verdammten und zu spät Gekommenen mehr gibt, eine Welt, in der jedes fällt, wie's Gott gefällt und alles und jedes in Gott aufgehoben und geborgen ist.

Zu diesem All, das in Gott aufgehoben ist, gehört wie bereits angedeutet sogar das Verworfene, das Mißratene, das von der Natur zu kurz Gehaltene, wie das Gedicht *«Allerbarmen»* (1877) eindrücklich erweist (vgl. Wortlaut des Gedichts S. 266).[4] Und Conrad Ferdinand Meyer wußte mehr als andere von diesen Benachteiligten. Vom Großvater mütterlicherseits her, von Johann Conrad Ulrich (gest. 1828), der das Zürcher Blindeninstitut gefördert und die Einrichtung einer Taubstummenanstalt durchgesetzt hatte, gehörte, wie bereits gezeigt, die Betreuung der Benachteiligten und die freiwillige Mithilfe in den Armenanstalten und Waisenhäusern zur festen Familientradition. Damit nicht genug; im Hause der Familie Meyer wurde der leicht debile Sproß einer befreundeten Genfer Familie, Antonin Mallet, als Dauergast beherbergt.

Und Conrad selbst hat kurz nach seiner Heilung in Préfargier ungefähr während eines halben Jahres am Lausanner Blinden-Institut Geschichts-Unterricht erteilt und hat diese Aufgabe, wie es die Lausanner Freunde und der Leiter der Anstalt, ein Zürcher, bezeugen, sehr ernst genommen.

Zur selben Zeit hat er einen einstigen Mitpatienten der Anstalt Préfargier, der wie er in Lausanne lebte, des öftern besucht und ihm, wie er Cécile Borrel versicherte, eine Art seelische Betreuung zuteil werden lassen, eine Art Nachbehandlung für psychische Rekonvaleszenten. Für die «Armen im Geiste» empfand er nicht nur das übliche Mitleid, er fühlte sich ihnen in seiner eigenen geistigen Bedrohnis brüderlich verbunden; der Einsatz für diese gehörte zu jenen unbedingten Verpflichtungen, die er sich damals auferlegte, als er hinter den Mauern der «Maison de santé» von Préfargier nach der schweren Krise den Weg der Genesung beschritt; ja diese Forderung, sich ganz rückhaltlos in den Dienst der Mitmenschen zu stellen, wurde ihm vom leitenden Arzt mit einer Eindringlichkeit aufgezwungen, die im Grunde über die Kräfte und Möglichkeiten des Patienten ging.

Aber damit rühren wir bereits an die tiefere Problematik von Conrad Ferdinand Meyers Glaubenswelt. Gilt es doch festzustellen, daß der in den beiden Gedichten so eindrücklich und klar erkennbare Glaube an die universale Gnade Gottes keineswegs ein ererbtes oder früh gewachsenes Glaubensgut war, sondern erst aus schweren Kämpfen und auf mühsamen Wegen errungen wurde.

Meyer hat nicht nur zeitweilige Anfechtungen durchlebt, er hat über eine gewichtige Phase seines Entwicklungsweges hinweg den christlichen Glauben verworfen und alle erbaulichen Reden, alle die übliche Tonart seiner strenggläubigen Mitbürger, unter denen er aufwuchs, alles Reden von frommem Dasein und vom seligen Leben verabscheut und sich, wenn diese Sprache an sein Ohr kam, abgewendet und in eisiges Schweigen gehüllt. Ja es muß auf seinem Entwicklungsweg eine Stufe festgestellt werden – man hat sich bis jetzt nur vor dieser Konsequenz gescheut –, die mit dem Begriff

Nihilismus umschrieben werden muß. Conrad Ferdinand Meyer war da gegen den Ansturm der Zeit, gegen das, was wir die Säkularisation des Denkens nennen, eine Bewegung, die das 19. Jahrhundert – und das unsere – in entscheidender Weise bestimmt, in keiner Weise gefeit, im Gegenteil, als hochsensibler Mensch in höchstem Maße davon betroffen. Zwar ist er nicht, wie Gottfried Keller nach seiner Begegnung mit Ludwig Feuerbach, mit fliegenden Fahnen zu den Verneinern der Unsterblichkeit übergelaufen; doch besteht kein Zweifel, daß er sich von der anti-religiösen Welle der Vormärz-Zeit (vor 1848) emportragen ließ. Ob er, wie David A. Jackson[5] meint, eine zeitlang dem Sozialisten Johann Jakob Treichler zuneigte und soziale Reformideen hegte, ist noch zu wenig erwiesen. Jedenfalls aber entfremdete er sich immer mehr jenen Kreisen, denen er selber entstammte. Die allgemeine Isolation, der er vom Ende seiner Mittelschulzeit an verfiel, bezog sich schließlich auf alle Kreise, denen er in seiner Jugend zugehört hatte, auch auf die religiösen; auch die frommen Zirkel, in denen die Mutter verkehrte, wurden ihm zum Überdruß.

Damit kommen wir auf die religiöse Jugendproblematik des Dichters. Sie ist aufs engste verbunden mit der Mutter-Sohn Beziehung, die, zuvor glücklich und heiter, nach dem Tode des Vaters immer düsterere und gespanntere Formen annahm. Elisabeth Meyer-Ulrich war eine Frau von bedeutender Intelligenz und von sehr guten geistigen Gaben. Aber diese Gaben waren – der allgemeinen Situation der Frau in der bürgerlichen Gesellschaft der Zeit entsprechend – in ihrer Jugend nur zu einem geringen Teil entwickelt worden. Sprachlich ausgezeichnet ausgebildet – sie beherrschte die französische Sprache in Wort und Schrift so gut wie die deutsche – lebte sie ein Leben strengster Religiosität. Ob nach eigener Entscheidung oder von elterlicher Seite dazu angehalten, jedenfalls scheint ihr die weltliche Literatur nicht zugesagt zu haben, entgegen den Lesegewohnheiten der Biedermeierzeit. Ihre Lektüre, und zwar eine ziemlich ausgedehnte – auch Jean Paul gehörte dazu –, erstreckte sich aber vor allem auf religiöse Erbauungsbücher protestantischer Richtung, zu denen auch die calvinistisch gefärbten Erbauungsbücher der französischen Schweiz zu zählen sind. Dazu kam der gewissenhafte Besuch aller gottesdienstlichen Veranstaltungen.

Nach dem Tode ihres Gatten hatte das Leben für sie seine Reize und Freuden verloren. Sie war hilflos jedem Schmerz und jeder düsteren Stimmung ausgeliefert. Den erzieherischen Aufgaben ihrem Sohn gegenüber, die ihr nach dem Tode des Mannes allein überbunden waren, fühlte sie sich nicht gewachsen. In ihrer ausweglosen Hilflosigkeit flüchtete sie sich ins Gebet, der einzigen Rettung aus Stimmungen völligen Verlorenseins. Zu

Selbstbezichtigungen und depressiver Askese neigend, tat sie nach dem Tode ihres Mannes alle freudige Farbigkeit und Heiterkeit von sich ab, hüllte sich in Grau oder Schwarz und konnte sich in freiwilliger Armenhilfe kaum genugtun. Welt- und Daseinsfreude verwandelten sich ihr zu sündlichem Verhalten und Hochmut. Sie war des Glaubens, daß nicht nur sie, sondern auch ihre Kinder sich in gänzlicher Enthaltsamkeit und absoluter Demütigung zu bewähren hätten. Mit ihrer unbedingten Askese verband sie eine unerbittliche Sittenstrenge und – schlimmer noch – eine absolute Unduldsamkeit. Sie kompensierte ihr Unvermögen zu erzieherischer Großzügigkeit mit kleinlichster Schulmeisterei. «Du wirst es immer mehr erfahren, wie wichtig es ist, auch im kleinen genau und ordnungsliebend zu sein»; so schreibt sie Conrad im Brief vom 13. Oktober 1852 (eine Mutter an ihren 27jährigen Sohn!), und drei Monate später ermahnt sie ihn zur «Genauigkeit in allen Dingen». Nur diese, meint sie, könne ihn in den Augen seiner Mitmenschen wieder emporheben. Selbstgefällig fügt sie bei: «Wieviel lieber würde ich über diesen Punkt schweigen – aber meine mütterlichen Pflichten gegen Dich lassen mir dies nicht zu. Weil ich Dich liebe, spreche ich Dir zu, und muß dies tun bis Du in der ‹Tat› mit mir einverstanden bist[6].» Das ist schon beinahe erpresserische Eindringlichkeit, und sie konnte sie wagen, weil sie des Sohnes Anhänglichkeit und seiner Bindung an sie sicher war.

Aber diese Eindringlichkeit erstreckte sich nicht nur auf kleinliche Verhaltensregeln im Alltag, wie das Verbot, sein Rasiermesser mit dem Taschentuch zu reinigen, oder ein auf den Rappen genaues Kassabuch zu führen (was der Sohn eine zeitlang buchstäblich befolgt hat), sie betraf viel tiefere Bezirke seiner Persönlichkeit. Eine größere Partie ihres Briefes vom 20. September 1852 läßt dabei ihre Absicht unmißverständlich erkennen:

«Die Hand aufs Herz, lieber Sohn. Ernst und redlich geantwortet. Wäre das Leben bloß ein heiteres Geistesspiel, so möchten deine scherzhaften und oft sehr witzigen Bemerkungen am Platze sein. – Aber es handelt sich nicht um die Poesie –, sondern um die trockene Prosa, den tiefen, oft so bittern Ernst der wirklichen Dinge. Wir wollen die Vergangenheit ruhen lassen, aber wenn Du aus den Stürmen derselben nicht die Überzeugung davon getragen, daß Du einen andern Leitstern suchen mußt als derjenige war, der Dich an den Rand des Abgrundes führte, so läufst Du Gefahr, Dich aufs neue in tiefe Dunkelheit zu stürzen.

Beten, arbeiten, lieber Conrad, ist ein guter Wahlspruch. Wenn Du noch nicht beten kannst, so arbeite und Du wirst sehen, wie Du durch dieses auch zu jenem geführt wirst.»[7]

Was die Mutter durch diese und andere gleichlaufende Bemerkungen anstrebt, das ist, den Sohn zu zwingen, einen «andern Leitstern» zu suchen, ihn von seinen poetischen Bemühungen gänzlich abzubringen und alle Träume von Dichtertum von sich abzutun. Das hatte sie jahrelang betrieben – einer der Hauptgründe, wenn nicht der Hauptgrund seines Absturzes in schwere depressive Zustände! Sie hatte sein Dichten und Trachten sogar zur schweren Sünde umgestempelt, zur Auflehnung wider Gott und zum Größenwahn. Sein Rückzug in die klösterliche Einsamkeit der dunkelsten Wohnräume, sein monatelanges Leben hinter verschlossenen Fensterläden, seine Scheu vor dem Tageslicht – er pflegte nur noch in nächtlicher Dunkelheit auszugehen – das waren alles nur die Folgen dieses ungeheuren Druckes der Mutter, die diese sogar zu einem allgemeinen Gesellschaftsdruck auszudehnen verstanden hatte, weil sie die Legende von ihrem armen, kranken Conrad in den Kreis ihrer Freunde und Bekannten hinaustrug. Er kam sich als der Geächtete vor, und nach dem Aufenthalt in der Anstalt mußte er mit Recht befürchten, daß er auch noch als ehemaliger Irrenhäusler abgestempelt würde, was damals kaum weniger ehrenrührig war wie Zuchthäusler. Und sie hatte es – sie war eine sehr schreibgewandte Frau – sogar verstanden, dem leitenden Arzt der Anstalt Préfargier eben dieses Bild eines egozentrischen, hochmütigen jungen Menschen zu übermitteln, so daß auch dieser, vor allem in den Anfängen der Internierung, es darauf abgesehen hatte, dem armen jungen Mann seinen orgueil excessif auszutreiben und ihm vor allem *einen* Rat in alle seine therapeutischen Gespräche einzumischen, nämlich von seinen falschen Träumen und literarischen Plänen abzulassen und nur noch eines anzustreben, den demütigen, selbstvergessenen Dienst am Mitmenschen.

Das war es, was man immer wieder von ihm forderte, vollständige ‹humiliation›, vollständige Unterwerfung, demütige Dienstfertigkeit.

Aber der Sohn lehnte sich – soweit reichte noch sein gesundes Selbstvertrauen – wider diese Zumutungen auf, ja er hatte die Religion, die so Unmenschliches von ihm forderte, anzuzweifeln begonnen. Den Gott, der blindwütige Demut und Unterwerfung forderte, mochte er nicht mehr anrufen. Zum Gebet, das für die unglückliche Mutter einzige Zuflucht und Halt war, hatte er so den Weg verloren. Eine schreckliche Entdeckung der Mutter: Ihr Sohn war ein Gottloser, ein Atheist geworden. Das war jene Dunkelheit, in die er abgestürzt war. Schuld war ihrer Überzeugung nach sein Wahn von der dichterischen Berufung. Würde er diesen Wahn, so meint sie, ablegen, so würde auch die demütige Unterwerfung unter Gottes (und ihren) Willen und die Rückkehr der christlichen Gläubigkeit nicht auf sich warten lassen.

Es besteht kein Zweifel, daß Conrad in seiner Gewissensnot in der atheistischen Modeströmung seiner Zeit, der vormarxistischen Gottlosenbewegung, einen Halt suchte, daß ihn mit andern Worten die unerbittliche Forderung der Mutter zum Atheisten machte.

Was die Mutter von ihrem Sohn verlangte, war die Unmöglichkeit selbst, war die Quadratur des Zirkels. Als sie einsehen mußte, daß er sich für die juristische Laufbahn, die Laufbahn seines Vaters, nicht eignete, daß er sich keinem Brotberuf zuwandte, da war ihr Urteil gefällt. Meint sie doch, es wäre gescheiter, ihn in eine Schreinerlehre zu tun als ihn bei den unseligen Büchern zu belassen, die ihrer Meinung nach ihren Sohn in seine Gottlosigkeit gestürzt hatten. Sie wollte mit andern Worten einen Menschen aus ihm machen, der er nach seiner natürlichen Veranlagung nicht sein konnte. Sie wollte ihn einer Gehirnwäsche unterziehen, wie sie nur die totalitaristische Psychagogie der modernen Zeit immer wieder versucht. Sie wollte ihn, bildsam wie er tatsächlich war, gänzlich umstrukturieren und einen ganz andern Menschen aus ihm machen.

Und mit Hilfe der Psychiatrieärzte von Préfargier schien ihr dies beinahe zu gelingen. Ließ sich doch Conrad von Dr. James Borrel davon überzeugen, daß er auf alles Dichten und alle poetischen Bemühungen verzichten müsse. Er tat es, wie er selber bekannte, der Mutter zuliebe, er versenkte den Dichter, den er in sich spürte, in den See dort, wo er am tiefsten war. Daß die Mutter und der Arzt ihre Forderungen aus der tiefsten Überzeugung heraus stellten, daß sie damit für den jungen Mann nur das beste wollten, vertieft nur die Tragik dieser menschlichen Beziehungen.

Aber Conrad Meyer, der Patient von Préfargier, der arme Conrad, das verrückte Konrädli, wurde doch zum Dichter Conrad Ferdinand Meyer. Zwanzig Jahre später wurde, nach Erscheinen von «Huttens letzte Tage», der Traum vom Dichterruhm Wirklichkeit, und der Dichter Conrad Ferdinand Meyer wird mit Recht zu den christlichen, auf jeden Fall zu den religiösen Dichtern gezählt. Wie war es möglich? Die Anstalt, die Maison de santé von Préfargier war es nicht, die ihn von seinem sündlichen Hochmut und von seinem Irrwahn zu heilen vermochte, im Gegenteil. Préfargier war ein sehr frommes, im Geiste des christlichen Pietismus geführtes Haus. Es war ein tief religiöses Haus. In keinem Brief, der die Anstalt verließ, unterblieb die Anheimstellung alles Helfens und Heilens an Gott und die Versicherung, daß man das Schicksal des armen Patienten in das tägliche Gebet um die Gnade Gottes einschließe. Für den kranken Conrad bedeutete dies zunächst: vom Regen in die Traufe, und ein Aufsteigen aus der depressiven Frustration ein Ding der Unmöglichkeit. Und der depressive Schub wäre geblieben und hätte sich verstärkt, wenn die «Büßerhast» und die schulmeisterliche, unduldsame, demütigende Moralistik der Mutter ebenfalls nach Préfargier mitgekommen wären, wenn ihm das mitleidige und verächtliche Achselzucken nach der welschen Schweiz gefolgt wäre.

Aber in Préfargier wurde er zum ersten Male trotz seiner Krankheit als Mensch voll genommen und seine gedanklichen Äußerungen wurden nicht mehr als falsch verworfen, sondern als gültige Meinungen ernsthaft diskutiert; er war ein Mensch unter Menschen, die ihm nicht mit Leichenbittermienen den sonnigen Tag vergällten, sondern die bei aller Hingabe an den Auftrag des Heilens und Pflegens eine lebensfrohe, daseinsfreudige Gemeinschaft blieb, mehr durch den weltbejahenden Geist des Calvinismus bestimmt als von pietistischer Weltflucht und von moralistischer Strenge. Und es gab einen Menschen, der diesen Geist in schönster, menschenfreundlichster Weise verkörperte, Cécile Borrel, die teilnehmende, liebende Freundin Conrads. Nicht Demütigung, sondern gegenseitige Achtung und ein freundliches Gelten und Geltenlassen: Dieser Geist brachte die Wendung, die Heilung, und zu diesem christlichen Geiste und zu dem freundlich offenen Glauben, der nicht forderte und tadelte, sondern heiter gelten ließ, faßte Conrad wieder Zutrauen. Was ihm zu Ekel und Abscheu geworden, was zur widrigen Frömmelei verfärbt war, das rückte mählich wieder in seinen Interessenkreis. Er, der mit dem Tode gespielt hatte, öffnete sich wieder den Fragen des Lebens und der Zukunft. Das «fromme» Haus am Neuenburgersee zeigte ihm, vor allem durch die Vermittlung Cécile Borrels, ein Daseinsverständnis, zu dem er ja-sagen konnte. Selbst an den Hausgottesdiensten nahm er erst mit kritischer Anstandspflicht, dann aus ernstem Bedürfnis teil.

Noch einmal begegnete ihm, als er, aus der Anstalt entlassen, bei einem Neuenburger Lehrer, Charles Godet, Wohnung bezog, der Geist religiöser Unduldsamkeit, noch einmal wurde er moralisch geschulmeistert und gedemütigt; der lange Arm der Mutter reichte auch in diese Stadt; aber gegen diese Bevormundung setzte er sich zur Wehr und wich nach Lausanne aus, wo er bei seinem früheren Freund und Beschützer, dem Historiker Louis Vuillemin, ein offenes Haus und großes Verständnis fand. Das Haus, in dem ein Sohn des berühmten Theologen Alexandre Vinet, des Verteidigers eines liberalen Protestantismus, verkehrte, führte auch ihn zurück zur Revision seines Glaubens. Die großen Meister der französischen Glaubensgeschichte, Calvin und Blaise Pascal vor allem, traten in seinen Gesichtskreis. Calvins Prädestinationslehre und der moderne Determinismus faszinierten ihn, obschon er nach den Jahren schwerster Befangenheit von einem unbändigen Freiheitstrieb erfüllt war. Der Widerspruch zwischen freiem Willen und der Lehre von der absoluten, von der Natur vorgezeichneten Determiniertheit, zwischen Zufall und Vorsehung, nahm ihn für dauernd gefangen, und einmal fesselten ihn die Briefe des Apostels Paulus, und er gedachte über diesen Apostel eine Arbeit zu schreiben. Er stürzte sich auf den Urtext und frischte seine Griechisch-Kenntnisse wieder auf. Kurz, aus dem Atheisten war ein kritischer Protestant liberal-calvinistischer Färbung geworden. Die Aversion gegen die lebensfeindliche, ganz auf Demütigungen ausgerichtete Religiosität der Mutter wich einem teilnehmenden Verständnis. Toleranz und freiheitliche Offenheit bestimmte mehr und mehr auch seine religiösen Denkformen. Was blieb und sein Denken weiterhin zutiefst bestimmte, das war ein schweres Schuldbewußtsein. Die Zerwürfnisse mit der Mutter, seine jahrzehntelange Trotzhaltung, womit er sich gegen die unerfüllbaren Forderungen der Mutter zur Wehr gesetzt hatte, erweckten schwere Gefühle der Reue und der Schuld, die ihn in den Perioden psychischer Depressivität niederdrückten, frustrierten. Erst die seelische Krankheit und der Freitod der Mutter im Neuenburgersee lösten die überschwere Mutterbindung, nicht so, daß er sich ganz von der Last hätte befreien können, aber sie wurde in tiefere Schichten verdrängt, wurden *mehr Antrieb als Hemmnis* seines Schaffens.

Auf dem Wege zu einer weiten, offenen Toleranz bedeutete die Reise der Geschwister Conrad und Betsy Meyer nach Rom im Frühjahr 1858 einen Wendepunkt. Denn hier in Rom, zur Zeit der Osterfeierlichkeiten im Petersdom, im bunten, glanzvollen Getriebe um den Vatikan, der damals auch noch der politische Mittelpunkt des Kirchenstaates war, hier war Weltfrömmigkeit, waren diesseitsfreudiges Leben und festliche Lebensbejahung am Werk. Stärker noch ergriff ihn die Kunst, die Renaissance und die Barockkunst der ewigen Stadt. Das war sprühendes Leben, Erdenfrömmigkeit. Allerdings besuchte er den protestantischen Gottesdienst im Kultraum der preußischen Gesandtschaft in Rom, aber er konnte sich der Faszination all des theatralischen Geschehens, der vielen Umzüge und Prozessionen nicht entziehen. Denn hier fand er endlich eine Rechtfertigung seines eigenen Wesens und Strebens; hier war künstlerische Bemühung, das Bild Gottes und seiner Schöpfung einzufangen, Gott im künstlerischen Werk zu loben, es ihm schaffend nachzutun, legitimiert. Künstlertum, titanisches Schöpfertum, wie es ihm in den Werken Michelangelos begegnete, waren hier nicht Sünde, nicht Hochmut, nicht Hybris, nicht Auflehnung gegen Gottes Gebot der völligen Demütigung; Künstlertum, Schöpfertum waren geheiligter Dienst; der Künstler im Dienste der Kirche, das war eine andere Art von Priestertum, eine Legitimation des Künstlertums auch in der Welt des Glaubens. Hier in Rom wurde Conrad Ferdinand

Meyer von einem neuen Welt- und Daseinsgefühl ergriffen. Die Gestalt des Renaissance- und Barockkünstlers Michelangelo wird ihm dabei zum Leitbild, das ihm das Recht gibt, als Künstler zu existieren, ohne sich dem Vorwurf des Hochmutes auszusetzen[8].

So lernte er, langsam mit eigenen erstarkenden Kräften die Schöpfung im dichterischen Bilde, im Gedicht oder in der Novelle, nachzugestalten. So begann er sich zu verstehen als ein zum Dichten Berufener. Das Künstlertum in ihm, dem die Mutter einst das Existenzrecht abgesprochen, nahm nunmehr sein Recht zu leben und zu wirken aus Dem, der ihn so und nicht anders hatte werden lassen.

Aus dem Italienerlebnis läßt sich auch Meyers Kritik an der Bildfeindlichkeit und kahlen Nüchternheit der zwinglianischen Kirche verstehen, wie sie im Gedicht «Die Bilderstürmer» der Huttendichtung zum Ausdruck kommt (es wurde bereits Seite 87f zitiert). Hutten verzichtet freilich darauf, Halt zu gebieten. Seinem reformatorischen Triebe folgend, als «Mensch mit seinem Widerspruch», läßt er die Bilderstürmer gewähren. Aber der Widerspruch, der bis in das Wesen Meyers hineinreicht, ist deutlich aufgezeigt. Für den nach plastischer Gestaltung und bildkräftiger Sprache strebenden Dichter wurden der Bildersturm der Reformation und die Nüchternheit der zwinglianischen Kirche genau so sehr zu einem Stein des Anstoßes wie für Gottfried Keller. Eine bildfreudige Gläubigkeit bestimmte fortan Meyers Vorstellungskraft. Das Bild der zum Himmel auffahrenden Mutter Gottes, Gegenstand seiner Mutterträume, gehört zu seinem Motivkreis, und ein Gedicht wie das schöne «Auf Goldgrund»[9] ist ohne diese bild- und symbolfreudige Glaubensform nicht denkbar.

Religiöse Unduldsamkeit und Fanatismus bleiben ihm ein Schreckgespenst. Er hat es mehrmals in seinen Dichtungen heraufbeschworen, so in der Figur des Ignatius von Loyola in der Huttendichtung, so in der gespenstischen Predigt des Paters Panigarola in der Novelle «Das Amulett». Aus eigener Lebenserfahrung wußte er um das einzige Heilmittel, das die fanatische Unduldsamkeit zu überwinden vermag, um die Liebe von Mensch zu Mensch, eine Liebe, die, wie jene der Sarazenin in der Zeit der Kreuzzüge, über Land und Meer dem Geliebten nachfolgt und ihn mit Hilfe zweier Worte, über die sie verfügt, in London findet (in der Ballade «Mit zwei Worten»)[10].

Und die Glaubensform, die der einstige Religionsverächter und Atheist schließlich erreicht hat? Meyer hat sich zu einem fraglosen, tief im Gemüt verwurzelten, selten nur von Zweifeln getrübten Gottesglauben durchgefunden. In den Jahrzehnten, da der Siegeszug der Technik und die Entdekkungen der Naturwissenschaften die Menschen gefangen nahmen und den religiösen Glauben bei vielen sehr aufgeschlossenen Geistern verkümmern ließen, hat er eine tiefe Glaubenszuversicht durchgehalten.

In den Zeiten seiner totalen Isolation hatte er erfahren, was es bedeutete, eines Mitmenschen Hand zu spüren; in den Briefen an Cécile Borrel taucht das Motiv der hilfreichen Hand immer wieder auf. Und davon zeugt schließlich das so verhalten schöne religiöse Trostgedicht.

In Harmesnächten

Die Rechte streckt' ich schmerzlich oft
In Harmesnächten.
Und fühlt' gedrückt sie unverhofft
Von einer Rechten –
Was Gott ist, wird in Ewigkeit
Kein Mensch ergründen.
Doch will er treu sich allezeit
Mit uns verbünden. [11]

In diesem knappen Spruch sind die zwei tragenden Säulen von Meyers Gottesschau erkennbar: Das Wesen der Gnade, die da unverhofft in das Leiden der Menschen eingreift, das Wesen Gottes im allgemeinen, der nicht in absoluter Autorität über den Menschen, sondern in liebender brüderlicher Freundschaft zur Seite tritt. Das führt aber nicht zu einer bloßen Fraternisierung, es ist einfach *seine* Gotteserfahrung, eine Erfahrung, die jenseits alles Denkens erfolgt und aus größerer Tiefe kommt als jede menschliche Reflexion. Gott ist der schlechthin Unbegreifliche, seine Tiefe ist vom Menschen nicht auslotbar. Nur eines ist gewiß: Seine liebende Zuwendung zum Menschen; das ist tief christlich gedacht und bezeugt wie die eingangs zitierten Gedichte die tiefe und letzte Geborgenheit in Gott. Theologische Spitzfindigkeit das war nicht seine Sache. Er hatte sie zur Stärkung seines Glaubens auch nicht nötig.

Meyer hat dem oberflächlichen Fortschrittsglauben, dem seine Zeit frönte, sowenig folgen können wie Gotthelf. Noch weniger traute er dem *Menschen* zu, daß er die Welt aus eigener Kraft zu verbessern vermöchte. Und er wußte um die Fraglichkeit der Weihnachtsbotschaft, er wußte als Kenner der Geschichte, daß die christliche Friedensoffenbarung oft genug Schall und Rauch war. Und doch glaubte er, der unter Lebensängsten und im Angesicht des Todes Lebende, an einen in Gott begründeten Fortschritt, an eine mähliche Erlösung der Menschheit, an ein kommendes Reich des Friedens. Für ihn war Fortschritt nicht im Erfindungs- und Entdeckergeist der Menschheit begründet, sondern im Ratschluß und also in der Gnade Gottes.

Friede auf Erden

Da die Hirten ihre Herde
Ließen und des Engels Worte
Trugen durch die niedre Pforte
Zu der Mutter und dem Kind,
Fuhr das himmlische Gesind
Fort im Sternenraum zu singen,
Fuhr der Himmel fort zu klingen:
«Friede, Friede! Auf der Erde!»

Seit die Engel so geraten
O wie viele blut'ge Taten
Hat der Streit auf wildem Pferde,
Der geharnischte vollbracht!
In wie mancher heil'gen Nacht
Sang der Chor der Geister zagend,
Dringlich flehend, leis verklagend:
«Friede, Friede ... auf der Erde?»

Doch es ist ein ew'ger Glaube,
Daß der Schwache nicht zum Raube
Jeder frechen Mordgebärde
Werde fallen allezeit.
Etwas wie Gerechtigkeit
Webt und wirkt in Mord und Grauen
Und ein Reich will sich erbauen
Das den Frieden sucht der Erde. [12]

Man mag dies die Selbstoffenbarung Gottes in der Geschichte nennen, man mag es zu einem utopischen Glauben abwerten, sicher ist, daß diese Form des Erlösungsglaubens von Gotthelf geteilt wurde und daß sie beide hinüberweisen zum imponierendsten Weltbild des 20. Jahrhunderts, zu dem Pierre Teilhard de Chardins.

Conrad Ferdinand Meyer war kein hymnischer und noch weniger ein pathetischer Dichter. Es gibt nur eine einzige Stelle, in der seine Dichtung zugleich hymnischen und visionären Charakter annimmt, nämlich dort, wo er seinem missionarischen Glauben Ausdruck zu verleihen unternimmt, dem Glauben an die Erlösung der Menschheit, und zwar an eine Erlösung, die keine Ausschließung kennt, keine Unterscheidung trifft (wie Calvin) zwischen Berufenen und Unberufenen. Denn nach seiner universalen Glaubenshoffnung sind alle, ohne Ausnahme, zum Tische des Herrn gerufen, und dieser Tisch ist in seiner Unendlichkeit allen gedeckt und alle werden schließlich Jünger des einen Herrn sein, ein Abendmahlsbild, das die ganze Welt umfaßt:

Alle

Es sprach der Geist: Sieh auf! Es war im Traume.
Ich hob den Blick. In lichtem Wolkenraume
Sah ich den Herrn das Brot den Zwölfen brechen
Und ahnungsvolle Liebesworte sprechen.
Weit über ihre Häupter lud die Erde
Er ein mit allumarmender Gebärde.

Es sprach der Geist: Sieh auf! Ein Linnen schweben
Sah ich und vielen schon das Mahl gegeben,
Da breiteten sich unter tausend Händen
Die Tische, doch verdämmerten die Enden
In grauen Nebel, drin auf bleichen Stufen
Kummergestalten saßen ungerufen.

Es sprach der Geist: Sieh auf! Die Luft umblaute
Ein unermeßlich Mahl, soweit ich schaute,
Da sprangen reich die Brunnen auf des Lebens,
Da streckte keine Schale sich vergebens,
Da lag das ganze Volk auf vollen Garben,
Kein Platz war leer, und keiner durfte darben. [13]

Der fruchtbare Irrtum

Il Pensieroso

Von Ende März bis Mitte Mai 1858 weilten Conrad und Betsy Meyer in Rom. Dann fuhren sie über Siena nach Schloß Brolio, wo sie der alte Hausfreund der Familie Meyer, Baron Bettino Ricasoli, als Gäste empfing. Von da zogen sie, vom Baron weiter betreut, nach Florenz.

Diese am weitesten ausgedehnte Italienreise sollte sich als das fruchtbarste, für sein Dichtertum entscheidende Erlebnis Conrad Ferdinand Meyers erweisen. Sie befreite ihn endgültig aus dem Bann, worin er jahrzehntelang gebunden lag. Mehr noch: aus dem Asketen wurde ein Bewunderer südlicher Lebensfreude, aus dem bilderfeindlichen zürcherischen Zwingli-Erben ein bildfreudiger Renaissance-Mensch. Die fundamentale Einsicht rang sich durch: Kunst und religiöser Glaube waren nicht, wie dies seine Mutter geglaubt hatte, Gegensätze. Die bilderstürmerische Glaubens-Abstraktion zwinglischer oder calvinistischer Färbung war angesichts der überwältigenden Eindrücke religiöser Kunst, die Rom den beiden Geschwistern vermittelte, nicht mehr zu halten. Die farbenfreudige römische Kurie und die theatralischen kirchlichen Begehungen in der Osterzeit ergriffen den gestaltenhungrigen Poeten. Der moralistische Widerstand gegen den südlichen Pomp zerbröckelte. Die sakrale Kunst und die Künstler, die sich in die Dienste der Kirchenfürsten begeben und sich bei ihnen entfaltet hatten, legitimierten zum ersten Male Meyers Art zu denken, zu fühlen und zu sehen.

Inmitten dieser Rom-Erlebnisse, in denen die Begegnungen mit der Antike und mit der Renaissance im Vordergrund standen, ragte die Gestalt *Michelangelos* empor. Die Pietà im Petersdom, die sixtinischen Wandmalereien, der Moses in San Pietro in Vincoli, sie schlossen sich zusammen zum Bilde einer Künstlerpersönlichkeit, die ihm, dem nach Künstlertum dürstenden Asketen, zu einer eigentlichen Offenbarung wurde. Es war klar: Auch in Florenz, wo die Geschwister für einige Tage Fuß faßten, waren die Wegspuren des großen Renaissance-Menschen die ersten Ziele.

Der Aufenthalt in Florenz war allerdings mit allerhand Aufregungen angefüllt. Conrad hatte die heikle Aufgabe übernommen, bei seiner geliebten Schwester zu sondieren, ob sie allenfalls einen Heiratsantrag des seit einiger Zeit verwitweten Barons annehmen würde, und es scheint, daß Betsy dem Ansinnen durch eine überstürzte Abreise ausgewichen ist[1]. So besteht nicht einmal Gewißheit darüber, ob Conrad die Sagristia Nuova zu San Lorenzo und das Medizäergrab mit eigenen Augen gesehen hat, oder ob ihm die florentinischen Kunstwerke Michelangelos erst später bei Hermann Grimm [«Leben Michelangelos»] oder Jacob Burckhardt nahetraten. Doch ließen sie sich das Medizäergrab wohl nicht entgehen.

Doch wie dem auch sei, poetisch wirksam wurde die Erinnerung an das Medizäergrab erst im Gedicht «Il Pensieroso»[2]. Freilich wissen wir von der langen Wanderung künstlerischer Anregungen durch die Werdens- und Schaffensjahre Meyers. Gerade in diesem Falle dauerte jedoch diese Wanderung ungewöhnlich lange. Ist doch dieses Gedicht erst in der vierten Auflage der «Gedichte» (1891) erschienen, und die zugehörige Handschrift wird von Hans Zeller auf das Jahr 1890 datiert[3]. Vom ersten Eindruck bis zum vollendeten Gedicht sind somit 32 Jahre verflossen.

Il Pensieroso

In einem Winkel seiner Werkstatt las
Buonarotti, da es dämmerte;
Allmählich vor dem Blicke schwand die Schrift ...
Da schlich sich Julianus ein, der Träumer,
Der einzige der heitern Medici,
Der Schwermut kannte. Dieser glaubt sich
Allein. Er setzte sich und in der Hand
Barg er das Kinn und hielt gesenkt das Haupt.
So saß er schweigend bei den Marmorbildern,
Die durch das Dunkel leise schimmerten,
Und kam mit ihnen murmelnd ins Gespräch,
Geheim belauscht von Michelangelo:
«Feigheit ist's nicht und stammt von Feigheit nicht,
Wenn einer seinem Erdenlos mißtraut,
Sich sehnend nach dem letzten Atemzug,
Denn auch ein Glücklicher weiß nicht was kommt
Und völlig unerträglich werden kann –
Leidlose Steine, wie beneid ich euch!»*
Er ging und aus dem Leben schwand er dann
Fast unbemerkt. Nach einem Zeitverlauf
Bestellten sie bei Michelangelo
Das Grabbild ihm und brachten emsig her,
Was noch in Schilderein vorhanden war
Von schwachen Spuren seines Angesichts.
So waren seine Züge, sagten sie.
Der Meister schob es mit der Hand zurück:
«Nehmt weg! Ich sehe, wie er sitzt und sinnt
Und kenne seine Seele. Das genügt.»

* *Eigene Worte Julians in einem von ihm vorhandenen Sonett.*

Erhalten hat sich in diesem Gedicht eine frühe Konzeption, ein Ausschnitt aus dem Gedicht «Michel Angiolos Gebet», das ins Jahr 1865 zu verlegen ist: das Bild des in seiner Werkstatt sitzenden und sinnenden Künstlers, dasselbe Motiv, das sich später, 1891, in der Vision «In der Sistina» zu einem eigenen historisch-lyrischen Gebilde verselbständigt hat[4]. Motivisch neu in unserem Gedicht ist somit lediglich der ‹Pensieroso›.

Und hier nun liegt ein Vorstellungsfehler und eine Verwechslung vor, die schon 1907 von Ernst Kalischer entdeckt worden ist[5]. Denn unter dem Namen ‹Il Pensieroso› geht ja in allen Reiseführern und Kunstgeschichten nicht Giuliano, sondern Lorenzo Medici. Denn Lorenzo II, Herzog von Urbino, wurde vom Künstler als behelmter Krieger mit leicht gesenktem, in die Hand gestütztem Haupt dargestellt, während Giuliano, Herzog von Nemours, in der Pose eines Jünglings mit der Gewandung eines römischen Legionärs wiedergegeben ist. Meyer hat also den Giuliano mit dem Lorenzo Medici verwechselt. Doch war es nicht eine Gedächtnistäuschung, sondern wahrscheinlich eine willkürliche Korrektur seiner Erinnerung, wenn er überhaupt eine solche hatte, eine Korrektur, die ihm Hermann Grimms «Leben Michelangelos» anbot, der dieser Verwechslung ebenfalls erlegen ist. Ihm ist also Meyer gefolgt, nicht seinem eigenen Gedächtnis oder der allgemein verbreiteten Auffassung, die ja auch von Meyers anderem Gewährsmann, Jacob Burckhardt, in seinem «Cicerone» – gegen Grimms Behauptung – aufrecht erhalten wurde.

Die Wahrscheinlichkeit ist somit groß, daß sich der Dichter bewußt die Ansicht Grimms angeeignet hat, und dies deshalb, weil es seinem Wunschbild, ja seinem Bedürfnis nach Selbstprojektion entgegenkam. Ihn faszinierte das Bild dieses Giuliano, dieses an sich ziemlich bedeutungslosen jung verstorbenen Sprosses aus dem Hause Medici, war er doch «der einzige der heitern Medici, der Schwermut kannte», der einzige depressiv veranlagte Medizäer! Es mochte vor allem das bei Grimm zitierte Sonett sein, das ihn für Giuliano einnahm: «Keine Feigheit ist es, noch entspringt es aus Feigheit, wenn ich, um dem zu entfliehen, was grausamer noch mich erwartet, das eigene Leben hasse und ein Ende ersehne[6].» Das erscheint sozusagen wörtlich in unserem Gedicht V. 13 – V. 18 wieder!

Giuliano mag dabei, als Mensch der Renaissance, das Gedankengut der Stoa aufgenommen haben, die ja den Freitod, so gut wie die Epikuräer, als echte Lebenslösung verteidigt hat. Ob und in welchem Sinne Giuliano, der tatsächlich in jungen Jahren dahingegangen ist, dem Sonett Folge gegeben, darüber läßt uns allerdings der Text bei Grimm im Ungewissen.

Für Meyer genügte das Bekenntnis zur Kurzlebigkeit; denn Todessehnsucht, Spiel mit dem Tod und Lobpreis dessen, der jung stirbt, das gehört von frühen Jahren an zu Conrad Ferdinand Meyers Grundstimmung. Damit hatte er Mutter und Schwester während der schlimmsten Krise des Jahres 1853 geschreckt. Sogar damals, als er schon in Préfargier auf dem Wege der Heilung war, schrieb er seiner Schwester – er war noch nicht ganz 28jährig –: «Es ist unglaublich, wie die Zeit über mich wegeilt und wie wir altern. Mögen wir uns wiedersehen, es ist ja nicht unmöglich, aber es kommt mir wenig glaublich vor (...). Wir sind drei, wie leicht kann eines davon in den Tod fallen.» Jetzt denkt er, bedrückt durch die Nachwirkungen seiner dunklen Jahre, an eine lange Trennung und schließt: «Auf fünf Jahre darum, wenn mich nicht ein Frühling irgendwo ins Grab wirft[7].»

Und selbst da er seine Lebenszuversicht in Lausanne wiedergewonnen, bleibt beinahe etwas wie Neid jenen gegenüber, denen ein kurzes Leben beschieden war. «Meine ehemaligen Genossen», schreibt er da, indem er an seinen Lausanner Aufenthalt im Jahre 1843 zurückdenkt, «(...) sind fast alle tot, darunter der liebenswürdige Waldenser Michel Pélerin, der an der Seite des Königs Karl Albert in der Schlacht von Novara fiel, darunter mein Intimer de Laflechère, dessen Vater völlig ruiniert ist. So geht das Schicksal mit seinen Lieblingen um[8].»

Von hier aus nun ist die Verschiebung des Pensieroso-Motivs von Lorenzo auf seinen jung verstorbenen Oheim Giuliano verständlich: Die Gebärde des Pensieroso weist in der Selbstausdeutung Meyers auf einen Menschen hin, der ein Träumer war, der seinem Erdenlos mißtraute und sich nach dem letzten Atemzuge sehnte. Daß diese Todessehnsucht zu Anfang der Neunziger Jahre wieder auftaucht, im Sinne des sophokleischen «Jung stirbt, wen die Götter lieb haben», ist ein Vorbote der Verdüsterung, die ihn damals angesichts neuer Bedrängnisse wieder ergreifen sollte.

Die von Grimm 1860 in Szene gesetzte Kontroverse um die beiden Medizäer-Figuren – die Michelangelo bewußt ohne Bezug auf porträtistische Realität gestaltet hatte – wirkte so noch dreißig Jahre fort. Denn hätte der Dichter den «Irrtum» bei sich selber korrigiert, wäre ihm die Selbstdeutung verunmöglicht worden.

Wir können daraus den allgemeinen Schluß ziehen: Meyers dichterische Gestalten sind weniger historische Bilder als Modelle, auf wenige markante Linien zurückgeführt. Sie sind oft aus dem Realzusammenhang gelöst, in eine künstlich belichtete Welt versetzt; ihre Bedeutung liegt nicht in ihrer Lebensnähe, sondern in ihrer allgemeinen, symbolhaften Gültigkeit. Sie haben den Anstoß, der ihnen auf den Weg geholfen, hinter sich gelassen, sind zu in sich ruhenden Bildern geworden.

La Rösa

Im Frühherbst 1866 fuhr Conrad Ferdinand Meyer mit seiner Schwester von Silvaplana, wo sie den Sommer zugebracht hatten, über die kurz zuvor eröffnete Berninapaß-Straße nach Le Prese und hernach nach Bormio und ins Veltlin. Als der Wagen die Scheitelhöhe des Berninapasses überwunden und durch die Felsengalerie gerollt, welche damals die Straße auf der Südseite aufnahm, und hinunter nach La Motta und nach La Rösa gekommen war, da war ihm, als ob ihm nochmals das Tor nach dem Süden aufgegangen wäre. In La Rösa wurde ein Fütterungshalt eingeschaltet, und das Geschwisterpaar ruhte sich inzwischen in der Gaststube bei einem Glas Wein aus. Bald aber fuhr das Gefährt weiter und bog in den Tannenhang ein, der die obere von der mittleren Stufe des Valle Poschiavo trennt.

So, der topographischen Wirklichkeit entsprechend, entfaltet sich hernach das Gedicht *«La Rösa»,* das, im Frühling 1873 bereinigt, hernach in der «Deutschen Dichterhalle» [9] erschienen ist. Der erklärenden Klammer-Bemerkung «(Erste Station an der Südseite des Berninapasses)» folgt der Text:

Als der Bernina Felsentor
Durchrollt der schwere Wagen
Und wir am Himmel sahn empor
Viola's Berge ragen,
Da blies auf seinem Rößlein vorn
Der in der Lederhose.
Wen grüßest du mit deinem Horn?
Die Rose, Herr, die Rose.

Die Rose schaut nach Süden aus
Von dürren Felsenwarten,
Mit flachem Dach ein welsches Haus
Im wild gewachsnen Garten.
Hier läßt der Winter seinen Raub,
Hier färben sich die Moose
Und neben Tannen glüht im Laub
Die Rose schon, die Rose.

Ade nun, ewge Winterszeit
Mit schneebedeckten Wegen
Mir zieht ein Hauch von Üppigkeit,
Mir duftet Lenz entgegen.
Und Falter flattern überall
Mit schmeichelndem Gekose

Mir ist, als ob der Wasserfall
Hier schon melodisch tose!

Noch einmal darf in südlich Land
Ich Nordgeborner wallen,
Vertauschen meine Felsenwand
Mit lichten Marmorhallen!
Gegrüßt, Italia, Herzenslust!
Ich preise meine Lose!
Du bist an unsrer Erde Brust
Die Rose, ja die Rose. [10]

Überblicken wir das ganze Gedicht des Jahres 1873, so hält sich der Dichter treu an die örtlichen Gegebenheiten. Nur ein kleiner topographischer Irrtum unterläuft ihm: Er glaubte, die bedeutend weiter östlich gelegene Cima Viola und nicht den Pizzo del Teo vor sich zu haben. Sonst stimmt die Landschaftsbeschreibung genau: der schwere, für Bergstraßen gebaute Wagen hat die besagte Felsengalerie durchrollt [11]. Jetzt öffnet sich der Ausblick auf das südliche, nahe gelegene Gebirgspanorama des Val di Campo. Dann bläst der das linke Zugpferd reitende Postillion das Horn, und der Dichter fragt ihn nach dem Grund. Seine Antwort «Die Rose, Herr, die Rose» gewinnt unwillkürlich einen Doppelsinn. Der Reiter meint das Gasthaus «La Rösa», in dem er sich mit seinen Hornstößen anmeldet; der Dichter dagegen hört, in seiner Sprache, die gepriesenste der Blumen heraus, bis auch er – das müssen wir zwischen den Zeilen lesen – den Gedanken des Kutschers versteht und das Gasthaus erkennt: ein Haus in südlicher Bauweise, mit flacher Neigung des Daches, zwischen steinigem Gelände, das sich schon zum Gelb des Herbstes verfärbt hat. Es ist umgeben von einem Wildgarten und schaut nach Süden aus. Was nicht besagt, daß man von hier eine weite Aussicht genießt. Vielmehr ersteht hier die ganze Umgebung mit beinahe fotografischer Präzision: Hier, an diesem etwas tiefer gelegenen, von Tannen geschützten Punkt, haben die Fröste des Frühherbstes noch nicht gewirkt; die Moose sind noch grün und blühen; der Winter hat sie sich noch nicht zum Raube geholt. Dazu leuchten zwischen den lockeren Tannenbeständen in der Nähe die Bergrosensträucher.

Auch die dritte Strophe sagt nichts, das der konkreten Erlebnissituation auf der Paßstraße widerspräche: Man hat die kahle, herbstlich vergilbte, mit Schneeflecken bedeckte obere Paßzone verlassen, es ist etwas wärmer geworden. Das Gefühl, daß es jetzt südlicher Wärme entgegengehe, wird bestärkt durch die ersten Falter, die vorüberflattern.

Was Wunder, wenn in solcher Stimmung selbst der Wasserfall melodischer zu tönen scheint! So darf der Poet in der vierten und letzten Strophe seine Freude kundgeben, daß ihm noch einmal vergönnt sei, als ein Nordgeborner in südlich Land zu wallen. Jetzt darf er auch das Bild von den lichten Marmorhallen wachrufen; denn nun geht es abwärts dem wärmeren Süden und dem geliebten Italien entgegen.

Halten wir fest, daß dem Gedicht außer dem bereits erwähnten kleinen topographischen Irrtum nichts anhaftet, das nach Veränderung, Verbesserung rufen würde. Acht Jahre später jedoch, da Meyer seine Gedichte zu einem Bande vereinigt, greift er auch «La Rösa» wieder auf

La Röse

Als der Bernina Felsentor
Durchdonnerte der Wagen
Und wir im Süden sahn empor
Die Muschelberge ragen,
Blies schmetternd auf dem Rößlein vorn
Der in der Lederhose –
«Wen grüßest du mit deinem Horn?»
«Die Rose, Herr, die Rose!»

Mit flachem Dach ein Säulenhaus
Das erste welsche Bildnis,
Schaut Röse weinumwunden aus
Erstarrter Felsenwildnis –
Es ist, als ob das Wasser da
In weichern Lauten tose,
Hinunter nach Italia
Blickt der Balkon der Rose.

Nun, Herz, beginnt die Wonnezeit
Auf Wegen und auf Stegen,
Mir strömt ein Hauch von Üppigkeit
Und ewgem Lenz entgegen –
Es suchen sich um meine Stirn
Zwei Falter mit Gekose –
Den Wein bringt eine junge Dirn
Mit einer jungen Rose.

Noch einmal darf in südlich Land
Ich Nordgeborner wallen,
Vertauschen meine Felsenwand
Mit weißen Marmorhallen.
Gegrüßt, Italia, Licht und Lust!
Ich preise meine Lose!
Du bist an unsrer Erde Brust
Die Rose, ja die Rose![12]

Jetzt ist der Irrtum mit «Viola's Berge» behoben und durch die höchst anschaulich richtigen «Muschelberge», die im Halbkreis geschwungene Gebirgskette um den Monte del Teo (3049 m. ü. M.) mit dem Muschelschloß der Motta Rossa (2428 m) ersetzt.

Aber schon der zweite Teil der ersten Strophe wird nun drastischer akzentuiert. Aus dem «Da blies auf seinem Rößlein vorn» wird ein «blies schmetternd auf dem Rößlein vorn ...» Offensichtlich soll die Expressivität dieses Gedichts, das ja im Rhythmus eines Wanderliedes durchgeführt ist, erhöht werden. So erhält denn die zweite Strophe ein ganz anderes Gesicht. Die Zeilen 3/4 werden an den Anfang gesetzt, und aus dem welschen Haus mit flachem Dach, also aus einem Haus in welscher Bauart, wird ein Säulenhaus mit flachem Dach, was nun mit dem schlichten Steinbau des Gasthauses auf La Rösa nichts mehr zu tun hat. Nun wird dem neu evozierten Bild erklärend beigefügt, es sei das erste welsche Bildnis. Die Expressivität wird nun offensichtlich gesteigert und verzerrt, und dies besonders kraß, wenn nun in Zeilen 3 und 4 gesagt wird, daß Röse (das Gasthaus) *weinumwunden* aus erstarrter Felsenwildnis schaue, womit die «dürren Felsenwarten» der früheren Fassung und der «wild gewachsne Garten» durch ein pathetisch übersteigertes Bild ersetzt werden. Daß an der oberen Waldgrenze Rebenspaliere niemals gedeihen, versteht sich von selbst.

Und noch einmal wird das Bild der topographischen Wirklichkeit pathetisch verändert, wenn gesagt wird, daß der Balkon der Rose hinunter nach Italia blicke, was wiederum so etwas wie die Vorstellung von einem italienischen Palazzo evoziert, aber mit der tatsächlichen Lage des Gasthauses ganz und gar nichts mehr zu tun hat.

Reizvoll allerdings, wie jetzt, gelöst von jeglicher lokaler Gebundenheit, nach romantischem Vorbild, die Verse eines deutschen Wanderliedes mit Binnenreim und heller Sprachmusik aufzutauchen scheinen; die erste Hälfte der dritten Strophe klingt wie eine Variation zu Eichendorff:

Nun, Herz, beginnt die Wonnezeit
Auf *Wegen* und auf *Stegen,*
Mir strömt ein Hauch von Üppigkeit
Und *ew'gem* Lenz *entgegen*

Und da das Motiv des melodischen Wasserstromes bereits in die zweite Strophe vorgeholt wurde, muß jetzt ein neues den wanderliedmäßigen, beschwingten Ton verstärken:

Den Wein bringt eine junge Dirn
Mit einer jungen Rose.

Aus der früheren Fassung geblieben ist das Bekenntnis zur Rose Italia, zu Italien, das ihm einst Befreiung aus seelischen Banden gebracht hat. Dafür wird ihm nun die «Rose»[13] auf der Südabdachung der Berninaroute Anregung und erstes Symbol.

Zu sagen aber wäre, daß die gesteigerte Expressivität dieser späteren Fassung auf Kosten der Sachtreue der Erinnerung gewonnen wurde. Was an einem lokal gebundenen Gedicht – der Titel ist ja geblieben –, das eine bestimmte Örtlichkeit evoziert, eigentlich unstatthaft ist! Die Veränderungen lassen sich damit erklären, daß dem Dichter im nachhinein nicht mehr die Treue zum ursprünglich empfangenen Erlebnis, sondern allein die konsequente Durchführung der poetischen Idee – Wanderlied mit dem Zuge nach dem Süden – in Anspruch nahm. Die treue Erinnerung wurde durch die Idee der Südlichkeit überwuchert. An die Stelle des konkreten Erlebnisses ist ein an sich ebenso eindrückliches Bildmodell getreten.

Der römische Brunnen

Von den Darlegungen zu «Il Pensieroso» und zu «La Röse» her läßt sich wohl auch das Gedicht «Der römische Brunnen», das klassischste aller «Dinggedichte» Conrad Ferdinand Meyers, genauer verstehen.

Sicher ist, daß Conrad von frühen Jahren her für Wasserspiele kunstvoller Art eine besondere Vorliebe hatte. Hans Zeller weist in seinem äußerst gründlich abgefaßten Kommentar zur Entstehung des genannten Gedichts[14] nicht weniger als sechs Stellen nach, an denen das Wasserspiel und seine metaphorischen Abwandlungen in Erscheinung treten. Dazu sei erwähnt, daß ein Springbrunnen schon im Garten der Stadelhofer Behausung gespielt hat[15], daß die Brunnenspiele im Jardin des Tuileries[16] ihn beglückten und daß ihn die römischen Fontänen ganz allgemein mit Bewunderung erfüllten[17].

In der Tradition hält sich hartnäckig die Feststellung, daß «der römische Brunnen» angeregt sei durch eines der Brunnenkunstwerke im Garten der Villa Borghese[18]. Die Meinungen darüber, welche dieser Anlagen gemeint sei, gehen dabei allerdings auseinander. Dazu ist aber festzustellen, daß diese Identifikation nicht auf Conrad, sondern auf Betsy zurückgeht[19]. Sie berichtet darüber Folgendes:

An den letzten Mondscheinabenden, die er [Conrad] in Rom vor seiner Abreise verlebte, wanderte er noch allein an die Stätten, die ihm besonders lieb geworden waren und deren Eindruck er bewahren wollte. Mit schriftlichen Zeichen festgehalten hat er nur zwei dieser Eindrücke: den «schönen Brunnen» der Villa Borghese und einen Abschiedsblick vom Ponte Sisto ...

Die Angabe Betsys ist vage und bezeugt vor allem, daß sie selbst nicht dabei war. Welcher Brunnen den Anstoß zum Gedicht gab, war wohl nicht einmal der Schwester klar und kann daher bis heute nicht eindeutig eruiert werden. Betsys Buch über ihren Bruder ist nach 1900 verfaßt worden, mehr als vier Jahrzehnte nach dem gemeinsamen Romaufenthalt. Als Denkanstoß für die «schriftlichen Zeichen» mögen ihr nur die Gedichte «Auf Ponte Sisto» und «Der römische Brunnen» vor Augen gestanden haben.

Daß daneben auch andere reale Vorbilder Geltung haben könnten, deutet Hans Zeller an, wenn er als erstes «Parallelgedicht» das aus dem Jahre 1860(!) stammende «Piazza Navona» zitiert. Ich glaube nun, daß man von diesem Text ausgehen muß, und zwar aus dem einen Grunde, weil es nur zwei Jahre nach dem Romerlebnis entstanden ist.

Piazza Navona

Ich streife durch das große Rom
Und auf den Platz Navona komm:
Das ist ein wogendes Gewühl
Und fast zu reich und fast zu viel,
Das Wasser rauscht, der Brunnen springt
Und alles lebt und alles kreis't.
So sieht's in eines Dichters Geist. [20]

Trotz dem rührend unbeholfenen «Und auf den Platz Navona komm» und dem «So sieht's» in der Schlußzeile sind hier bereits Elemente, die bis in die Schlußfassung von «Der römische Brunnen» durchgehalten wurden, wie zum Beispiel: «Und fast zu reich und fast zu viel», das in «Die zweite gibt, sie wird zu reich» nachklingt. Ferner ist «Und alles lebt und alles kreis't» zu «Und jede nimmt und gibt zugleich» geworden.

Angenommen, es handle sich hier um das «Muttergedicht» – tatsächlich ist in der ersten Zeile das Thema Wanderung durch Rom angeschlagen, wie sie von Betsy für die letzten Tage namhaft gemacht wird –, dann käme die erste Anregung von den drei Brunnenwerken auf der Piazza Navona, von denen ihm eines in Erinnerung geblieben ist. So gesehen, wäre die Fassung «Springquell» [21], die von Hans Zeller auf den Herbst 1860 angesetzt wird, bereits als erster Versuch zu werten, vom topographisch lokalisierbaren Gedicht eine ins Gleichnis erhobene Verallgemeinerung zu gewinnen:

Springquell

Es steigt der Quelle reicher Strahl
Und sinkt in eine schlanke Schaal'.
Das dunkle Wasser überfließt
Und sich in eine Muschel gießt.
Es überströmt die Muschel dann
Und füllt ein Marmorbecken an.
Und jedes nimmt und gibt zugleich
Und allesammen bleiben reich,
Und ob's auf allen Stufen quillt.
So bleibt die Ruhe doch im Bild.

Vereinfacht, aber durchaus auf die Brunnenwerke der Piazza Navona abgestimmt, deren barocker Aufbau dieser Form entspricht, wäre hier das erschaute Gebilde auf die zwei Stufen plus Marmorbecken reduziert.

Die nächste Stufe, die Fassung von 1864/65[22] würde den Versuch darstellen, diesen ins Allgemeine abstrahierten römischen Brunnen wieder genauer, aber eben doch nicht topographisch lokalisierbar, zu bestimmen. Und hier tritt nun an die Stelle der Differenzierung Muschel-Marmorbecken bereits das Motiv der drei Schalen, eine willkommene Reihung, aber unter Beibehaltung des Muschelbildes:

Der Brunnen

In reichem Strahle steigt der Quell
U(nd) sinkt in eine Muschel hell,
In eine breite Schaale gießt
Die Muschel was zu viel ihr ist
Es überströmt die Schaale dann
U(nd) füllt ein Marmorbecken an,
U(nd) alle Stufen bleiben reich
Denn jede giebt u(nd) nimmt zugleich,
U(nd) wenn es allenthalben quillt,
So ist es doch ein ruhig Bild.

Die Differenzierung Muschel-Schale-Marmorbecken behält die Variation der Dreizahl, der Reihe bei und bleibt damit für die symbolhafte Verwendung unbefriedigend. Daher wird sie nun in der nächsten Stufe aufgehoben, ausgeglichen:

Der (schöne) Brunnen

In einem römischen Garten
Weiß ich einen kühlen Bronnen
Von Laubwerk aller Arten
Umwölbt u(nd) grün umsponnen
Er steigt in lichtem Strahle
Der unerschöpflich ist
Und plätschert in eine Schale
Die wallend überfließt.
Das Wasser fluthet nieder
In zweiter Schale Mitte,
Und voll ist diese wieder,
Es flutet in die dritte:
Ein Geben u(nd) ein Nehmen
U(nd) alle bleiben reich
U(nd) alle Stufen strömen
U(nd) scheinen unbewegt zugleich.[23]

Abgesehen davon, daß jetzt nur noch von drei Schalen die Rede ist, ist das Brunnenbild klar und entschieden vom ursprünglichen topographisch fixierten Standort – Piazza Navona – abgerückt. Denn jetzt ist er nicht mehr auf einem kahlen Stadtplatz, sondern «von Laubwerk aller Arten umwölbt und grün umsponnen». Nun ist die Parklandschaft mit den mächtigen Baumbeständen um die Villa Borghese näher als die Piazza Navona.

Mit dieser Entwicklungsstufe paßt allerdings nicht ganz zusammen, was Hans Zeller auf Grund seiner «Autopsie» als ersten Anstoß für das Brunnengedicht annimmt, nämlich die «Fontana ovale oder die Fontana rotonda oder beide zusammen»[24]. Denn die zwei monumental angelegten Wasserspiele des Giovanni Vasanzio oder Jan von Santen (1550–1621) und ihre bedeutende Größe vertragen die Beschreibung «grün umsponnen» kaum.

Das Motiv der dunklen Laubesnacht und der Ausdruck «von Laubwerk aller Art/Umwölbt und grün umsponnen» in der Version von 1864/65[25] haben den Verfasser dieses Textes denn auch durch lange Jahre hindurch auf einer anderen Fährte festgehalten und ihn veranlaßt, an ein kleines, bei Gelegenheit seiner Besuche in der Villa Borghese vermoostes Brunnenwerk zu denken, das einige hundert Meter vom Prunkbau der Villa Borghese in westlicher Richtung inmitten von hohen Bäumen steht und in seiner Form genau der Beschreibung in der Endfassung des Gedichts «Der römische Brunnen» entspricht. Es war, wenigstens damals zur Zeit dieser Besuche, von den Bäumen ganz überschattet, von Moosen umsponnen, aber kaum viel mehr als mannshoch. Das kleine zierliche Brunnenwerk hätte, abgesehen von seiner Dimension, allen anderen Modellen voraus, daß es wirklich aus drei konzentrisch überlagerten Schalen besteht, wobei allerdings die kleinste kaum 40 cm. im Durchmesser mißt und der Wasserstrahl nicht mehr als ein winziges Spritzerchen zu nennen wäre.

In Tat und Wahrheit hat wohl auch dieses Brünnlein nicht mehr Anspruch auf Priorität im Reigen der möglichen Brunnenmodelle als die andern hier bereits genannten Gebilde. Denn auch dieses Motiv des im Grünen versponnenen Brunnens verschwindet ja in den jüngeren Fassungen (von 1869, 1870, 1882)[26]. Denn von diesem Zeitpunkt an ging es dem Dichter nicht mehr um das Problem der reinen descriptio eines konkreten, lokal fixierbaren Brunnenwerks, sondern um die Gewinnung eines reinen Symbols. Darum fällt auch in den Fassungen der Jahre 1868/69 nach einer verkürzten Zwischenstufe («verborgen ist ein Bronne(n)/Behütet von dem harten/Geleucht der Mittagssonne») die Lokalisierung im Schatten von Bäumen ganz dahin, und zurück bleibt das reine Brunnenmodell ohne jegliches pflanzliches oder atmosphärisches Beiwerk.

Im Grunde liegt ein reiner Abstraktionsvorgang vor; der römische Brunnen löst sich von den zahlreichen konkreten Erinnerungen an Gesehenes. Er wird zu einem geradezu wunderbaren Beispiel des Wandels einer reinen descriptio – diese war ja schon in den Fassungen der Jahre 1864/65 erreicht – in ein ebenso reines Symbol-Gedicht.

Schließlich beruht sein genialstes Kennzeichen nicht mehr auf der Beschreibung eines römischen Brunnens, sondern in der sprachlich-rhythmischen Bewältigung des Themas. Am Ende der langen Reihe von Fassungen hat sich das rhythmische Gebilde von allen traditionellen Versformen gelöst und sich gleichsam der reinen Bewegung des Wassers, seinem Steigen und stufenweisen Fallen, seiner Strömung und seiner Stauung angepaßt.

Ich glaube, der Schluß, der aus den Verwandlungen dieses Gedichts und aus den früheren Verwandlungsbeispielen gezogen werden muß, ist eindeutig. Im Laufe der 24 Jahre von den «Autopsien» Conrad Ferdinand Meyers in Rom über die Erstfassung («Piazza Navona») bis zum vollendet durchgestalteten Schlußgedicht hat sich, rein sprachlich gesehen, ein Abstraktionsprozeß vollzogen, der dem Dichter erlaubte, stufenweise alles topographisch lokalisierbare Beiwerk abzuscheiden und schauend, aus der dichterischen Vision heraus, einen eigenen römischen Brunnen zu gestalten, der eben nur noch das *eine* sucht: Gleichnis zu sein für dynamis und energeia, Ruhe und Bewegung, Spende und Empfang, eingeleitet durch die rhythmisch kühne, einmalig geniale Initial-Vision «Aufsteigt der Strahl ...».

Die Herkunft dieser «kinetischen» Energie wird im Ding-Gedicht selbst nicht überprüft und geklärt, weil sich der Dichter auf die Phainomena als solche beschränkt. Bewegung und Ruhe sind einfach da, als die primärsten Wesenszüge des Wassers. Aber die Existenz des Naturelements verweist auf tiefere, transzendente Bezüge. Dies läßt, wie dies Hans Zeller überzeugend nachweist[27], auch noch auf ganz andere als visuelle Anregungen für das Brunnensymbol schließen, nämlich auf die religiöse, vor allem die pietistische Symbolik des Wassers, wie sie in der Erbauungsliteratur, die sich in der Bibliothek der Mutter Elisabeth Meyer zusammengefunden hatte, in Erscheinung trat. Es ist nicht zu leugnen, daß der spirituelle Grund des Fontänengleichnisses sich schon in dieser Erbauungsliteratur vorfindet, und zwar in den Opuscules spirituels der Frau von Guyon, Paris 1790, von dem sich ein Exemplar in Meyers Bibliothek befand, der es vermutlich von seiner Mutter übernommen hatte[28].

Wir übernehmen hier aus den von Mme de Guyon zusammengestellten Texten jene Stelle, welche das Fontänengleichnis enthält[29]:

(...) comme vous voyez plusieurs bassins d'eau au-dessous d'une fontaine, la seule fontaine donne de sa plénitude, et les autres bassins ne se répandent les uns dans les autres que de la plénitude que la source leur communique: mais si on bouche ou si on détourne la source, et que les bassins ne laissent pas de couler, alors comme ils n'ont plus de source, ils se desséchent eux-mêmes. C'est ce qui arrive aux ames de ce gré (...)

Während dieser mystische Text darauf ausgeht, die absolute Abhängigkeit der Wasserspeicher und sekundären Wasserspender (der ‹bassins›) von der Fontäne und ihrer Quelle nachzuweisen, wird in Meyers Brunnen-Gedicht diese Abhängigkeit bewußt übergangen, – um ganz ‹im Bilde› zu bleiben? um ein ‹Dinggedicht› ohne Makel zu gestalten? – um dem säkularisierend-realistischen Zuge der Zeit Genüge zu tun? – oder um die Erinnerung an dieses Fontänengleichnis aus der mütterlichen Erbauungsliteratur zu tilgen oder in seinem Sinne zu korrigieren?

Denn wenn überhaupt eine derartige Reminiszenz wirksam war, was höchstens eine gewisse Wahrscheinlichkeit für sich in Anspruch nehmen kann, dann konnte sie nur von einer Aversion begleitet sein. Er selbst verwarf ja eine derartige Abhängigkeit vom göttlichen Urgrund, wie sie von den Mystikern gesehen wurde. Die kreatürliche Welt durfte, auch als göttliche Schöpfung, die Autarkie, das In-und-bei-sich-selber-sein fordern. Sie lebte, indem sie in freiem Spiel empfing und spendete. Seine Symbolik des Römischen Brunnens erstrebte einen ganz anderen, weltimmanenten Symbolgehalt und stand der Allegorie des mystischen Textes diametral gegenüber.

Nach der primären Anregung dieses vollendeten Sprachkunstwerkes zu suchen, wird damit wenn nicht ein müßiges, so doch ein sekundäres Unterfangen. Denn Meyer hat hier wie sein großes Vorbild Michelangelo schließlich alle Erinnerungsbilder an römische Fontänen zur Seite geschoben. Er *sah* ihn, den ewigen Brunnen im ewigen Rom; er erkannte seine Symbolik. Das genügte. In solcher mühereicher Anverwandlung vollzog sich das, was er unter dem für ihn schwerwiegenden Begriff der «Vollendung» verstand[30]:

Der römische Brunnen

Aufsteigt der Strahl und fallend gießt
Er voll der Marmorschale Rund,
Die, sich verschleiernd, überfließt
In einer zweiten Schale Grund;
Die zweite gibt, sie wird zu reich,
Der dritten wallend ihre Flut,
Und jede nimmt und gibt zugleich
Und strömt und ruht.

«Tag, schein' herein! und, Leben, flieh hinaus!»

Aneignung und Umdeutung eines geflügelten Wortes

Schon Homer spricht von geflügelten Worten, epea pteroenta. Was aber geflügelt ist, fliegt, wohin es will, und ist dabei den merkwürdigsten Abenteuern ausgesetzt. Auch das in der Überschrift zitierte ist eines geworden und hat sein besonderes poetisches Schicksal erlebt.

Es begann damit, daß August Wilhelm Schlegel (1767–1845) für jene poetisch und dramatisch so packende Stelle in Shakespeares «Romeo und Julia» – in der fünften Szene des dritten Aktes – eine geradezu geniale Übersetzung fand, die neben dem Original ein Eigenrecht für sich beanspruchen darf.

Es sei zum besseren Verständnis kurz an die Szene erinnert: Romeo und Julia haben sich in der Nacht gefunden. Nun bricht der Morgen an, der Morgen, der Romeo von hinnen reißen wird. Julia sucht sich noch einige Augenblicke über die vorgerückte Stunde hinwegzutäuschen und Romeo zurückzuhalten. Romeo aber weiß, daß dies seinen Tod bedeuten würde, und drängt zum Abschied. Da meldet die Dienerin, daß Julias Mutter kommen werde. Nun ist keine Zeit mehr zu verlieren, und Julia fügt sich ins Unabänderliche, indem sie ausruft: «Then, window, let day in, and let life out.»

So spricht sie zum Fenster und sagt eine tragische Wahrheit aus: «So laß denn, Fenster, den Tag herein und laß das Leben hinaus!», wie die primitiv-wörtliche Übersetzung etwa lauten würde.

Dafür nun fand Schlegel die herrrliche Wendung «Tag, schein' herein, und, Leben, flieh hinaus!» Die Kürze des Versmaßes zwang den Übersetzer zum Verzicht auf das für die Bühne so wirksame Motiv des Fensters. Dafür aber bringt die deutsche Wendung Sinn und Stimmung der Shakespeare-Stelle lapidar zum Ausdruck. Julia spricht nicht mehr zum Fenster, sondern ruft den jungen Tag selbst an und das Leben, das ihr in Romeo Person geworden ist.

Soviel zu Shakespeare und seinem Übersetzer. Aber das Wort «Tag, schein' herein, und, Leben, flieh hinaus!» blieb einem andern poetisch ergriffenen Geiste unauslöschlich eingeprägt. Ja, es löste sich bei ihm im Laufe der Jahre ganz aus seinem Zusammenhange los und wurde ihm zur selbständigen Maxime, eben zu einem geflügelten Wort. Es mußte sich ihm in seiner schlagenden Kürze einprägen, weil er wie kein anderer um das träfe und einschlagende Wort rang, und dies gar lange ohne sichtlichen Erfolg: Conrad Ferdinand Meyer.

Aber der Spruch blieb nicht nur in seinem Gedächtnis haften, es vollzog sich vielmehr – und dies wohl noch ehe der so spät Gereifte zum Dichten kam – mit ihm ein seltsamer Wandel. Denn daß es sich um ein ursprüngliches Mißverständnis des Sinngehaltes bei Shakespeare handeln könnte, ist beinahe ausgeschlossen. Conrad Ferdinand Meyer hat ja spätestens auf seiner Reise nach Venedig im Spätherbst 1871, die ihn und seine Schwester über den Brenner zunächst nach Verona führte, Shakespeares «Romeo und Julia» gelesen und sich mit der Fabel an Ort und Stelle vertraut gemacht. Da konnte ja kein Irrtum über den Sinn des Verses aufkommen.

Allein mit der Zeit drängte sich das subjektive Erleben des Dichters, sein eigener, so seltsamer Werdegang, in den vorgeprägten Spruch hinein. Die Gefühlswerte, die die Worte in seinem von schweren Depressionen umwitterten Dasein erhalten hatten, wurden auch in diesem Spruche mächtig. ‹Tag› war jetzt nicht mehr, wie es der große Dramatiker und sein Übersetzer meinten, das Zerstörerische, das gewaltsam in eine Liebe einbricht, und ‹Leben› war nicht jenes Leben, das einem Liebenden alles bedeutet, und das vom grellen Tag unerbittlicher und tragischer Wirklichkeit verdrängt wird. ‹Tag› bedeutet vielmehr Erlösung und Befreiung nach einem todähnlichen Zustand und nach dunkler Leidensnacht. Und ‹Leben› meint das neuerwachte, der Welt und ihren Freuden aufgetane Dasein. Daher verliert jetzt die Aufforderung ‹flieh hinaus!› ihren schmerzlichen Sinn und wird zur beglückenden Aufmunterung, aus einem Zustand der Gefangenschaft in eine befreiende Weite hinauszueilen.

So entsteht, aus ganz anderem Stimmungsgrunde genährt, die erste Strophe des Gedichts, das den Shakespeare-Vers zum Titel erhalten wird:

> Tag, schein' herein! Die Kammer steht dir offen!
> Holdsel'ger Lenzesmorgen, schein' herein!
> Schon glitzert, von der Sonne Strahl getroffen,
> Das Tintenfaß, der eichne Bücherschrein.
> Vogt Winter muß dem Lenze Rechnung geben,
> Dem schönen Erben, über Hof und Haus –
> Auch mir zu gut geschrieben ist ein Leben –
> Tag, schein' herein! und, Leben, flieh hinaus![1]

Wohl muß Schlegels genialer Fund den werdenden Dichter tief beeindruckt haben. Doch genügt dies allein nicht, um zu erklären, warum für ihn das Wort ein so geflügeltes und warum es in seinem Geiste einer solchen Wandlung unterworfen wurde. Da müssen außer den angedeuteten noch ganz andere seelische Bereiche, die weit über das Ästhetische hinausgehen, aufgerührt worden sein.

Dieses Rätsel hat uns der Dichter selber gelöst. Denn als er, nach dem «Hutten» und nach anderen bedeutenden Würfen, die ihm abhanden gekommenes poetisches und persönliches Selbstbewußtsein wieder zurückgaben, dieses Gedicht wieder vornahm – der erste Entwurf und die Druckfassung für «Romanzen und Bilder» fällt ins Jahr 1869[2] – da ersetzte er die zweite Strophe des dreistrophigen Gedichts durch einen ganz neuen Text, der in großartig klarer Weise in diesen seelischen und geistigen Wandel hineinleuchtet. Während in der ersten Fassung[3] in spielerisch-heiterer Tonart Morgensonne und Morgenwind gleich einem lustigen Studenten mit den losen Manuskriptblättern umgehen, stößt der Dichter in der zweiten zu einer der aufschlußreichsten Selbstanalysen vor. Wahrer und einfacher könnte des Dichters Schicksal nicht wiedergegeben werden. Erst von dieser Neufassung der zweiten Strophe her erhält auch die rätselhafteste Zeile der ersten eine Abklärung: «Auch mir zu gut geschrieben ist ein Leben.» Auch er, der Dichter, ist dazu bestimmt, wieder aus tödlicher Winterstarre zu erwachen, auch ihm ist noch ein Leben zugesichert, das in den neuen Frühling hineindauern soll. Auf der Höhe seiner Schaffenszuversicht stehend, während er seine Gedichte zu einer Gesamtausgabe sichtet (1881/82), kann er nun die dunklen Gründe überschauen, in denen er befangen war. Ja noch mehr: jetzt kann er es wagen, das Dunkle ins Licht zu stellen, das, was ihn einst so schwer bedrängt hatte, in Worte zu fassen:

Ich war von einem schweren Bann gebunden.
Ich lebte nicht. Ich lag im Traum erstarrt.
Von vielen tausend unverbrauchten Stunden
Schwillt ungestüm mir nun die Gegenwart.
Aus dunkelm Grunde grüne Saat zu wecken
Bedarf es Sonnenstrahles nur und Taus,
Ich fühle, wie sich tausend Keime strecken.
Tag schein herein und, Leben, flieh hinaus!

Jener Bann aber, von dem er vom Ende seines zweiten und bis zum vierten Lebensjahrzehnt geschlagen war, hatte mit dem Motiv des Fensters, das da den Tag hereinfluten und Leben entfliehen lassen kann, geradezu unheimlich viel zu tun. Denn in den Zeiten seiner tiefsten Depressionen, in denen er sich vor der Mutter und sogar vor seiner verständnisreichen Schwester verschloß, pflegte er, wie letztere berichtet, sein verlorenes Leben des Tages hinter verschlossenen Läden zuzubringen und nur noch des Nachts außer Hause zu gehen. In dieses Dunkel wollte kein Tag mehr hereinscheinen, und der Tod war ihm näher als das Leben.

Dann war ihm, in Préfargier und in Lausanne, ein neues heilsames Licht aufgegangen. Sonnenstrahl und Tau hatten die Winterstarre gelöst. Er selbst öffnete sich dem Leben und dem Dasein in der Mitwelt und in der Zeit wieder. Dieser fundamentale Heilungsvorgang ließ ihn das Leben tatsächlich als anbrechenden Tag empfinden, und dieses Leben durchbrach nun das Eis und drängte hinaus in die Ferne, und fortan wurde aus dem an dunkle Räume Gefesselten ein passionierter Liebhaber der freien Natur, ein leidenschaftlicher, ja manchmal ein ruheloser Wanderer. Zu Zeiten war er sogar von einer förmlichen Reisesucht besessen.

Dies alles war nun in das geflügelte Wort aus «Romeo und Julia» eingeströmt und hatte ihm einen von seinem ursprünglichen Zusammenhang völlig losgelösten, ja gegenteiligen Sinn gegeben. Es war zu einem Brennpunkt seines subjektiven Erlebens geworden.

Aber dieser Gegensinn wird durch die dichterische Leistung Meyers wiederum aus seiner individuellen Befangenheit zu einer allgemein-menschlichen Gültigkeit erhoben, wird, kurz gesagt, wie das nachgestaltende Wort Schlegels, wieder echte eigenständige Dichtung. So wenigstens wollte es der Dichter schon verstanden wissen, wenn er sein Gedicht an den Anfang des Zyklus «Reise» stellte. Denn keines steht ja in der Sammlung, die er selber ordnete, von ungefähr. Es sollte vielmehr in ganz besonderem Maße Grund, Sinn und Stimmung all seines Reisens vorweg deuten. Reisen hieß für den Dichter, den Tag, die lichte Wirklichkeit hereinscheinen lassen und diese bejahte irdische Wirklichkeit mit dem ganzen Sein und Wesen in fröhlicher Flucht erfassen. Vergessen wir dabei nicht, daß das Verb ‹fliehen› im Zürichdeutschen durchaus auch die Bedeutung ‹eilig, aber ohne Angst weggehen›, ‹aufbrechen› annehmen kann[4]. Hinausfliehen ohne Angst und mit dem Mut zum Abenteuer, was da auch immer kommen mag! Das ist Euphorie, das Gegenteil von Depressivität und bezeugt den Heilungsvorgang in Conrad Ferdinand Meyer.

Darum klingt jetzt die dritte und letzte Strophe, die der Dichter in ihrem ursprünglichen Bestand in die Endfassung fast unverändert übernehmen durfte – sie ist wohl die lyrischste von allen – so heiter und beschwingt aus:

Ein Segel zieht auf wunderkühlen Pfaden,
Im Flutendunkel spiegelt sich der Tag.
Was hat die Barke dort für mich geladen?
Vielleicht ist's etwas, das mich freuen mag!
Entgegen ihr! Was wird die Barke bringen
Durch blauer Wellen freudiges Gebraus?
Entgegen ihr! Mit weit gestreckten Schwingen!
Tag, schein' herein! und, Leben, flieh hinaus!

So hat hier Meyer einem wahrhaft genialen poetischen Fund des Shakespeare-Übersetzers August Wilhelm Schlegel einen neuen, seinem Wesen entstammenden Sinn verliehen und, die ursprüngliche Bedeutung in ihr Gegenteil kehrend, ein geflügeltes Wort mit einem nicht minder wahren andersartigen Stimmungsgehalt erfüllt.

«Ein bißchen Freude»

Spruchpoesie als Tarnung gegen pietistische Anfechtung

Der Lyriker Conrad Ferdinand Meyer ist dank seinen «Bildgedichten», wie «Der römische Brunnen», «Auf Goldgrund», «Mövenflug», allenfalls auch durch seine impressionistisch erzählenden oder beschreibenden Strophen, wie «Auf dem Canal Grande», «Requiem», «Nachtgeräusche» oder «Zwei Segel» berühmt geworden. Gedichte solcher Art zeigen eine hohe Bildkraft; Reflexion existiert nur, insofern sie ins Bild gerufen wurde. Darin kündet sich Meyers Symbolismus. In andern, mehr spruchähnlichen Kurzgedichten, wie «In Harmesnächten» oder «Säerspruch» leuchtet eine tief gegründete, nicht durch rationales Kalkül gewonnene Glaubenswelt auf; die religiös-metaphysische Dimension scheint dabei überall vorhanden.

Da scheint denn für eine Art von dichterischen Übungen, die bei Begabten und Unbegabten wuchert, nämlich für den mehr oder weniger verkappten Lehrspruch und für die versifizierte Moral – man kann dazu auch die revolutionär-antibürgerliche Antimoralistik der Gegenwart rechnen – bei Meyer kein Platz zu sein. Die religiöse Dimension und das beständige Wissen um die Nähe des Todes verhinderten bei ihm jedes bloße Moralisieren. Mit einer Ausnahme, dem Gedicht *«Ein bißchen Freude»,* dem wir uns nun gerade wegen seiner Ausnahmestellung zuwenden. Da ist nämlich Weisung, Rezept, nichts mehr und nichts weniger als eine Art Verhaltensregel für das Leben herauszulesen.

Wie heilt sich ein verlassen Herz,
Der dunkeln Schwermut Beute?
Mit Becher-Rundgeläute?
Mit bitterm Spott? Mit frevlem Scherz?
Nein. Mit ein bißchen Freude!

Wie flicht sich ein zerrißner Kranz,
Den jach der Sturm zerstreute?
Wie knüpft sich der erneute?
Mit welchem Endchen bunten Bands?
Mit nur ein bißchen Freude!

Wie sühnt sich die verjährte Schuld,
Die bitterlich bereute?
Mit einem strengen Heute?
Mit Büßerhast und Ungeduld?
Nein. Mit ein bißchen Freude![1]

Das offenbar kurz vor Erscheinen der «Gedichte» (1882) verfaßte Gebilde enthielt noch in den Korrekturabzügen eine vierte Strophe mit einem nekkisch-ironischen und resignierenden Unterton:

> Nimm, Leser, das Rezept und lauf
> Und rufe: Zeigt mir, Leute,
> Mit einem Fingerdeute,
> In welcher Apotheke kauf
> Ich mir ein bißchen Freude?

Diese Strophe hätte die spruchähnliche Lebensregel ironisiert; sie hätte in einer sehr modern wirkenden, gleichsam der Überfluß- und Überdruß-Gesellschaft abgelauschten Resignation auf das Nichtvorhandensein auch nur kleiner Freuden verwiesen und damit die Trostlosigkeit der Welt entschieden betont. Dies beabsichtigte Meyer offenbar nicht. Er *wollte* vielmehr ein Rezept bieten, ein Lehrgedicht schaffen. Darum verzichtete er auf die an und für sich nicht unwirksame Ironisierung. Kleine Freuden waren für ihn – um diese Zeit – noch vorhanden; es galt nur, sie zu nutzen.

So liegt denn ein frommes, biederes Erbauungsgedichtchen vor, wenn auch kein asketisches, und diese brave, lebensbejahende Erbaulichkeit hat ihm sogar da und dort einen Platz in Anthologien und Sammlungen für den Schulgebrauch gesichert.

Hat sich C. F. Meyer, so fragt es sich, für einmal dieser frommen Erbaulichkeit verschrieben und damit eine Abwandlungsform des volkstümlichen religiösen Liedes aufgegriffen, wie sie seit der Reformation in der kirchlich-religiösen Lyrik des Protestantismus gepflegt wurde? Oder ist es eine Konzession an den übersteigerten, moralisierenden Pietismus, dem die Mutter anhing und unter dem er einst so grausam gelitten hatte?

Wir sind mit dieser letzteren Alternativfrage den Gründen dieses scheinbar oberflächlichen Lehrspruchs auf die Spur gekommen, freilich nicht so, daß er, Meyer, nun selbst in den mütterlichen weltverneinenden Pietismus zurückgefallen wäre, im Gegenteil: Die Maxime, die hier angeboten wird, zeigt es unmißverständlich. Bekundet sie doch eine vorsichtig zurückhaltende Weltbejahung und Zuversicht. Sein eigener Teil war aber die düstere Freudlosigkeit gewesen, und jede Regung zur Lust, zum «Leichtsinn», zum leichten Sinn, wie Meyer dieses Wort zu verstehen pflegte, wurde ihm – wenigstens seit dem Tode des Vaters – zum Vorwurf gemacht. Was ja eben zur Folge hatte, daß er sich vor der Welt in ein freudloses Einsiedlerleben zurückzog, aus Trotz und unbändigem Hochmut, wie die Mutter meinte, zur Selbsterhaltung und Rettung seiner Künstlerpersönlichkeit, wie wir es heute wissen. So erweist sich denn dieses erbaulich fromme

Liedchen – wie so viele andere traditionelle Formen, deren sich der Dichter bedient – als eine Tarnung, als eine Möglichkeit, das Eigenste verhüllt und doch sichtbar zur Aussage zu bringen. Und wie klar geschieht dies, wie sehr dem eigenen Schicksal entsprechend!

Er, niemand anders, war das verlassene, einsiedlerisch dahinvegetierende Herz. Er war wirklich «der dunkeln Schwermut Beute». Und einmal wenigstens, als Gymnasiast, war er in eine Klasse hineingeraten, wo burschikoses Becher-Rundgeläute, die romantische Burschenherrlichkeit, den Ton angab – zum großen Entsetzen der Mutter. Aber dieser Ton war ja nicht sein eigener. Conrad war zu sehr von den Beschwerden des Lebens belastet, als daß er «mit bitterm Spott» und «frevlem Scherz», eben im Ton der wilden Burschenherrlichkeit, hätte Entspannung finden können.

Und dann kamen die Jahre der Zerwürfnisse mit der Mutter, der «Hitzen» und Zornausbrüche, und der Unfähigkeit, zu einem schlichten Ton der Freundlichkeit, des Vertragens und der Liebe zurückzufinden, Zeiten, da er vergeblich versuchte, durch die Mauer von Verbitterung und Verhärtung zu natürlicher, befreiender Heiterkeit durchzubrechen. Dann folgten die Jahre, da diese Zerwürfnisse mit seiner Mutter zu schweren Schuldverstrickungen führten und anschließend jene Zeit, da ein Teil der Schuld an Krankheit und Tod der Mutter mit lastender Schwere auf ihn zurückfiel.

Aber schon zu ihren Lebzeiten hätte er sein trotziges Schweigen ablegen und als Büßer Abbitte tun sollen – und konnte es nicht. Es lag nicht in seiner Macht, dem Wunsch der Mutter nach Demütigung nachzukommen und mit Lippenbekenntnissen die Last seiner Schuld von sich abzuwälzen. Es war schon so: im Dunkel, in dem er sich immer mehr verfangen und versponnen hatte, und in der lähmenden, immer wieder zur Schau gestellten Traurigkeit und in der Weltflucht, welche die Mutter um sich breitete und damit die Ihrigen ansteckte, fehlte das eine, was dem jungen Menschen nottat: die heitere, unbeschwerte Ruhe und Gelassenheit – und eben ein Quentchen Freude. Für einen, der in den Fängen der dunklen Schwermut lag, wäre auch schon ein bißchen Freude genug gewesen. Dem von der Schuld Beschwerten hätte schon ein schmaler Streifen helleren Lichtes am Horizont genügt. So erweisen sich denn diese drei Strophen, die in fast volkstümlich-erbaulicher Weise einer, sagen wir, hedonistischen, daseinsfreudigen Moral verpflichtet sind, als Spiegel eigener Not, als ein Ausweg aus den eigenen Bedrängnissen.

Denn was war es, das ihm die weißen Mauern der Anstalt Préfargier anboten, als er, von den Dämonen der Angst und psychotischer Wahnideen verfolgt, unter ihr Tor trat?

An Stelle finsterer Forderungen und resignierender Seufzer über den «armen Conrad», wie er von der Mutter benamst wurde, trat heitere Gelassenheit. James Borrel, der leitende Arzt, Fritz, sein Bruder, der Anstaltsseelsorger, und Cécile, die Schwester des Anstaltsleiters und Oberschwester des Hauses, alle drei verwalteten in heiterer Daseinsfreude das calvinistische Erbe des welschen Protestantismus, und diese stille Heiterkeit, mit der vor allem Cécile Borrel den jungen Mann aus Zürich umgab, genügte, den schweren Bann von ihm zu nehmen, in dem er gebunden lag.

Wahrlich, die Weisung zu einem bißchen Freude stammte aus dem tiefsten Grunde seines Schicksals. Das bißchen Freude, das fortan über dem leuchtete, der so schwer am Leben trug, bedeutete die Rettung seiner geistigen Existenz und den Anfang eines mühsam wachsenden, doch unentwegt echten Künstlertums. Diese tiefe und erlösende Erfahrung hat den Grund gelegt für den schlichten, erbaulichen, beinah volkstümlichen Spruch.[2]

Mouton der Maler und Mouton der Pudel

Conrad Ferdinand Meyers vorgreifendes Kunstverständnis
Zu einer Figur in «Das Leiden eines Knaben»

«Sire», sagte Fagon fast leichtsinnig, «habt Ihr Euern Untertan, den Tiermaler Mouton, gekannt? Ihr schüttelt das Haupt. So nehme ich mir die große Freiheit, Euch den wenig hoffähigen aber in diese Geschichte gehörenden Künstler vorzustellen, zwar nicht in Natur, mit seinem zerlöcherten Hut, dem Pfeifenstummel zwischen den Zähnen – ich rieche seinen Knaster – hemdsärmelig und mit hangenden Strümpfen. Überdies liegt er im Grabe. Ihr liebt die Niederländer nicht, Sire, weder ihre Kirmessen auf der Leinwand, noch ihre eigenen ungebundenen Personen. Wißt, Majestät: Ihr habt einen Maler besessen, einen Picarden, der sowohl durch die Sachlichkeit seines Pinsels als durch die Zwanglosigkeit seiner Manieren die Holländer bei weitem überholländerte.» [1]

So lesen wir es in der Novelle «Das Leiden eines Knaben». Die Kunst-Lexika wissen freilich von keinem Maler dieses Namens aus der Picardie. Mouton der Maler scheint eine reine Erfindung des Dichters zu sein. Dabei hat er ihm im Ablauf der Erzählung, wie wir noch sehen werden, keine geringe Rolle zugedacht. Doch ehe wir auf sie eingehen, haben wir das Bild Moutons, wie es Meyer entwickelt, noch weiter zu verfolgen. Er habe, so setzt der Leibarzt Ludwigs XIV. vor dem König und dessen Altersfreundin Madame de Maintenon seine Darstellung fort, unter ihnen selbst gelebt, «seine grasenden Kühe und seine in eine Staubwolke gedrängten Hämmel malend, ohne eine blasse Ahnung alles Großen und Erhabenen, was Dein Zeitalter, Majestät, hervorgebracht hat». Er habe weder seine Bischöfe und Prediger noch seine Staatsmänner und Feldherren, deren Ruhm in aller Munde war, gekannt. Ja nicht einmal das Taufwasser habe er gekostet und selbst vom erlauchten Zuhörer, der Sonne seiner Zeit, habe er nichts gewußt. Nur den Herzog von Vendôme, dessen Jagdschloß er mit Hirschjagden von unglaublich frecher Mache ausstaffierte, pflegte er mit einem Kosewort seines Sprachstils einen Viehkerl zu nennen. Das Vieh aber, vor allem die Stiere, stand ihm höher als der Mensch. Er war, so ergänzt Fagon seinen Bericht, ein Analphabet und darin nicht weiter als sein Pudel, den er, in großartig ungebrochenem Selbstbewußtsein, mit seinem eigenen Namen Mouton ausstattete. Diesen aber nennt Fagon unter den drei Gästen, die er öfters beherbergte, den beiden Moutons und Julian Boufflers, den begabtesten. Denn Mouton der Maler fühlte sich im botanischen Garten und bei den Tiergehegen, in deren Nähe der Leibarzt horstete, heimisch und pflegte bei guter Laune, wenn er nicht soff, ab und zu eines von Fagons stillen Zimmern mit seinen «scheuenden Pferden oder saufenden Kühen» zu bevölkern.

Was aber führt den Sohn des Marschalls Boufflers, den hübschen Jungen, der Mühe hat zu leben, in Moutons Nähe? Julian hat nicht nur Freude an Moutons frechen Malereien, sondern sucht es ihm nachzutun. Ungeheißen nimmt er bei ihm Malstunden. «Dort [in der Mansarde eines Nebengebäudes] sah ich einen blonden schmalen Knabenschopf in glücklicher Spannung gegen eine Staffelei sich neigen. Dahinter nickte der derbe Schädel Moutons und eine behaarte Hand führte die schlanke des Jünglings (...) Mouton der Pudel saß auf seinem hohen Stuhle mit rotem Kissen daneben, klug und einverstanden, als billige er höchlich diese gute Ergötzung[2].» Das Ergebnis dieses Lernens: «Ich besah Blatt um Blatt. Seltsamer Anblick, diese Mischung zweier ungleichen Hände: Moutons freche Würfe von der bescheidenen Hand des Knaben nachgestammelt und – leise geadelt![3]» Das Schönste und zugleich das Tragischste, wovon der Erzähler zu berichten weiß, sind einige Bienen, die Julian unter Anleitung seines Lehrmeisters mit Hilfe der Lupe unglaublich sorgfältig wiedergegeben hat. Wer die Novelle kennt, weiß, auf wie verhängnisvolle Art Julians arglose Zeichenkünste von seiner Schulklasse mißbraucht und wie das «bête-à-miel» zum tragischen Wendepunkt seines unglücklichen Daseins wird.

Für uns steht allerdings nicht diese poetische Verknüpfung im Vordergrund, sondern der Maler und der Hund Mouton und das Rätsel der Freundschaft des Marschallssohnes mit diesen beiden Wesen, welche den Namen jenes Tieres tragen, das in den Augen der Menschen neben der tiefsinnigen christlichen Symbolik, dem Rührselig-Empfindsamen der Bukolik und ihrer Ausläufer im Rokoko auch noch die Etikettierung der absoluten Dummheit auf sich nehmen muß.

Recht besehen, übertrifft nicht nur Mouton der Pudel, sondern ebensosehr auch Mouton der Maler seine hochgezüchtete gesellschaftliche Umgebung bei weitem an Lebensweisheit. Er allein findet den Weg, einen tief verwundeten jungen Menschen sich selbst zurückzugeben, der unter den täglichen Demütigungen seiner Schule, für die er nicht geeignet ist, leidet: «Wie viel oder wenig er gelernt haben mochte, schon die Illusion eines Erfolges, die Teilnahme an einer genialen Tätigkeit, einem mühelosen und glücklichen Entstehen, einer Kühnheit und Willkür der schöpferischen Hand, von welcher wohl der Phantasielose sich früher keinen Begriff gemacht hatte und die er als ein Wunder bestaunte, ließ den Knaben nach so vielen Verlusten des Selbstgefühls eine große Glückseligkeit empfinden[4].»

Julian, zwar mit allen ritterlichen Tugenden ausgestattet, ein ausgezeichneter Fechter mit dem Degen, hat wohl den guten Willen, aber nicht die Gaben des beweglichen Denkens erhalten und hat bei den Jesuiten, die ihn zu schonen aufgehört haben, schon alles Selbstvertrauen eingebüßt, ja er trägt bereits die Zeichen eines von den Dämonen des Verfolgungswahns gejagten Menschen an sich. Aber bei den beiden Moutons hat er ein Stück seiner seelischen Freiheit zurückgewonnen, und der Mutterlose, für den sein Vater keine Zeit übrig hat, hat etwas wie ein erlösendes Refugium gefunden. Mit seiner instinktiven Erfahrung hat Mouton der Maler das ganze Elend des armen reichen Jünglings erfaßt. Er eröffnet ihm sogar die Möglichkeit einer endgültigen Befreiung aus seiner seelischen Haft: Flucht in eine freie, natürliche, durch keine höfische Etikette vergitterte Welt. Das Angebot, ihn nach dem wärmeren und ungebundenen Süden mitzunehmen, kommt allerdings zu spät; die Prügelszene in der Schule führt rasch zum tragischen Ende.

Wer ist Mouton der Tiermaler? Sicher nicht, was schon Kommentatoren zu dieser Figur gemeint haben, ein primitiver Rohling. Vor allem ist er offenbar ein Meister seiner Kunst, ein untrüglicher Beobachter und ein sicherer Beherrscher seines Pinsels, zu karikierender Übertreibung und zu subtiler Treue in gleicher Weise bereit. Ist er ein Kleinmeister, unserem Diogg oder gar dem Katzen-Raffael vergleichbar? Der Kleinmeister pflegt aber das Angelernte und zu eigen Gemachte mit stiller Beharrlichkeit und entwickelt es weiter. Er ist ein wohlgebildeter, sorgfältig ausgebildeter Meister seines Handwerks, meist keine Randexistenz, sondern in wohlgeordneten bürgerlichen Verhältnissen. Mouton dagegen malt in unglaublich frecher, oft in genialischer Manier und scheint mit der Tierwelt, die er malt, eins zu sein und sie doch gleichzeitig mit spielerischer Leichtigkeit auf die Leinwand zu bannen. So aber malt kein Kleinmeister, auch nicht der geistig leicht debile Katzen-Raffael. Mouton ist vielmehr das, was die Kunstgeschichte einen «peintre naïf» zu nennen pflegt. Der peintre naïf existiert aber in jenen Jahren, da C. F. Meyer «Das Leiden eines Knaben» schrieb, noch nicht oder war zum mindesten von der Kunstwissenschaft noch nicht ins Bewußtsein der Kunstgeschichte erhoben worden. Daraus ist zu schließen: Wie in so manchen anderen Belangen hat hier der Dichter, seiner Zeit vorauseilend, mit einem erstaunlichen Sensorium für echte Kräfte kommenden künstlerischen Schaffens das Wesen der naiven Kunst für sich entdeckt und auf eine höchst eindrückliche Weise gestaltet. Ausgerechnet er, dem es nach vieler Meinung nur in der Umgebung von Haupt- und Staatsaktionen, «bei den Harnischen und Wämsern», um mit Hugo von Hofmannsthal zu reden, wohl zu sein scheint, ausgerechnet er, dessen künstlerisches Schaffen sich am hohen Genius Michelangelos entzündete!

Conrad Ferdinand Meyers tiefe Beziehung zum Tier, zu Hunden und Katzen vor allem, ist freilich bekannt. Daß er in Zeiten, da er es selbst schwer hatte zu leben und er in die Isolation zurücksank – in den Monaten vor Préfargier vor allem – immer noch in vertraulicher Freundschaft mit seinen Haustieren lebte und ihnen sozusagen allein sein Leid zu klagen pflegte, das wissen wir aus Betsys «Erinnerungen». Weniger oder nichts wissen wir dagegen von der Freundschaft mit einem Maler, der dem Wesen eines peintre naif nahe war. Der Madonnenmaler Paul Deschwanden, der in Conrads jüngeren Jahren im Hause Meyer verkehrte, stand den Nazarenern nahe und war alles, nur kein Naiver[5].

Tief angelegt und schon frühe vorhanden war indes das Verständnis des Dichters für die geistig Zurückgebliebenen, die Ungebildeten und die Bildungsunfähigen. Da ist auch in diesem Zusammenhang an den Genfer Antonin Mallet zu erinnern, der, ein Debiler, in der Familie Ulrich und danach in der Familie Meyer Aufnahme gefunden und dem gegenüber die Geschwister Conrad und Betsy alle Rücksicht zu üben gelernt hatten. Die Achtung vor dem von der Natur und in der menschlichen Gemeinschaft benachteiligten Menschen war in der Familie des Taubstummen-Lehrers und -Betreuers Johann Conrad Ulrich keine Verpflichtung, sondern eine selbstverständliche Haltung.

Da muß auch das Gedicht «Allerbarmen» herangezogen werden, das in erschütternder Weise die Gnade an den Unbegnadeten zum Ausdruck bringt.

Allerbarmen

An dem Bauernhaus vorüber
Schritt ich eilig, weil mir grauste,
Weil im dumpfen Hof ein trüber
Brütender Kretine hauste.

Schaudernd warf ich einen halben
Blick in seinen feuchten Kerker –
Eben war die Zeit der Schwalben,
Wo sie baun an Dach und Erker.

Den Enterbten sah ich kauern,
Über seiner Lagerstätte
Blitzten Schwalben um die Mauern,
Nester bauend in die Wette.

Der erloschne Blick erfreute
Sich, in einem kleinen blauen
Raum das Werk der Schwalben heute
Dieses kluge Werk zu schauen.

Blitzend kreiste das Geschwirre
An dem engen Horizonte,
Und das Lachen klang, das irre,
Drin sich doch der Himmel sonnte.[6]

Der Anstoß zu diesem Gedicht scheint auf das Jahr 1866 zurückzugehen, da dem Dichter in Tirano im oberen Veltlin die vielen Crétins aufgefallen waren. Doch ist es erst 1878 entstanden, also ein halbes Jahrzehnt vor der Novelle «Das Leiden eines Knaben». Es verbindet in einer großartigen Weise unmittelbare Anschaulichkeit, psychologische Wahrhaftigkeit, tiefe innere Teilnahme und Teilhabe und wird dabei zu einem Ausdruck letzter Geborgenheit im Glauben.

Aber alle persönliche Erfahrung und alles erlebte Verständnis für geistig Zurückgebliebene reichen doch nicht aus, den entscheidenden Erfolg, den der Maler Mouton und sein Hund bewirken und das Persönlichkeitsbild des Picarden zu deuten. Denn dazu gehört nun vor allem auch die therapeutische Strahlungskraft, die von diesem peintre naïf ausgeht. In der Mansarde Moutons wird nichts weniger als ein Stück Arbeits- und Gestaltungstherapie geübt, wiederum eine Vorwegnahme dessen, was im zwanzigsten Jahrhundert als Beschäftigungstherapie in unseren Heilanstalten Eingang gefunden hat. Die Anschauung künstlerischen Werdens und die Teilnahme an einem kreativen Arbeitsprozeß legt in dem Jungen, dem sie sein Selbstbewußtsein beinahe bis auf den Grund zerstört haben, noch einmal ungeahnte Kräfte frei und gibt ihm eine Schaffensfreude zurück, die er im dürren Drill der Schule verloren hat. Und der Dichter wußte aus tiefster Erfahrung um die Unnatur finsterer erzieherischer Ungeduld. Aber er wußte auch um die erlösende Kraft der Freude, wenn sie dem zuteil wird, welcher «der dunklen Schwermut Beute» geworden.

Möglich zwar, ja wahrscheinlich, daß dem Dichter bei den «scheuenden Pferden und saufenden Kühen» Bilder seines Zürcher Zeitgenossen, des Tiermalers Rudolf Koller (1828–1903) in die Erinnerung aufgestiegen sind. Bei ihm konnte er zum mindesten Vitalität und Naturnähe finden; doch paßt die freche Machart nicht auf seine Malweise, und noch weniger das Analphabetentum.

So bleiben die beiden Moutons eine Erfindung des Dichters. In ihnen verkörpern sich die Heilkräfte, denen der Dichter vertraute, die ungebrochen vitale, im klugen Tier symbolisierte Lebenskraft und das dem natürlichen Sein nah verbundene unreflektierte Menschenleben.

Gewiß, Meyers Kunst war nicht die Kunst eines peintre naïf, vielmehr das Gegenteil davon; aber er hat die Kunst Michelangelos, seines großen

Anregers, als eine Manifestation der schöpferischen Natur erlebt. So ist denn sein Kunsterlebnis doch nicht sehr weit von dem Julian Boufflers' entfernt. Für den Dichter aber, der diesen peintre naïf und seinen Hund auf so ganz unerwartete Weise gestaltete und in die Erzählfabel einbaute, gilt: Sein menschliches und künstlerisches Verständnis war je und je größer und weiter, als die Weidegründe es erwarten lassen, aus denen er seine Nahrung holte.

«Noch einmal» – letzte Höhe und dunkler Vorbote

Ende 1887, nach Erscheinen der Novelle «Die Versuchung des Pescara», über deren Erfolg er sich eigentlich hätte freuen dürfen, war ein depressiver Zustand über den Dichter gekommen, der sich bald auch mit bedenklichen körperlichen Beschwerden verkoppelte: Entzündung der Halsorgane mit Atemnot, Erstickungsängsten und Würgeschmerzen. An ein ungestörtes freies Arbeiten war nicht mehr zu denken, und, was noch bedenklicher erscheint, seine Verbindung mit der Außenwelt durch Briefe schränkte er auf das Allernotwendigste ein. Der Wille zur natürlichen Kommunikation schwand dahin. Einer späteren brieflichen Äußerung zufolge scheint der Tiefstand im Frühjahr 1888 eingetreten zu sein. «Gehen Sie ruhig Ihren schönen Weg», schreibt er am 25. Juli 1889 von San Bernardino aus an Paul Heyse. «Ihr Freund und Verehrer in Kilchberg wäre bald im Frühjahr 1888 den seinigen gegangen, sans regret, aber er hat sich wieder erholt, nicht ohne Einbuße freilich, doch erträgt er noch die hohe Bergluft, seine Universalmedizin[1].»

Die Anspielung ist unmißverständlich: Er war dem Tode nahe – und hätte ihn auch leicht hingenommen (sans regret). Aber aus der Tiefe der Depression hatte er offenbar – in mehrfachem Sinne – den Weg hinauf wiedergefunden. Freilich nicht ganz ohne Einbuße. Das bedeutet, daß ihm das Gefühl der Hinfälligkeit und das Ende näher stand als je zuvor seit den Krisenjahren.

Der Brief an Paul Heyse zeigt, daß Meyer aus der Depression herausgefunden und wieder einer Art eingeschränkter Euphorie zustrebte. Zwei Jahre nach der Sommerfrische in Mürren hatte er den Weg in die geliebten Berge wieder gefunden und war in eine Landschaft eingekehrt, die er schon im Frühherbst 1866 mit Betsy erwandert hatte. Mit Frau und Tochter verbrachte er drei Sommerwochen im Dörfchen San Bernardino auf der Südseite des gleichnamigen Passes, wo er im Hotel Brocco Unterkunft gefunden hatte. Daß er da die Höhenluft seine Universalmedizin nennt, bedeutet zum mindesten, daß er sich wieder leidlich gesund fühlte. Aber er mißtraute nach der sehr langsamen Heilung der Euphorie, die ihn wieder erfaßt hatte. Da sein Gesundheitszustand, wie er bekennt, eine bleibende Einbuße erlitten hatte, mußte er befürchten, daß die Hochstimmung, und damit der schöpferische élan bald nachlassen könnte.

Auf dieser Gratwanderung eines seelisch ungeheuer labil Gewordenen entstand, offenbar ohne unbeholfenere Zwischenstufen das Gedicht «Noch einmal», das Meyer schon wenige Tage nach der Rückkehr aus dem Bündnerland an K. E. Franzos, den Herausgeber der «Deutschen Dichtung» abschickte, zusammen mit «Auf dem Canal Grande», das ja auf ähnliche Weise das Thema der reißenden Zeit ins Bild ruft. Mit den anderen beigeschlossenen Spätgedichten zusammen, machte Franzos daraus – verdientermaßen – eine Sondernummer.

Der Kürze halber beschränken wir uns zur Einstimmung in das Hauptthema auf die Anführung der vierten (und letzten) Strophe des zweifellos einprägsamsten der Venedig-Gedichte C. F. Meyers:

> *Eine* kurze kleine Strecke
> Treibt das Leben leidenschaftlich
> Und erlischt im Schatten drüben
> Als ein unverständlich Murmeln. [2]

Für ihn zählte nur die kurze Strecke, zählten jetzt nur noch die Höhepunkte schöpferischer Euphorie. Gingen diese Aufschwünge zu Ende – so mußte er in seiner Zeitbedrängnis immer wieder befürchten –, so würden sie nie mehr zurückkehren, so wie sie ihm anderthalb Jahre lang abhanden gekommen waren. Dann würde das Leben im Schatten drüben als ein unverständlich Murmeln erlöschen, eine Selbstdiagnose, die sich in geradezu unheimlich präziser Weise bewahrheiten sollte!

Noch waren aber auf dieser Strecke seines Lebens – zu Anfang seines siebten Lebensjahrzehnts – zureichende Energien vorhanden, sich gegen die unheimliche Ahnung vom allmählichen Erlöschen zur Wehr zu setzen. Und noch sah er wie einst in den depressiven Anwandlungen der jüngeren Jahre eine Alternative zum unverständlichen Murmeln im Schatten drüben: das jähe Ende! «Von Garbe zu Garbe ist Raum für den Tod» [3], so hieß es schon in der Druckfassung des «Schnitterliedes» (zu Anfang der Achtzigerjahre). Und noch war die Devise des Pagen Läubelfing auf ihn selber anwendbar: «courte et bonne» [4].

Ihm, dem die niederdrückende Gewalt tatenloser Dumpfheit zur Genüge bekannt war, mußte je und je ein jäher Tod schöner erscheinen als ein schleichendes, in der Dumpfheit der Umnachtung sich verlierendes Leben. So mußte dieses Aufstürmen, dieser dionysische Lebensrausch den Wunsch zeitigen, ein ebenso jähes Ende zu finden. Je mehr er die Schwächen des Alters herannahen fühlte, um so intensiver wurde dieser Wunsch.

Von dieser Lebensstimmung her läßt sich nun die einzigartige Dichte, Klarheit und Geschlossenheit des Altersgedichts «Noch einmal» begreifen, eines Gedichts, das meines Erachtens zu den Kleinodien der deutschen Lyrik zu zählen ist.

Noch einmal

Noch einmal ein flüchtiger Wandergesell –
Wie jagen die schäumenden Bäche so hell,
Wie leuchtet der Schnee an den Wänden so grell!

Hier oben mischet der himmlische Schenk
Aus Norden und Süden der Lüfte Getränk,
Ich schlürf es und werde der Jugend gedenk.

O Atem der Berge, beglückender Hauch!
Ihr blutigen Rosen am hangenden Strauch!
Ihr Hütten mit bläulich gekräuseltem Rauch –

Den eben noch schleiernder Nebel verwebt,
Der Himmel, er öffnet sich innig und lebt,
Wie ruhig der Aar in dem strahlenden schwebt!

Und mein Herz, das er trägt in befiederter Brust,
Es wird sich der göttlichen Nähe bewußt,
Es freut sich des Himmels und zittert vor Lust –

Ich sehe dich, Jäger, ich seh dich genau,
Den Felsen umschleichest du grau auf dem Grau,
Jetzt richtest empor du das Rohr in das Blau –

Zu Tale zu steigen, das wäre mir Schmerz –
Entsende, du Schütze, entsende das Erz!
Jetzt bin ich ein Seliger! Triff mich ins Herz![5]

Noch einmal hatte ihn der Wandertrieb erfaßt, noch einmal war ihm der alpine Hochsommer mit seiner strahlenden Klarheit nahegekommen, noch einmal hatte er den beglückenden Hauch der Berge gekostet. Dabei war ihm aber auch, in den Hoch- und Spätsommertagen, das Ausgeliefertsein an die Zeit und seine Hinfälligkeit bewußt geworden, wohl noch verstärkt durch sein Wissen um den bedenklichen Gesundheitszustand Gottfried Kellers, dessen siebzigsten Geburtstages er dort oben gedachte und zu dem er sich in einem Brief an Luise von François mit aufrichtiger Verehrung bekannt hatte.

So scheinen denn in diesem Gedicht noch einmal alle Grundgefühle und Grundstimmungen seines Daseins lebendig geworden und zusammengeströmt zu sein: Sein Wandertrieb, sein Bedürfnis nach heroischer Gebirgslandschaft, sein Verlangen nach dem Süden, sein Hunger nach Erlebnis, Fülle und Dichte:

Noch einmal ein flüchtiger Wandergesell –
Wie jagen die schäumenden Bäche so hell
Wie leuchtet der Schnee an den Wänden so grell!

Aus diesen und aus allen Zeilen spricht das deutliche Empfinden, diese Schönheit der Berge zu erleben sei nur noch dieses eine Mal möglich. Und in der Tat waren die Wochen in San Bernardino die letzten Bergferien, die er in kreativer Wachheit und mit klaren, offenen Sinnen erlebte. Darum wohl, weil die Worte so sehr aus vitalen Gründen und realen Anschauungen genährt sind, wohnt ihnen eine solche Bewegtheit und unmittelbare Aussage inne. Hier, hart unter der Bergscheide des Bernardin-Passes, aber schon auf der Südflanke, wird ihm auch noch einmal seine Zugehörigkeit zu Nord und Süd, die bilaterale Beheimatung seines Geistes klar:

> Hier oben mischet der himmlische Schenk
> Aus Norden und Süden der Lüfte Getränk,
> Ich schlürf es und werde der Jugend gedenk.

Das ist durchaus wörtlich zu nehmen; die Erinnerung an die große Wanderung mit dem Vater – auf der unmittelbar benachbarten Splügen-Route – mußte neben der Reise mit Betsy vom Tessin ins Domleschg in San Bernardino wach werden. Und die Jugend, die hier ins Gedächtnis zurückkehrt, ist jetzt nicht wie früher, als die Krisenjahre und Préfargier noch näher lagen, eine Welt der Gespenster, sondern greift zurück in die jugendliche Wanderzeit. So geht dieser letzte, eindringlich empfundene Bergsommer zusammen mit den dichtesten Erinnerungen an die Bergwelt in jugendlicher Zeit.

«O Atem der Berge, beglückender Hauch!» Das kündet von einer Gefühlsintensität, die an Goethes Sturm-und-Drang-Lyrik erinnert. Aber schon ist auch das Unheimliche in der Nähe, weniger in der bildhaften Impression als in der Wortwahl spürbar: «Ihr blutigen Rosen am hangenden Strauch!»

Warum nennt er dieses Rot blutig und warum den Strauch hangend? Klingen hier schon jene Blutvisionen auf, von denen er in den Monaten vor der Hospitalisierung in Königsfelden gepeinigt wurde? Und fühlte er sich schon 1889 zuweilen in Zuständen des Hangens und Bangens? Natürlich können beide Ausdrücke durchaus auch positiv – steigernd gedeutet werden, indem sie die Intensität der Farben und die Steilheit der Gebirgsnatur zum Ausdruck bringen, aber die Ambivalenz der Aussage ist doch nicht zu übersehen. Übrigens mag es sich wohl eher um Alpenrosen als um die eigentliche Bergrose handeln, da die rote Farbe zuerst in bezug auf diese (in brieflichen Äußerungen) verwendet wird. Und jedenfalls faßt diese dritte Strophe die Eindrücke und die Atmosphäre der alpinen Sommerlandschaft zu einer großen Impression zusammen:

O Atem der Berge, beglückender Hauch!
Ihr blutigen Rosen am hangenden Strauch,
Ihr Hütten mit bläulich gekräuseltem Rauch –

Aber noch ein anderes wird jetzt, in dieser späten poetischen Reifezeit sichtbar:

Den eben noch schleiernder Nebel verwebt,
Der Himmel, er öffnet sich innig und lebt, ...

Zugleich mit der Nähe des Todes wird ihm die Nähe des Himmels gewiß. Noch einmal genießt er auf Berghöhen das Gefühl der Himmelsnähe[6], wie er es in einem 1864 konzipierten Gedicht erstmals thematisiert hatte. Dies entspricht dem Bewußtsein einer religiösen Geborgenheit, wie sie – neben zweiflerischen Anwandlungen – immer wieder gesucht und festgehalten wird.

Diese Hinwendung zum Ewigen durchzittert alle Poesie der späteren Jahre, die Prosa (z. B. die Pescara-Novelle) wie die Versdichtung (z. B. «Unter den Sternen», «Ein Pilgrim»[7]). So muß auch das anschließende Bild des Adlers in seiner multivalenten Symbolik verstanden werden: «Wie ruhig der Aar in dem strahlenden schwebt!»

Vergessen wir nicht, daß der Adler zwar der verderbenbringende Raubvogel, aber auch der Bote des Zeus, des Licht- und Tagesgottes, ist, und damit Symbol und Zeichen des Ewigen selbst. Darum kann der Dichter ihn zum Träger seines eigenen Herzens, das nach der Ewigkeit verlangt, machen:

Und mein Herz, das er trägt in befiederter Brust,
Es wird sich der göttlichen Nähe bewußt,
Es freut sich des Himmels und zittert vor Lust.

Aber diese Himmelsnähe bedeutet noch nicht Verzicht und Flucht aus der Welt; vielmehr leuchtet das Dasein im Diesseits in einer letzten strahlenden Herrlichkeit auf. Eine rauschende Beschwingtheit ergreift den beschreibenden Betrachter, so daß er sich selber mit dem Adler identifiziert. In der lichten Bergwelt verliert der Mensch seine lastende Erdenschwere und schwebt frei über den Dingen. Im Gedicht wird dieser Stimmungswandel großartig gemeistert durch den Personenwechsel. Denn auf einmal spricht der Dichter nicht mehr nur davon, daß sein Herz vom Adler getragen werde. Jetzt ist er selbst der Adler geworden, der frei im strahlenden Himmel schwebt.

Aber in dem Augenblick, da er diese Identifikation vollzieht, hat sich schon die Peripetie dieses seelischen Dramas vollzogen: Grau auf dem Grau sieht er den Jäger Tod kommen; er sieht ihn und schaut dem Tod ins Angesicht:

> Ich sehe dich, Jäger, ich seh dich genau,
> Den Felsen umschleichest du grau auf dem Grau,
> Jetzt richtest empor du das Rohr in das Blau ...

Aber die Freiheit von aller Erdenschwere ist das Höchste, was ihm zuteil werden kann. Es ist höchste Erfüllung, nach welcher sich nichts Erhebenderes mehr ereignen wird. Darum will er lieber jetzt mit klaren Augen den Tod empfangen, als noch einmal in die Niederungen des Daseins hinabzusteigen:

> Zu Tale zu steigen, das wäre mir Schmerz –
> Entsende, du Schütze, entsende das Erz!
> Jetzt bin ich ein Seliger! Triff mich ins Herz!

So ist hier ein Grundempfinden menschlichen Erlebens und das einmalige und unverwechselbare, das real erfahrene Erleben des Dichters ein und dasselbe geworden. In solcher Weise, in dramatischer Antinomie, beglückt und bedroht ihn dieses unheimliche Spannungsverhältnis zwischen intensivster Gegenwärtigkeit und Hinfälligkeit; darin kulminiert das besondere Zeiterlebnis des Dichters.

Beinahe übersieht man ob der unmittelbar wirkenden Erlebniswelt, die uns anspricht, das Entscheidende dieses kleinen, so spontan entstandenen Kunstwerks, den unglaublich beschwingenden und verzaubernden Sprachrhythmus. Man beachtet kaum, daß höchstes Raffinement, wie zum Beispiel der siebenmal verwendete dreifache Reim, am Werke ist. Dabei entspricht der anapästische Verstakt vollkommen dem euphorischen Stimmungsgrund. Daß diese anapästische Beschwingtheit nur *einmal,* und zwar im Einsatz der Schlußzeile, durchbrochen wird: «*Jetzt* bin ich ein Seliger! ...», um den einen höchsten Augenblick mit schockierender Wucht aufklingen zu lassen, ist nur ein letztes Zeichen dieser späten, heute so obsolet gewordenen Verskunst. Daß sogar der längst verpönte Reim von ‹Schmerz› auf ‹Herz› in dieses raffinierte Reimspiel miteinbezogen wurde, ohne daß der Eindruck der Trivialität aufkommt, zeigt nur die unbegrenzten Möglichkeiten der wahren Kunst. Auch die von Hans Zeller nachgewiesene Reminiszenz an eine Stelle in Jean Pauls «Titan»[8] (bezüglich des Adler-Motivs) tut der poetisch-künstlerischen Leistung Conrad Ferdinand Meyers keinen Abbruch, ebensowenig wie die Tatsache, daß das Grundthema von «Noch einmal» – letzte Lebensfülle vor dem Abstieg ins Dunkel – auch dem ein Jahrzehnt zuvor entstandenen ergreifenden Spätgedicht

«Abendlied» Gottfried Kellers[9] eigen ist. Die Kunstwerke behalten auch so ihre unverwechselbare Eigenständigkeit.

Das in «Noch einmal» komprimierte typische Zeiterlebnis Conrad Ferdinand Meyers bestimmt den ganzen Darstellungsstil seines Werks. Es nimmt seiner Epik die behagliche oder idyllische Beschaulichkeit und verleiht ihr dafür eine dramatisch wirkende Dynamik. Sie äußert sich in der entschiedenen Vorliebe Meyers für die verbale Aktion und für die Bewegung an sich. Es ist ja kein Zufall, daß in seiner Dichtung der Landschaftsschilderung so wenig Platz eingeräumt ist. Das Ruhende, Statische war seiner Darstellungsart nicht gemäß; die dramatische Konzentration menschlicher Gebärden und zwischenmenschlicher Vorgänge war seinem dynamischen, dem Zeitverlauf unterworfenen Grundwesen viel näher. Es ist denn auch kein Zufall, wenn ihn immer wieder, mit zunehmenden Jahren in steigendem Maße, dramatische Pläne beschäftigten. Daß die Dramen nie zur Reife gelangten, liegt wohl *auch* – natürlich nicht ausschließlich – darin begründet, daß die Schweiz, und namentlich Zürich, im neunzehnten Jahrhundert für die Theaterkultur einen noch kaum zureichend aufgelockerten Boden besaß. Dramatisches Schaffen hätte beim Dichter die Kenntnis der Theaterbühne und ihrer Eigengesetzlichkeit vorausgesetzt. Ein solches Bühnenleben war im Zürich von damals erst in statu nascendi.

Anmerkungen

Abkürzungen häufig zitierter Werke:

W.	Conrad Ferdinand Meyer: Sämtliche Werke. Historisch-kritische Ausgabe. Besorgt von Hans Zeller und Alfred Zäch. Bern 1958ff.
CFM, Briefe	Briefe Conrad Ferdinand Meyers. Nebst seinen Rezensionen und Aufsätzen, herausgegeben von Adolf Frey. 2 Bde. Leipzig 1908.
Frey	Adolf Frey: Conrad Ferdinand Meyer. Sein Leben und seine Werke. 1. Auflage 1900. Zitiert wird nach der dritten, durchgesehenen Auflage, Stuttgart und Berlin 1919.
d'Harcourt, Crise	Robert d'Harcourt: C.-F. Meyer. La crise de 1852–1856. Lettres de C.-F. Meyer et de son entourage. Paris 1913.
d'Harcourt, Vie	Robert d'Harcourt: C.-F. Meyer. Sa vie, son œuvre (1825–1898). Paris 1913.

Ferdinand Meyer und sein Sohn Conrad

1 Konrad Meyer (1824–1903), von Winkel bei Bülach, verfaßte hauptsächlich Gedichte in zürcherischer Mundart.

2 Frey, S. 213.

3 Bad Stachelberg: Im glarnerischen Großtal halbwegs zwischen Rüti und Linthal gelegen. Vgl. Heinr. Stüssi, «Bäderfahrt im Glarnerland», in: Neujahrsbote für das Glarner Hinterland, 1971, S. 55–60.

4 Vgl. Frey, S. 35.

5 Frey, S. 35 oben.

6 Eintragungen in Meta Heussers «Memorabilien der Zeit», ihrem ‹Vergißmeinnicht› (ungedruckt) lassen erkennen, daß Ferdinand Meyer mehrmals Gast in Hirzel war und daß man dort am Schicksal der Familie lebhaft Anteil nahm, schon ehe die Tochter Johanna (Spyri) mit Frau Elisabeth und Betsy Meyer freundschaftlich verbunden war. Vgl. hiezu Meta *Heusser-Schweizer: Hauschronik.* Herausgegeben von Karl Fehr, Kilchberg 1980, S. 149 u. 152.

7 Ob das Pensum von Anfang an und auf immer auf die unteren Klassen des Gymnasiums beschränkt wurde, wie es Frey (S. 39) betont, ist zu bezweifeln. Da die Schule zur Zeit seiner Wahl erst eröffnet wurde, also mit unteren Klassen begann, stand die Ausdehnung seines Unterrichts auf obere Klassen durchaus offen. Daß sich Ferdinand Meyer dann auf den Unterricht in unteren Klassen beschränkte, mag die Folge seiner vielseitigen anderweitigen Belastungen gewesen sein, aber auch Freude am Umgang mit Buben des vorpubertären Alters bekunden (was auch Rückschlüsse auf sein Verhältnis zum Sohne Conrad zuläßt).

8 Vgl. hiezu Max Widmer, Hans E. Lauer: *Ignaz Paul Vital Troxler.* Oberwil b. Zug 1980. Meyer erwähnt seinerseits Troxler in seinen Briefen an Johann Caspar Hess.

9 *Über das Finanzwesen des Kantons Zürich,* S. 3. In diesem und in den folgenden Zitaten wurde die Schreibweise den heutigen Regeln der Rechtsschreibung angepaßt.

10 a. a. O. (vgl. Anm. 9), S. 140f.

11 a. a. O. S. 136.

12 a. a. O., S. 2.

13 W. 1, S. 235.
14 W. 4, S. 148–150
15 W. 8, S. 15 (Str. 4, Zeile 2).
16 Vgl. W. 1, S. 76, 384, 392.
17 W. 1, S. 393, Ein Pilgrim, Str. 4.
18 *Die evang. Gemeinde in Locarno,* Bd. 1, S. 19, Anm. 42.
19 W. 8, S. 118–121.
20 *Die evang. Gemeinde in Locarno,* Bd. 1, S. 244–246.
21 a.a.O. Bd. 2, S. 206f.
22 a.a.O. Bd. 1, S. 63f.
23 W. 10, S. 61–64.
24 W. 10, S. 382f.
25 Vgl. 10, S. 95–98.
26 *Die evang. Gemeinde in Locarno,* Bd. 1, S. 126f.
27 a.a.O., S. 10.
28 a.a.O. S. 141.
29 a.a.O., S. 148.
30 z.B. a.a.O., S. 190.
31 Zu Wesen und Begriff der Ironie bei C. F. Meyer vgl. vor allem Tamara S. Evans: *Formen der Ironie in C. F. Meyers Novellen.* Bern 1980.
32 Anton Largiadèr: *Der Briefwechsel Ferdinand Meyers mit Johann Caspar Hess.* Ein Beitrag zur Geschichte Zürichs in der Regenerationszeit. In: Zürcher Taschenbuch auf das Jahr 1950, S. 95–97.
33 W. 1, S. 89; dazu der Kommentar Hans Zellers W. 2, S. 363–365.
34 Frey, S. 40.
35 Vgl. oben S. 65.
36 W. 1, S. 142.
37 W. 1, S. 63.
38 Gottfried Keller: Sämtliche Werke, hg. von Jonas Fränkel und Carl Helbling, Bd. 1, S. 83f.

Elisabeth Meyer-Ulrich

1 W. 4, S. 19–23.
2 Frey, S. 32: «An den untern Teil des Seidenhofgartens stieß ein Wäldchen, das sich bis an die sogenannte zahme Sihl (wohl den Schanzengraben) hinabzog.» Das ist wohl der Anstoß zum Traum vom Tannenwinkel.
3 Über den Taubstummenlehrer und Pfarrer Heinrich Keller berichtet eingehend: Eduard Kolb, *Pfarrer Heinrich Keller in Schlieren.* In: *Taubstummengemeinde.* hg. vom Taubstummen-Pfarramt des Kantons Zürich. Zürich 1961, S. 32–120.
4 Über J. C. Ulrichs Bemühungen und Verdienste um die Gründung der Taubstummenanstalt, bzw. die Umwandlung der Blinden- in eine Blinden- und Taubstummenanstalt berichtet Ed. Kolb in dem in Anm. 3 genannten Buch, S. 112–114.
5 K. v. Beer-Pinnow: *Die Vererbung bei den Dichtern Alb. Bitzius, C. F. Meyer und G. Keller.* In: Archiv der Jul. Claus-Stiftung, Bd. 10, 1955.
6 Vgl. Anm. 6 S. 277.
7 Zuerst bezog das Ehepaar Meyer-Ulrich eine Wohnung in Stampfenbach, die es bald nach Conrads Geburt gegen eine solche an der Kuttelgasse vertauschte. Aber erst der

«Grüne Seidenhof», in dessen Untergeschoß der in die kantonalen Ämter berufene Mann seine Amtsräume einrichtete, scheint mit seinem Garten an der «zahmen Sihl» den Wünschen der Familie entsprochen zu haben.

8 Zugänglich z. B. in: *C. F. Meyer. Bilder aus einem Leben,* Bild 7. Reproduktion eines Gemäldes von Maria Ellenrieder aus dem Jahre 1818. Dazu der Kommentar von Philipp Harden-Rauch, S. 60.

9 Möwes: Heinrich Möwes, geb. 25. Feb. 1793, gest. am 19. Okt. 1834. Nach dem Besuch der Domschule in Magdeburg studierte M. Theologie in Göttingen, nahm als aktiver Kämpfer teil an den Befreiungskriegen, setzte danach seine Studien in Heidelberg fort und wurde 1818 Prediger in Angern, später in Altenhausen, wo er nach einer langen Leidenszeit (wahrscheinlich an Tuberkulose) starb. Seine Dichtungen erschienen erstmals 1831 unter dem Titel *«Lieder eines preußischen Landeskindes»*. Seine postum in 4. Auflage zwischen 1836 und 1843 in Magdeburg herausgegebenen Lieder umkreisen das Thema Tapferkeit im Leiden (ADB). Frau Meyer erinnert sich in ihrem Brief wohl eher an eine Predigtstelle (unbekannter Herkunft).

10 Frey, S. 38.

11 Frey, S. 39/40.

12 Vgl. Frey, S. 45.

13 H. J. Schweizer: Hans Jakob Schweizer, geb. 29. Juni 1800, Sohn von Pfr. Andreas Schweizer, später Pfarrer in Lindau. H. J. Schweizer betrieb Kunststudien in Wien und München. Malte Landschaften, Porträts, Miniaturen, erteilte Unterricht in Zeichnen und Malen. Wurde 1850 Zeichenlehrer am Gymnasium Zürich. Gest. 15. März 1869.

14 Frey, S. 46f.

15 Frey, S. 46.

16 Frey, S. 46. Man beachte vor allem den Satz: «(...) wobei ein kräftiges Nein weniger Unheil stiftete als ein zweifelhaftes Ja.» Er beweist Freys psychologische Verständnislosigkeit.

17 Frey, S. 46.

18 W. 1, S. 331, 350, 332, 170.

19 Betsy Meyer, S. 102; d'Harcourt, Vie, S. 56.

20 d'Harcourt, Vie, S. 52, spricht sogar von Brutalität.

21 nach Matthäus 18, 6.

22 d'Harcourt, Crise, S. 209/210.

23 Frey, S. 56.

24 Frey, S. 57.

25 Vgl. Fehr, CFM, S. 9. Dazu: Gerlinde (Wellmann-)Bretzigheimer im Nachwort zu *Augustin Thierry, Erzählungen aus den Merowingischen Zeiten.* Aus dem Französischen übersetzt von Conrad Ferdinand Meyer, herausgegeben von Gerlinde Bretzigheimer und Hans Zeller, S. 403–430.

26 Frey, S. 82–84.

27 Vgl. Meta Heusser-Schweizer: *Hauschronik,* S. 191f., Anm. 167.

28 Das läßt sich auch durch das (ungedruckte) Diarium Meta Heussers belegen, wo die Meldung vom Tode Frau Elisabeth Meyers zweimal aufnotiert ist. Vor allem aber durch die Briefe Johanna Spyris an die Mutter und die Schwester C. F. Meyers (in: Johanna Spyri/Ferdinand Meyer, Briefwechsel 1877–1897, wo sie im Anhang S. 81–97 mitgeteilt sind und wo ferner auf ungedruckte Briefe Meta Heussers an Elisabeth Meyer Ulrich und Betsy Meyer, die sich im C. F. Meyer-Archiv befinden,

hingewiesen wird, und zwar S. 125). Der genannte Briefwechsel ist 1977 im Verlag Mirio Romano Kilchberg, erschienen, ediert von Hans und Rosmarie Zeller.

29 Der Abschiedsbrief Elisabeth Meyers an ihre Kinder findet sich im C. F. Meyer-Archiv der Zentralbibliothek Zürich (CFM 387.14) und wurde im Katalog der CFM-Ausstellung von 1975/76 S. 55 von Bruno Weber wörtlich zitiert.

30 Romanzen und Bilder (1869), S. 12, erstes der 4 unter dem Titel «Auf dem See» angeführten Gedichte. Heute zugänglich in: CFM, Sämtliche Werke in zwei Bänden. Winkler, München, 1968, S. 307. Vgl. dazu Hans Zeller in W. 2, S. 317–321, insbes. S. 320 unten.

31 W. 1, S. 75.

32 W. 1, S. 233f. Dazu H. Zeller in W. 4, S. 137–148.

33 Vgl. z. B. Friedrich Gerke: *Griechische Plastik in archaischer und klassischer Zeit*. Zürich/Berlin 1938, S. 6 u. 212f. Eine kleine Marmorkopie der (späthellenistischen) Medusa Rondanini in der Münchener Glyptothek findet sich – aus C. F. M.s Besitz – im Bibliothekzimmer des CFM-Hauses in Kilchberg.

34 J. C. Bluntschli: *Denkwürdiges aus meinem Leben*. Nördlingen 1884, Bd. 1, S. 155f.

35 Vgl. H. Zeller, W. 4, S. 137 u. 478.

36 Meyer besaß eine deutsche Ausgabe der Märchensammlung (mit Erscheinungsjahr 1842): *Tausend und eine Nacht. Arabische Erzählungen*. Aus dem Urtext. Mit 160 Bildern in feinstem Holzstich. 3 Bde. Verlag v. Dennig Finck u. Co. Pforzheim (heute im Bibliothekzimmer des CFM-Hauses in Kilchberg), ferner eine französische. Auf den Zusammenhang des Gedichts mit einem arab. Märchen hatte schon Betsy M. hingewiesen; nicht ausgeschlossen ist, daß sie damit den Biographen Ad. Frey von andern Vermutungen abbringen wollte. Vgl. H. Zeller, W. 4, S. 474–478.

37 W. 4, S. 481.

38 W. 1, S. 284.

39 Über die Entstehung von «Engelberg» berichtet eingehend Alfred Zäch in W. 9, S. 92–129.

40 W. 10, S. 94–99 (Zweites Buch, Drittes Kapitel).

41 W. 8, S. 91f.

42 W. 11, S. 23f.

43 Wertvolles trägt zu dieser psychologischen Deutung die Arbeit von Walter Huber bei: *Stufen dichterischer Selbstdarstellung in Conrad Ferdinand Meyers «Amulett» und «Jürg Jenatsch»*. Bern, Frankfurt, Las Vegas 1979.

44 Emil Staiger berührt merkwürdigerweise in seiner (werkimmanenten!) Interpretation diese Beziehung zur Mutter mit keinem Wort, obwohl schon der Verleger Hermann Haessel auf diese Deutungsmöglichkeit hingewiesen hatte. (E. St. erstmals in: Trivium, Schweiz. Vierteljahresschrift für Literaturwissenschaft und Stilkritik, 1 [1943], 2. H., S. 31–40, später wiederholt in «Meisterwerke deutscher Sprache»). Zu Haessel vgl. W. 4, S. 121: «Mir ist immer gewesen, als sey die Mutter zwischen Euch Beiden geschritten (Brief Haessels an Betsy Meyer (CFM-Archiv Nr. 395, 6, 175).

45 W. 1, S. 224f. Dazu H. Zellers besonders aufschlußreiche Textgeschichte, W. 4, S. 110–121.

46 W. 4, S. 113f.

47 Vgl. unten S. 158.

48 Näheres W. 4, S. 115f.

49 W. 1, S. 197f. Dazu H. Zeller in W. 4, S. 16–19.

50 Genaueres zur Entstehung des Gedichts in W. 4, S. 16–19.

Cécile Borrel und Conrad Ferdinand Meyer

1 Rober d'Harcourt gibt in der Introduction zu: C. F. Meyer. La crise de 1852–1856 (S. XIV–XVI) ein sehr anschauliches Bild dieses Anstaltslebens.
2 R. d'Harcourt: C. F. Meyer, Sa vie et ses œuvres, Paris 1913, S. 57.
3 Frey, S. 57.
4 d'Harcourt, Crise, S. 4–11, Brief James Borrels an Frau Elisabeth Meyer vom 25. Juli 1852, und S. 16–19 Brief vom 10. September 1852.
5 d'Harcourt Vie, S. 58.
6 Vgl. undatierter (wohl erster) Brief C. Borrels an Frau Meyer: (d'Harcourt, Crise, S. 47–49).
7 Undatierter Brief C. Borrels an Frau Meyer, der auf eine Weihnachtsfeier in der Anstalt Bezug nimmt (d'Harcourt, Crise, S. 49f.).
8 a. a. O., S. 51.
9 a. a. O., S. 52.
10 a. a. O., S. 109.
11 a. a. O., S. 111.
12 a. a. O., S. 111.
13 a. a. O., S. 125–128.
14 Brief Conrads an Cécile Borrel vom 17. März 1853 (a. a. O., S. 139).
15 a. a. O., S. 139
16 a. a. O., S. 145f.
17 a. a. O., S. 146.
18 a. a. O., S. 146–148.
19 a. a. O., S. 147.
20 a. a. O., S. 147/148.
21 Brief Elisabeth Meyers an Cécile Borrel vom 11. April 1853 (a. a. O., S. 149).
22 Brief Conrads vom 18. April 1853 (a. a. O., S. 152).
23 a. a. O., S. 152.
24 a. a. O., S. 154.
25 a. a. O., S. 154.
26 Brief Céciles an Frau Meyer vom 19. April 1853 (a. a. O., S. 155).
27 a. a. O., S. 155.
28 a. a. O., S. 156.
29 a. a. O., S. 157.
30 a. a. O., S. 157.
31 a. a. O., S. 158.
32 a. a. O., S. 162
33 a. a. O., S. 163 und 170f.
34 Anfang des Briefes Conrads an Cécile vom 13. Mai 1853 (a. a. O., S. 173).
35 a. a. O., S. 174.
36 a. a. O., S. 175.
37 a. a. O., S. 176/77.
38 Brief Conrads an Cécile vom 29. Mai 1853 (a. a. O., S. 178).
39 ohne Datum (a. a. O., S. 181).
40 a. a. O., S. 180.
41 a. a. O., S. 181.
42 a. a. O., S. 182.

43 a. a. O., S. 182.
44 a. a. O., S. 185.
45 a. a. O., S. 186.
46 a. a. O., S. 190.
47 Brief vom 10. Juni 1853 (a. a. O., S. 189f.).
48 Brief an die Mutter vom 3. Juni 1853 (a. a. O., S. 184).
49 Brief an Cécile vom 21. Juni 1853 (a. a. O., S. 193).
50 a. a. O., S. 193.
51 a. a. O., S. 196.
52 Brief vom 26. Juni 1853 (a. a. O., S. 198).
53 a. a. O., S. 199.
54 a. a. O., S. 205.
55 Brief vom 1. September 1853 (a. a. O., S. 208).
56 a. a. O., S. 209.
57 a. a. O., S. 209.
58 W. 1, S. 142, von Hans Zeller (W. 3, S. 127) allerdings anders gedeutet.
59 a. a. O., S. 209/10.
60 W. 1, S. 28.
61 Brief vom 13. Oktober 1853 (a. a. O., S. 218).
62 a. a. O., S. 219.
63 a. a. O., S. 219.
64 a. a. O., S. 219.
65 Brief vom 31. Oktober 1853 (a. a. O., S. 220).
66 a. a. O., S. 221–223.
67 a. a. O., S. 222.
68 Brief an Betsy vom 7. November 1853 (a. a. O., S. 225).
69 a. a. O., S. 235.
70 a. a. O., S. 236.
71 a. a. O., S. 237.
72 a. a. O., S. 238.
73 a. a. O., S. 238.
74 Brief E. Meyers vom 24. Juni 1854 (a. a. O., S. 242/243).
75 a. a. O., S. 242.
76 a. a. O., S. 242/243.
77 Brief vom 24. Juni 1854 (a. a. O., S. 243).
78 Brief E. Meyers an James Borrel vom 29. Juli 1854 (a. a. O., S. 244).
79 a. a. O., S. 244.
80 a. a. O., S. 244.
81 a. a. O., S. 248.
82 a. a. O., S. 249/50.
83 David A Jackson: Conrad Ferdinand Meyer, Reinbek bei Hamburg, 1975, S. 119/120.

Engelberg

1 W. 9, S. 92. Brief Betsys an Caroline Meyer-Ott vom 9. Juli 1857.
2 Vgl. Kunstführer durch die Schweiz, Bd. 1, S. 705.
3 a. a. O., S. 706.

4 Vgl. A. Zäch in W. 9, S. 95.
5 CFM, Briefe 2, S. 242f.
6 CFM, Briefe 2, S. 243.
7 *Neue Zürcher Zeitung* vom 5. Januar 1887 (abgedruckt in W. 9, S. 118–120).
8 W. 1, S. 197.
9 W. 9, S. 103.
10 W. 9, S. 145–151.
11 W. 9, S. 350f.
12 W. 9, S. 74.
13 W. 9, S. 85.
14 W. 9, S. 99. Dazu Brief C. F. Meyers an Calmberg vom 28. Januar 1872 (aus Venedig).
15 W. 9, S. 69, V. 77–82 u. 89f.

Das Geschwisterpaar Conrad und Betsy Meyer

1 Vgl. oben S. 54.
2 Zum Verständnis Betsy Meyers hat in entscheidender Weise beigetragen: Maria Nils, Betsy, die Schwester Conrad Ferdinand Meyers. Frauenfeld 1943. Sie hat auch, bei aller vornehmen Zurückhaltung, bereits die Spannungen angedeutet, in denen diese Frau stand. Seither haben drei Bilderfunde, die der Verfasserin noch nicht zugänglich waren, die bildkünstlerische Begabung eindeutig erwiesen.
Vgl. hiezu: Karl Fehr: *Die Künstlerin Betsy Meyer. Zur Entdeckung einer Porträtzeichnung*. Zürichsee-Zeitung vom 6. August 1976 (Nr. 201) S. 5, und ders.: *Betsy Meyer als Porträtistin*. In Zürichsee-Zeitung vom 8. April 1978 (Nr. 81), S. 6.
3 Melchior Paul von Deschwanden, geb. 10. Jan. 1811, gest. 25. Feb. 1881, Sohn eines Kaufmanns. Bildete sich u.a. schon 1827 in Zürich zum Maler aus, betätigte sich, möglicherweise noch zu Lebzeiten Ferdinand Meyers, in dessen Familie als Porträt-Zeichner (vgl. C. F. M.s Jugendbildnis, z.B. in *«Meyer. Bilder aus seinem Leben»*. Stuttgart 1967, Abb. 10) und blieb späterhin der Familie freundschaftlich verbunden.
4 Johann Conrad Zeller von Hirslanden, Zürich, geb. 2. Mai 1807, gest. 1. März 1856. Nachdem er zunächst auf Wunsch des Vaters den Kaufmannsberuf erlernt und ausgeübt, konnte er sich ab 1832 in Rom, z.B. bei Overbeck, Koch und bei Vernet, dem Leiter der französischen Akademie, zum Künstler ausbilden. Er blieb dort fünfzehn Jahre, fand als Genre-Maler bedeutende Anerkennung. Die letzten Jahre verbrachte er, herzleidend, in Zürich, in bürgerlichen Kreisen der Stadt hochangesehen.
5 Anna Susanna Fries, geb. 30. Jan. 1827, gest. 11. Juli 1901, Enkelin des Porträtmalers Freudweiler, setzte ihre Ausbildung zur Malerin und Porträtistin gegen den Willen ihres Vaters, des Landschreibers J. Fries-Freudweiler, durch, besuchte Kunstschulen in München und Paris und nahm Unterricht bei Zürcher Meistern. Nach Studienreisen in Italien ließ sie sich 1855 als Porträtmalerin in Zürich nieder. Danach lebte sie zwei Jahre in Holland, wo sie den Auftrag erhielt, die königliche Familie zu malen. Nachdem sie sich kürzere Zeit mit den Malern Koller und Stückelberg im Zürcher Künstlergut zusammengetan, zog sie wieder nach Italien und ließ sich in Florenz nieder und gründete dort eine Malschule für Damen (die 1875/76 auch von Betsy Meyer frequentiert wurde). Nach einer in künstlerischer Hinsicht ertragreichen Orientreise ließ sie sich 1885 in Sestri Levante nieder. Bald mußte sie aber wegen

eines Augenleidens ihre Kunst aufgeben. Jetzt widmete sie sich bis zu ihrem Tode in Sestri philanthrophischen Aufgaben. Es macht den Eindruck, daß sie für Betsy Meyer eine zeitlang beinahe die Rolle eines Leitbildes gespielt habe.

6 Vgl. oben Anm. 2.

7 Betsy Meyer: *Conrad Ferdinand Meyer. In der Erinnerung seiner Schwester* (Berlin 1903), S. 61f.

8 Zitiert bei Frey, S. 92f.

9 Frey, S. 101.

10 Die Briefe Conrads an seine Schwester sind auszugsweise zitiert bei Frey, S. 108–110.

11 Frey, S. 112–114.

12 Zum kulturellen und gesellschaftlichen Wirken des Hauses Wille in Mariafeld vgl. Carl Helbling: *Mariafeld. Aus der Geschichte eines Hauses*. Zürich 1951.

13 Zur Reise Betsys nach Stuttgart vgl. Frey, S. 166–172.

14 Vgl. Frey, S. 263–266.

15 Vgl. Maria Nils, a. a. O., S. 150–153.

16 W. 1, S. 222. Dazu Hans Zeller in W. 4 S. 104–107.

17 W. 1, S. 223 und W. 4, S. 107–110.

18 Das Blatt wurde zu Anfang der Siebzigerjahre von Bruno Weber, dem Konservator der Graphischen Sammlung in der Zentralbibliothek Zürich entdeckt und in der CFM-Jubiläumsausstellung von 1975 erstmals in der Öffentlichkeit bekannt.

19 Vgl. dazu K. Fehr: Betsy Meyer als Proträtistin (vgl. Anm. 2)

20 Auszugsweise zitiert bei Maria Nils.

21 Maria Nils, a. a. O., S. 204–206.

22 Dazu: Frey, S. 318f.

23 Alfred Zäch in W. 12, S. 340f.

24 W. 1, S. 200.

25 Vgl. Hans Zeller in W. 4, S. 23–27.

Historische Fiktion und psychische Wirklichkeit in der Novelle «Die Richterin»

1 W. 12, S. 159–235.

2 W. 12, S. 353–365 (Alfred Zäch).

3 Das Ruinengelände von Hohen Rätien war zur Zeit von Meyers Bündner Aufenthalten noch mit einer Bergwirtschaft ausgestattet. Nach einer längeren Periode des Zerfalls sind heute dank privatem Einsatz und Unterstützungen durch die öffentliche Hand die Kapelle und die Reste des weitläufigen und kühn angelegten Befestigungssystems restauriert und wieder zugänglich gemacht worden.

4 Frey, S. 29.

5 Heute nur noch zugänglich in der mangelhaften Abschrift bei d'Harcourt, Crise. de 1852–1856

6 W. 1, S. 79, Dazu vgl. S. 259–262.

7 Dazu vgl. meine Ausführungen zum Gedicht «Einem Tagelöhner» in: Zürichsee-Zeitung vom 10. Okt. 1975, S. 8.

8 Friedrich von Raumer, Geschichte der Hohenstaufen und ihrer Zeit. Zweite Aufl. Leipzig 1840/42, Bd. IV, S. 599 (vgl. A. Zäch in W. 12, S. 355 und 378).

9 Brief an Julius Rodenberg vom 30. November 1881 (zitiert von A. Zäch in W. 12, S. 342f).

10 W. 12, S. 340.
11 Frey, S. 263–267.
12 d'Harcourt, Crise, S. 41. Brief datiert mit 25. Oktober 1852.
13 ‹Hitzen›: darunter versteht CFM unbeherrschte Zornausbrüche, die er in der Zeit der schweren Krise offenbar auch der Schwester nicht ersparte.
14 d'Harcourt, Crise, S. 116.
15 Vgl. Anm. 2 zum Kapitel «Bruder und Schwester».
16 W. 12, S. 340f.
17 Ov. Met. IX, 450–665.
18 W. 12, S. 202.
19 W. 12, S. 205.
20 W. 12, S. 205.
21 W. 12, S. 205f.
22 W. 1, S. 190.
23 W. 12, S. 206.
24 Die zitierten Stellen finden sich alle auf S. 212f in W. 12.
25 Die hier zitierten beiden Stellen: W. 12, S. 213.
26 W. 12, S. 213f.
27 W. 12, S. 214.
28 W. 12, S. 215.
29 W. 12, S. 215.
30 W. 12, S. 215.
31 W. 12, S. 215.
32 W. 12, S. 216. Zur besseren Lesbarkeit wurde die Interpunktion der Historisch-kritischen Ausgabe an drei Stellen verändert, d. h. je durch ein Komma ergänzt.
33 W. 12, S. 216. Dieser Text wurde der Kürze halber von weiter oben nachgeholt.
34 Vgl. A. Zäch und G. Wellmann: *Conrad Ferdinand Meyer in Kilchberg*. Kilchberg 1975, S. 120.

Luise Meyer-Ziegler

1 Adolf Frey hat offenbar auch nach dem Tode Luise Meyer-Zieglers in Rücksicht auf die Tochter Camilla das beschönigende Bild beibehalten.
2 August Langmesser: Conrad Ferdinand Meyer. *Sein Leben, sein Werk und sein Nachlaß*. 1905. Langmesser galt als der besondere Schützling Luise Meyers.
3 Maria Nils: *Betsy, die Schwester* Conrad Ferdinand Meyers. Frauenfeld 1943.
4 Lily Hohenstein: CFM 1957.
5 Alfred Zäch und Gerlinde Wellmann: *Conrad Ferdinand Meyers Jahre in Kilchberg*. Kilchberg 1975.
6 Conrad Ferdinand Meyer. *Gedichte an seine Braut*. Herausgegeben von Constanze Speyer. 1940.
7 Maria Nils, a. a. O., S. 151.
8 a. a. O., S. 153.
9 W. 4, S. 11 (mit Faksimile S. 12).
10 Zäch/Wellmann, a. a. O., S. 101. – Über den Unfall berichtet: CFM, Briefe 1, S. 85 und 330f.
11 Zäch/Wellmann, a. a. O., S. 102.
12 Maria Nils, a. a. O.

13 W. 1, S. 222 u. W. 4, S. 104ff.
14 Frey, S. 282.
15 Frey, S. 282.
16 W. 13, S. 283–291.
17 W. 12, S. 340f.
18 W. 12, S. 341
19 W. 12, S. 341.
20 Zäch/Wellmann, a. a. O., S. 105
21 Zitierte Stellen bei Zäch/Wellmann, a. a. O., S. 125/126.
22 a. a. O., S. 112 (Ms. der Erinnerung, S. 146f., 1893).
23 a. a. O., S. 116, Brief Betsys an Haessel vom 8. Juli 1895.
24 a. a. O., S. 113.
25 Nach den übereinstimmenden Auffassungen mehrerer namhafter Psychiater wie Prof. Roland Kuhn (Münsterlingen) und Dr. Urs Martin Strub (ehemals leitender Arzt des Sanatoriums Kilchberg) ist eine erbmäßig bedingte schizophrene Belastung der Familie Meyer unverkennbar.

Conrad Ferdinand Meyers Rom-Erlebnis

1 CFM, Briefe 1, S. 55f.
2 CFM, Briefe 1, S. 57.
3 CFM, Briefe 1, S. 59.
4 CFM, Briefe 1, S. 59.
5 CFM, Briefe 1, S. 58.
6 CFM, Briefe 1, S. 59f.

Das Michelangelo-Erlebnis

1 CFM, Briefe 1, S. 60.
2 CFM, Briefe 1, S. 58.
3 Heute (1982), da der letzte Kommentarband (W. 5) zu den «Gedichten» noch immer aussteht, ist der Text vor allem noch zugänglich in der CFM-Ausgabe des Winkler-Verlags, München 1968, Bd. II, S. 329.
4 Als Handexemplar diente bei Abfassung dieses Textes: Michelagniolo Buonaroti, Dichtungen. Übertragen von Heinrich Nelson. Jena 1909.
5 a. a. O., S. 271.
6 Vgl. das Kapitel «Der fruchtbare Irrtum» (über Il Pensieroso, unten S. 239–242.
7 W. 1, S. 350.
8 W. 1, S. 76.
9 1. Mose 1,27 (in der Übersetzung Martin Luthers).
10 W. 1, S. 331.
11 Beigezogen: Michelangelo-Mappe des Kunstwarts. Kunstwart-Verlag Georg D. W. Callwey, München o. J. Mappe 1: Das Jüngste Gericht. Die Charongruppe (Detail). Charon auf der acherontischen Flut.

Conrad Ferdinand Meyers Weg zu seinem Glauben

1 W. 1, S. 93 (entstanden 1881/82).
2 W. 7, S. 375.
3 Benützt wurde hier die Ausgabe Zürich 1936 (Neues Testament S. 19).

4 W. 1, S. 114.
5 David A. Jackson: Conrad Ferdinand Meyer in Selbstzeugnissen und Bildern. Reinbek bei Hamburg 1975, S. 27.
6 d'Harcourt, Crise, S. 88.
7 a. a. O., S. 28.
8 W. 1, S. 350. Vgl. dazu auch das Kapitel «Das Michelangelo-Erlebnis» (oben S. 204–224).
9 W. 1, S. 84.
10 W. 1, S. 285.
11 W. 1, S. 76.
12 W. 1, S. 263.
13 W. 1, S. 260.

Der fruchtbare Irrtum

1 Maria Nils: Betsy, die Schwester Conrad Ferdinand Meyers. Frauenfeld 1943, S. 178f.
2 W. 1, S. 332.
3 W. 2, S. 14.
4 Vgl. zu den verschiedenen Fassungen des Themas: Heinrich Henel: Gedichte Conrad Ferdinand Meyers. Wege ihrer Vollendung, Tübingen 1962, S. 89–94.
5 Ernst Kalischer: Conrad Ferdinand Meyers Verhältnis zur italienischen Renaissance. 1907.
6 Zitiert in der Übersetzung von Herman Grimm bei Kalischer, a. a. O., S. 147.
7 Brief an die Schwester Betsy vom 8. Oktober 1852 (d'Harcourt, Crise, S. 36).
8 Brief an Betsy vom 5. Juni 1853 (d'Harcourt, Crise, S. 187).
9 Deutsche Dichterhalle Nr. 12 vom 15. Juni 1873. Vgl. dazu den Kommentar von Hans Zeller in W. 3, S. 166–172.
10 Rekonstruiert und interpungiert nach H. Zeller, W. 3, S. 167f.
11 Die Galerie ist heute nicht mehr vorhanden. Vgl. aber Tschudi: Schweiz, 32. Aufl. (1892), S. 456.
12 W. 1, S. 156f.
13 An und für sich hat wohl die Ortsbezeichnung La Rösa mit dem botanischen Wort Rose nichts zu tun, sondern ist mit Ortsresp. Geländbezeichnungen wie Rosetsch zusammenzubringen.
14 W. 3, S. 242–256.
15 Das baugeschichtliche Archiv des Zürcher Stadtarchivs enthält zwei Aquarelle von Willy Burger, gemalt nach alten Zeichnungen und Vorlagen, die den Langen Stadelhof und das Haus zum St. Urban von Westen und von Süden darstellen (die, etwas übertrieben formuliert, als «Stammsitz des Dichters C. F. Meyer» bezeichnet werden). Auf beiden Aquarellen erscheint, deutlich sichtbar, der kleine Springbrunnen in der Mitte der geometrischen Gartenanlage.
16 Brief Conrads an Betsy vom 14./15. März 1857. (Frey, S. 90f.)
17 Brief Betsy Meyers an Caroline Meyer-Ott vom 9. und vom 25. April 1858 (auszugsweise zitiert in W. 3, 250f.)
18 So Hans Zeller in W. 3, S. 249–251, aber auch: *Conrad Ferdinand Meyer. Bilder aus seinem Leben,* hg. von Georg Thürer und Philipp Harden-Rauch. Verlag der Landesanstalt für Erziehung und Unterricht, Stuttgart 1967, Abbildung 26.

19 Betsy Meyer: *C. F. Meyer. In der Erinnerung seiner Schwester,* S. 164.
20 Zitiert in W. 3, S. 255.
21 W. 3, S. 245 (Manuskriptnummer M^1).
22 Zitiert in W. 3, S. 246 (Manuskriptnummer M^2).
23 M^3–M^5, entstanden 1865 (W. 3, S. 246f). Gewählt wurde für den Abdruck hier von den drei Varianten die, welche jeweils am deutlichsten die Fortentwicklung zeigt. Sämtliche Fassungen sind zusammengestellt und zugänglich gemacht in: Bruno Weber, Conrad Ferdinand Meyer. Ein Porträt des Dichters, hg. von der Zentralbibliothek Zürich, S. 48–53 (Ausstellungskatalog 1975).
24 W. 3, S. 251.
25 W. 3, S. 246.
26 Vgl. H. Zeller in W. 3, S. 248f, dazu Manuskriptbeschreibungen und Datierungen S. 242f.
27 W. 3, S. 249–255.
28 Genaueres darüber in W. 3, S. 253f.
29 W. 3, S. 254.
30 W. 1, S. 170.

«Tag, schein' herein! und, Leben, flieh hinaus!»

1 W. 1, S. 155.
2 Vgl. H. Zeller in W. 3, S. 161–165. Wortlaut der früheren Fassungen S. 165. Die Fassung in *Romanzen und Bilder* ist heute ferner zugänglich in der CFM-Ausgabe des Winkler-Verlags München (1968), Bd. II, S. 303.
3 W. 3, S. 165; Winkler-Ausgabe S. 303.
4 Meine Mutter pflegte die Aufforderung ‹flie!› oft im Sinn von ‹du darfst jetzt weggehen› zu verwenden, etwa so, wie das altgriechische ‹feuge› im neugriechischen ‹fi je!› gemeint ist, wenn der Busschaffner dem Wagenführer damit den Befehl zur Weiterfahrt erteilt.

«Ein bißchen Freude»

1 W. 1, S. 79. Dazu H. Zellers Kommentar in W. 2, S. 332.
2 Diese Abhandlung stellt die erweiterte Form eines unter demselben Obertitel erschienen Aufsatzes in der *Neuen Zürcher Zeitung* vom Montag, 15. November 1971 (Morgenausgabe Nr. 532, S. 31) dar.

Mouton der Maler und Mouton der Pudel

1 W. 12, S. 121f.
2 W. 12, S. 123.
3 W. 12, S. 135.
4 W. 12, S. 124.
5 über Paul Deschwanden vgl. Historisch-biographisches Lexikon der Schweiz (HBLS) s. v.
6 W. 1, S. 114, dazu der Kommentar H. Zellers in W. 3, S. 35f.

«Noch einmal» – letzte Höhe und dunkler Vorbote

1 W. 3, S. 121.
2 W. 1, S. 164.
3 W. 1, S. 83.
4 W. 11, S. 180f.
5 W. 1, S. 140; dazu Hans Zeller in W. 3, S. 120–122.
6 W. 1, S. 113
7 W. 1, S. 29 und 392f.
8 W. 3, S. 121 oben.
9 Vgl. Gottfried Keller: Sämtliche Werke, hg. v. Jonas Fränkel und Carl Helbling, Bd. 1, S. 40, und Bd. 2/2, S. 46.

Namenregister

(eingeschlossen die poetisch-fiktiven Namen)

Geographisches Register

(eingeschlossen die poetisch-fiktiven Ortsbezeichnungen)

Inhalt

Das Dichterschicksal im Spiegel des Werks